صورة على هاتفٍ جوّال

إلهام منصور

صورة على هاتفٍ جوّال

(رواية)

شركة المطبوعات للتوزيع والنشر

إن الآراء الواردة في هذا الكتاب لا تعبر بالضرورة عن رأي
شركة المطبوعات للتوزيع والنشر ش.م.ل.

شركة المطبوعات للتوزيع والنشر ش.م.ل

ALL PRINTS DISTRIBUTORS & PUBLISHERS s.a.l.

الجناح، شارع زاهية سلمان
مبنى مجموعة تحسين الخياط
ص.ب.: ٨٣٧٥ - ١١ بيروت، لبنان
تلفون: ٨٣٠٦٠٨ ١ ٩٦١+ فاكس: ٨٣٠٦٠٩ ١ ٩٦١+
email: tradebooks@all-prints.com
website: www.all-prints.com

الطبعة الأولى ٢٠١٥
ISBN: 978-9953-88-846-0

تدقيق لغوي: حبيب يونس
تصميم الغلاف: داني عوّاد
صورة الغلاف: جيهان سيف
الإخراج الفني: فدوى قطيش

ساد الصمت بيننا في ذلك اللقاء الذي يجمعنا صبيحة كل أحد في بيت الوالدة. ساد الصمت حين أبلغنا شقيقي البكر أن قرار الخبراء كان سلبيًّا وهو يضعنا أمام خيارين لا ثالث لهما بالنسبة إلى رفيق عمرنا وحافظ أسرارنا؛ إما الموت البطيء المؤلم له ولنا، وإما الموت الرحيم الذي وعلى الرغم من فظاعته، يخفّف من معاناته ومعاناتنا.

ساد الصمت ولم يُتّخذ القرار النهائي في تلك الجلسة التي ما إن انفضّت حتى عدتُ إلى بيتي، جهّزت أمتعتي وتوجهت إلى الضيعة، يغمرني شوق كبير إلى أحضان ذلك الرفيق الوفي وحنانه، هو الذي أهملتُه، فترة، على الرغم من شوقي الدائم إليه.

غمرني بذراعيه وقبّلني كعادته حين أزوره، ثم أبعدني عنه ونظر في عيني، هنيهة، قبل أن يقول: «أهلًا بك يا حبيبتي، لم أفاجأ بمجيئك بعد أن سمعتُ ما قاله الخبراء عن حالتي حين عاينوا كل جسدي جيدًا. لكن اطمئني، الكلمة أقوى من الموت وهي الدواء الذي سيسعفني على تحمل الألم الذي ينخر عظامي ويتمركز في

كل مفاصلي. اطمئني لن أنتهي إلا حين ينتهي الكلام ولديّ الكثير لأقوله لك، سنعيش معًا فترة لن أندم على شيء إطلاقًا بعدها. أما الآن فاستريحي وغدًا تبدأ رحلة القول، رحلة الكلام الذي، إن لم أقله أَكُنْ كمن لم يعش، وأعلم جيدًا أنني عشت أجمل أوقات حياتي برفقتكم وفي ما بينكم، وأعلم أيضًا أنني أحتل حيزًا كبيرًا جدًّا من وجدانكم. استريحي الآن والصباح رباح».

- ١ -

استيقظت باكرًا لأحضّر له القهوة وأفاجئه وهو في فراشه نائم. لم يترك لي تلك الفرصة؛ ما إن خرجت من غرفتي حتى رأيته برفقة لفيف من الأقارب جالسين في الحديقة يشربون القهوة.

- صباح الخير يا أغلى الناس على قلبي، صاح حين رآني، وتابع: ها هم الأقارب ينتظرونك للترحيب بك، والقهوة جاهزة.

صافحت الجميع وقبّلتهم قبل أن أجلس وتنهال علي الأسئلة عن كل فرد من أفراد عائلتي من إخوة وأولادهم وبخاصة عن الوالدة التي احتجَّ الجميع على عدم مجيئها برفقتي. لم أخبرهم، طبعًا عن سبب مجيئي، وأمضيت برفقتهم كل فترة قبل الظهر نتحادث بمواضيع شتى مع ازدياد عددهم مع مرور الوقت، إذ إن كل من عبر أمام باب الدار المشرّع على مصراعيه ورآنا في الحديقة، دخل ليرحب بي ويشاركنا الحديث حول كل ما يدور في ذهنه ابتداءً من الأمور الصغيرة المتعلّقة بالضيعة، إلى الأمور الكبيرة المتعلّقة بالسياسة المحلّيّة والدولية، وجميعهم، تقريبًا، كانوا ملمّين بكل ما

يحدث في العالم ومتابعين له، والأمر غير مستغرب بعد انتشار كل وسائل الاتصال الحديثة، وبخاصة التلفاز.

أمضيت معه كل ذلك النهار نستقبل أهل الضيعة والأقارب. وحين غادر الجميع، ضمني إليه وقال: «الآن أتى دوري، تكلّمتِ كثيرًا اليوم، أما الآن فقد أتى دوري في الكلام، سنمضي السهرة معًا ولن أصمت عن الكلام إلا حين تأمرين بذلك أو حين يغلب عليك النعاس وتنامين».

- لن يغلب عليّ النعاس إطلاقًا وأنا أستمع إليك، وأنت تعلم جيدًا أنني أتيت لهذا الغرض لأنك ناديتني وها أنا ألبي النداء. وأطلب منك أن تبدأ من البداية وأن لا تترك أمرًا، ولو صغيرًا، إلا وتبوح به أمامي.

- لا توصيني بما أنا راغب فيه؛ ستكونين ذاكرتي، وهكذا أطمئن بعد موتي أنني ما زلت حيًّا بك.

- ستبقى حيًّا بي وبمن سيأتون بعدي.

فرح بكلامي لأنه يعرف ماذا أقصد. نظر إلى الأرض أمامه وغرق في ذاته لبعض الوقت قبل أن يرفع جفنيه وينظر إليّ بحنان كبير ويقول:

- لن أستأذنك، وأعرف أنك ستوافقين على طلبي المسبق، قبل أن أفرغ في قلمك كل ذاكرتي.

لم أفهمه جيدًا، وسألته ماذا يقصد وما هو طلبه الذي يعلم أنني لن أرفضه. ابتسم وقال:

- عزيزتي الغالية إلهام، سأناديك «هبى» وهو الاسم الذي كنت أناديك به في سري والذي كنت أود أن تسمَّي به. حين ولدتِ طلبتُ من والدك أن يعطيك هذا الاسم وأجابني أن والدتك قد سبق أن اختارت لك اسم إلهام وهي فخورة به لأنك ستكونين أول إلهام في الضيعة، تمامًا كما فعلت في تسمية شقيقتك أمال وشقيقيك ألبير وإدوار ولم يخرج عن اختياراتها إلا اسم شقيقك الأصغر جوزيف، ولذلك أسباب سأرويها لك في سياق الكلام. قبلت الأمر مرغمًا وكلي أمل بأن تسمعيني يومًا ما. لم تخيّبي أملي وحوّلت اسمك إلى هبى في الروايات والسير التي كتبتها. فيا عزيزتي الغالية أنت الآن هبى التي أحب والتي سأسكب فيها كل كياني منذ ولادتي حتى نهاية الكلام الذي أعرف جيدًا كيف تبقينه حيًّا.

- طلبك مقبول، ولكن...

وقبل أن أتابع اعترض قائلًا:

- أنا لم أستأذنك كي تقبلي أو ترفضي، وكلامي سيكون موجهًا إلى هبى من دون أي نقاش.

- كما تريد، ولكن بدوري، لن أستأذنك وسأناديك «بيتي» كما تنادي أحيانًا الأمهات أبناءها أو بناتها وهو تعبير يلخّص عمق الالتصاق بين الأم وأبنائها.

- أنا، بالفعل بيتك الذي يحميك برموش عينيه وأنت ستتحولين رويدًا رويدًا إلى مسكني حتى بعد غيابي.

- أنا جاهزة لهذا التحوّل مع العلم أنه بدأ منذ زمن بعيد، منذ ولادتي.

- التحوّل لا يتم ولا يصبح واقعًا لمجرد الإحساس به، بل يتحول إلى حقيقة واقعية حين يراه ويلمسه الجميع، وأنا كلي ثقة بقدرات ابنتي هبى.

- يجب ألّا نهدر الوقت، أنا كلي سمع. قلتُ له، كي يباشر تلبية المهمة التي أتيت إليه من أجلها.

- لم نهدر الوقت. كان لا بد من تلك المقدمة التوضيحية كي يستقيم الكلام. أجابني قبل أن يصمت ويغمض عينيه لفترة تجاوزت الدقائق العشر. تنحنح بعدها وقال:

- ولدتُ مع القرن العشرين وبالتحديد سنة ألف وتسعمئة كما هو مسجل في بطاقة هويتي ومكتوب على جبهتي. وكنتُ في العاشرة من عمري حين أنجبتِ السيدة مريم، جدتُك، طفلَها الخامس. خرج من رحم أمه إلى حضني مباشرة. دخل ذلك الطفل قلبي منذ اللحظة الأولى؛ فهو صورة عن أمه التي كنت أجل وأحترم. في تلك الليلة المثلجة من شهر شباط ولد والدك وحبيب قلبي، سامي، بعد أن سبقه إلى هذه الدنيا كلٌّ من نخله وفؤاد وجوليا ويوسف. شعرت أن سامي هذا هو الذي سيكون سيّدي في ما بعد مع أن أباه السيد خليل

كان لا يزال في عزّه، صحةً ومالًا ومركزًا كريمًا بين أهل الضيعة، ضيعتنا، الراكنة، كما تعرفين، في سفح جبل على الحدود اللبنانية - السورية. حضنت سامي وأضرمت نار التدفئة في كل أنحاء البيت بعد أن هنّأت سيدتي مريم بالسلامة وباركت لها بالطفل الجديد الذي فرح به والده جدًّا، هو الذي كان يفضّل إنجاب البنين على إنجاب البنات كما هي حال أغلبية الذكور في مجتمعنا.

سيدي خليل وهو وجيه في ضيعته أمرني بتوزيع الحلويات على جميع الأهالي الذين أتوا ليباركوا له بالمولود الجديد تمامًا كما فعل يوم ولادة أبنائه الآخرين. فُتحت أبواب الدار واسعًا، وهي لم تغلق يومًا، وأمّ بيت الشيخ خليل جموع أهالي الضيعة على الرغم من الثلج الكثيف الذي كسا كل الطرقات وسقوف المنازل بثوبه الأبيض.

ولادة سامي ردّتني إلى ذاتي، أنا ابن الحكمة والوفاء: قبل أن أكون، عاد سيدي خليل من المهجر وتسلّم مركز مختار الضيعة التي اختارته لهذا المنصب الذي احتله أبوه من قبله. لكن الضيعة التي كان سكانها يعانون الكثير فوضويةَ توزيع مياه الريّ والأراضي، لجأوا إليه لحل هذه المعضلة المزمنة التي كانت سبب خلافاتهم المستمرة والتي كانت أحيانًا تتحوّل إلى قتال في ما بينهم، قتال يسقط من جرائه بعض الجرحى في أغلب الحالات. بعد أن تسلّم سيدي المخترة وعاين بعضًا من النزاع على الأرض والمياه بين أهل الضيعة، قرّر حل هذه المعضلة، فجمع من يمثّل كل العائلات وبدأ التشاور معهم، وحين بدأ النقاش، تركهم يعرضون كل الحلول

الممكنة، لكنهم لم يتفقوا، فما كان منه، هو الذي فكّر في الحل مليًّا قبل أن يجمعهم، إلّا أن وقف بينهم رافعًا يديه، فصمت الجميع ينتظرون الكلام الفصل. عرض سيدي فكرته التي تقوم على توزيع المياه على القاعدة العشرية وتوزيع الأراضي على قاعدة أخرى، لم أفهمها جيّدًا، حيث يتمكن كل صاحب أرض من الاستفادة من المياه مداورة. لم يستوعب الجميع هذه القسمة، فطلب منهم سيدي أن يعودوا إلى بيوتهم ويفكروا بهدوء قبل إعطاء الرأي.

لم يطل الوقت أكثر من أسبوع وعاد وجهاء الضيعة إلى سيدي يطلبون منه عقد اجتماع جديد للتداول في الموضوع. استجاب لطلبهم وعقد الاجتماع في داره كما في السابق. لكن هذا الاجتماع لم يكن للتداول بالحل بل كان اجتماعًا لشكره على توزيع الأرض وتوزيع مياه الري على القاعدة العشرية اللذين وافقوا عليهما، بعد أن فكّر فيهما الجميع ووجدوا فيهما الحل الأمثل لإنهاء الفوضى في توزيع تلك الأراضي المشاع وتلك المياه السائبة في الضيعة. وهكذا بات لكل صاحب أرض مزروعة «عدّان» حيث تُحوّل مياه الري إلى بساتينه من دون أي مشكل مع غيره الذي ينتظر دوره في ميعاده المحدّد بحسب القاعدة التي أرساها سيدي ووافق عليها الجميع.

بعد أن استتبّ الأمر وهدأت الضيعة من الشجار حول مياه الري، عاد وجهاء الضيعة وطلبوا من المختار اجتماعًا جديدًا. وحين استفسر منهم عن سبب ذلك، لم يفصحوا عما يجول في خاطرهم بل ألحّوا عليه أن يلبي طلبهم. استجاب لطلبهم واجتمع الأهالي في دارة

المختار الذي كان لا يزال عازبًا ويعيش في بيت أبيه. عجت الدار بأهالي الضيعة وبينهم سيدي خليل ينتظر. فما كان من الأهالي إلا أن طلبوا من كبيرهم سنًّا أن يقف ويشرح للمختار عن سبب اجتماعهم. وقف الشيخ الجليل، شكر السيد خليل باسم أهالي الضيعة، ثم تقدّم منه وسلّمه ورقة رسمية. تسلّم المختار الورقة وقرأها، ثمّ هزّ برأسه ونظر إلى الجموع مبتسمًا من دون أن ينطق بكلمة، فتحلّق حوله الجميع وهم يقولون: «مبروك لك هذه القطعة من الأرض في ساحة الضيعة عربون وفاءٍ منا وعرفانًا بالجميل للحل الذي أتيت به لمياه الري، والذي أنهى كل خلافاتنا السابقة». شكرهم المختار وتوجهوا جميعًا إلى ساحة الضيعة حيث كانت قطعة من الأرض مسيّجة في قلب تلك الساحة ومحفور في ترابها كلمة: «مبروك لصاحب الرأي الصائب والحكيم، المختار خليل». شكرهم سيدي من جديد وألقى كلمة ارتجالية مشدّدًا فيها على أهميّة الوفاق والوقوف يدًا واحدة والاحتكام إلى العقل في كل الأمور، وانتهى ذلك النهار بحفلة كبيرة أقامها المختار في دارته تكريمًا لكل أهل الضيعة.

حين انفك الجمع بدأتُ ألوح في ذهن الشيخ خليل الذي أمضى أيامًا في تصور ما سأكون عليه. رسمني بكل تفاصيلي وبأقل من سنة بتُّ عبده المطيع الذي لا يرفض له طلبًا.

أنا، ابن الحكمة والوفاء، أرادني معلمي أن أكون مختلفًا عن أترابي ومميزًا بكل المقاييس؛ بنيتي كبيرة وحتى ضخمة، كما ترين، وردائي جلباب واسع ومملوء بالجيوب. احتللت الساحة كلها، ولم

يرضِ ذلك سيدي الذي ألبسني طربوشًا أحمر بات العلامة الفارقة التي تميزني عن كل أمثالي الصغار الموزعين على تراب ضيعتنا، رأس بعلبك.

من كان يقصد بلدة رأس بعلبك، كان عليه أن يصل أولًا إلى مدينة بعلبك ثم يتجه، راكبًا القطار، على الطريق الضيقة والمتعرجة المؤدّية إلى سوريا حيث سيقطع بلدات عديدة قبل أن يفاجئه، إلى جهة اليمين، طريق ترابية ضيقة وعلى طرف المفرق «آرمة» صغيرة مخطوط عليها بخط اليد: «رأس بعلبك». لكن القطار يكمل طريقه إلى المحطة في طرف أراضي الضيعة. يترجل الزائر من القطار ويعود، راكبًا عربة خيل ليدخل المفرق الممتد على بعد ألف مترٍ تقريبًا في أرض تشبه الصحراء من الجهتين ليصل إلى ساحة تسمى بيادر القصر، من بعدها يتابع الطريق بين البساتين الموزعة على جهتيها، بساتين لا يرى المار أي شيء منها سوى سياجها المكوّن من توت العلّيق الذي يرافق الآتي إلى الضيعة حتى ساحتها. والتوت هذا ينبت خلف سياج مكوّن من الحجارة الضخمة التي تشير إلى أن لهذه الضيعة تاريخًا قديمًا هي التي كانت تسمّى، بحسب دارسي التاريخ: «قونيا».

- ما زلت أذكر هذا الدرب الضيق وأذكر، بخاصة، توت العلّيق الذي كنا، صغارًا، نعشق طعمه حتى ولو تشققت أيدينا قبل التقاطه والتهامه والتمتع بطعمه اللذيذ الذي ما زلت أذكره حتى الآن.

- أعرف أنك تذكرين كل ذلك، لكن الذاكرة الخرساء هي كالعدم، كالخواء، وسترين أن ما سأخبرك عنه تذكرين الكثير منه. الموت الفعلي هو موت الذاكرة، والذاكرة الخرساء لا تختلف عن الذاكرة الخاوية وبالتالي عن الموت. لكن أعلم جيدًا أن ذاكرتك لن تكون خرساء، وبخاصة بعد أن تمتلئ بما سأغذيها به من أحداث ومواقف وأفعال و... وكل ما تغص به ذاكرتي التي ستكون ذاكرتك أنت وأنا واثق أنك لن تتركيها تموت.

أذهلتني ملاحظاته وقرّرت عدم مقاطعته. قدّمت إليه اعتذاري وطلبت منه متابعة كلامه. ابتسم وربَّت كتفي وقال: لن أرهقك وأرهق ذاكرتك دفعة واحدة وسأتابع غدًا بعد أن تكوني قضيت ليلة هادئة في حضني.

- ٢ -

مساء اليوم التالي وبعد أن غادرنا آخر زائر، عاد رفيق دربنا إلى حكايته، كأنّه لم يتوقّف وقال:

- ما إن ينتهي زائر رأس بعلبك، من الطريق الضيقة بين البساتين حتى يدخل ساحة واسعة هي ساحة الضيعة التي يتوسطها جرن مياه جارية وعين مسيّجة بدرابزين حديدي. وإن التفت إلى يمينه وجد مقهى البلدية تظلّله شجرة جوز كبيرة وقبالته مقهى الحور المسيج بذلك النوع من الشجر الذي لصوت حفيف أغصانه وأوراقه طعم الحنين. وما يفصل بين المقهيين طريق تسمى السيل، تمتد نزولًا إلى البساتين وصعودًا إلى الـ «تنيّة» مرورًا أمام دير السيدة، سيدة الضيعة العجائبية كما يسميها أهل الضيعة، لأنها حققت معجزات عديدة لا ينفك أهل الضيعة عن روايتها أمام كل زائر جديد لهذا الدير. تلك الطريق سمّيت بالسيل لأنها تشكل مجرى السيل الذي يتفجر في الـ «تنية» في بداية كل خريف ويجري صاخبًا وأحيانًا مؤذيًا في ذلك المسلك إلى آخر الضيعة ليتخطاها إلى السهل والقرى المجاورة حيث تفيض البساتين بالمياه وتهدر المواسم الزراعية أحيانًا.

في وسط تلك الساحة جرن مياه مستطيل يكون في أغلب الأحيان محاطًا بقطعان الماشية التي ترتوي من مياهه. مع الماشية هناك الصبايا والسيدات يغرفن المياه بجرار أو صحائف ويضعنها على رؤوسهن ويتمايلنَ صعودًا إلى بيوتهن في الحارة الفوقا التي يسكنها كل أهالي الضيعة والتي ترك فيها سيدي بيت أهله ليسكن في الدار التي بناها على يمين الساحة في قطعة الأرض التي كافأه بها أهل الضيعة.

– أعلم أن حارة الفوقا كانت هي الضيعة بكاملها وهنا لم يكن من بيوت إطلاقًا ولا من سوق ودكاكين ولا حتى من حركة وحياة. كل ما رأيته حين أبصرتُ النور وحفظته ذاكرتي هو حديث، أليس كذلك؟

– هو بالفعل حديث، ولهذا السبب، أول ما يلفت انتباه من يطأ الساحة من التجار الكبار أو غيرهم هو ذلك الطربوش الأحمر الذي يعلو هامتي إلى يمين الساحة، فيدرك أنه وصل إلى حيث يبغي، فيمر بجرن الماء حيث تعبّ دوابه من تلك المياه العذبة ويتجه نحوي وهو يعرف أن ذراعيّ مفتوحتان دائمًا لاستقباله كما استقبال كل أهالي الضيعة المتجمعين حول سيدي دائمًا. يحييني من بعيد ويتابع سيره نحوي، وحين يقترب مني يتطوّع عدد من شبان العائلة الموجودين بشكل دائم حول سيدي، ليهتمّوا بالدواب ويوجهوها نحو الخان حيث العلف من تبن وشعير وغيرهما، متوافر لها.

- صورة ذلك الخان ضبابية ومشتتة في ذهني، حاولت، مرات عديدة جمعها، لكنني لم أنجح.

- سأرسمها لك بالتفصيل. ولكن دعيني أكمل كلامي وفقًا لانسيابه في ذهني. وسأجيبك عن كل أسئلتك لاحقًا. أين توقفنا؟

- عند الزائر الذي يتوجه نحوك.

- صحيح. وهذا الزائر ما إن يعبر من بين ذراعي المشرعتين حتى يصل إلى ديوان رحب يفصل بين دارين. وما إن يقطعه حتى يجد نفسه في ساحة واسعة تظلّلها دالية تتدلّى عناقيدها الحمر في كل موسم، تُقدّم، حين تقطف، إلى كل زائر يقصد سيدي في فصل الصيف، مع الاحتفاظ ببعض العناقيد التي تُكيَّس وتُحفظ حتى الشتاء وبالتحديد حتى ليلة عيد الميلاد. أمّا العريشة فتحتها بحرة صغيرة تجري فيها المياه العذبة الباردة صيفًا، والحارة يتصاعد منها البخار شتاءً. وإلى جانب البحرة توجد بئر عميقة يعلوها دولاب مشعّب ملفوف عليه حبل يتدلى منه برميل صغير من الكاوتشوك الأسود المعدّ لغرف الماء من البئر.

- «بيتي» العزيز اسمح لي بمقاطعتك قليلًا، أذكر الساقية جيدًا، لكن البئر لا أذكرها إلا مغلقة ببلاطة كبيرة تسد كل فوهتها.

- حبيبتي هبى أنا أروي لك من ذاكرتي وليس من ذاكرتك وتعلمين جيدًا أن ذاكرتي هي أشمل وأكبر من ذاكرتك، فالذاكرة عملية تراكم عبر السنين وأنت أدرى مني بالفارق بيننا على هذا الصعيد.

- أعلم ذلك واعذر تدخلي ومقاطعتك. أنا كلّي سمع.

- سأتابع كأنك لم تحشري أنفك في الموضوع وسأرسم المشهد كما كان تمامًا: فإلى يمين العريشة قنطرة ضخمة يتوسطها باب كبير وهو مدخل الخان المملوء بكل أنواع الحبوب وغيرها من أنواع البضائع التي كان يوفرها سيدي خليل لكلّ التجار على امتداد سهل البقاع وصولًا إلى مدينة زحلة. إلى يمين الخان غرفٌ عديدة ومطلة على السوق وعلى ساحة الضيعة، مفروشة بأسرة نحاسية حيث يبيت الزوار الغرباء والتجار الصغار وهم كثر لا تخلو منهم الدار أبدًا. كل تلك المساحة مسقوفة بالخشب المدعم بجسور خشبية أيضًا. في طرف ذلك المنزول جهّز سيدي فرنًا على الحطب يوفّر للزوار ولأهل البيت الخبز الساخن كل صباح. وبدعة الفرن هذه، في بدايات القرن العشرين وفي ضيعة نائية، كانت موضع استهجان من كل أهالي الضيعة الذين كانوا يخبزون عجينهم على التنور قبل أن تدرج موضة الصاج لاحقًا ثم خبز الفرن المصنّع خارج الضيعة. ولا أنسى الإسطبل المخصص لجوادين يجرّان عربة سيدي حين يرغب في التنقل.

من يعبر بين ذراعي في فصل الربيع تستقبله روائح الورد الجوري والنعناع البري، وهما يشكلان السياج الفاصل بين الديوان، ويُسمى في الضيعة،كما تعلمين، «ليوان»، والمساحة التي تظلّلها العريشة الكبيرة من جهة والحديقة من جهة أخرى. والحديقة هذه هي كناية عن مرجة خضراء مسيجة بجدران من التراب والحجارة. تلك المرجة

الخضراء ترتوي من عين مياه جارية تكمل طريقها عادة في سرداب مسقوف لتصل إلى العين الموجودة تحت العريشة، ومتى حان وقت الري «تطبن» تلك العين أي تمنع المياه من الجريان فيها فترتفع في العين وتفيض لتجري في أثلام مشعبة داخل الحديقة. وتلك العين لا تظهر جليًّا لأنها مظللة بشجرة بيلسان وارفة تمتد جذورها إلى مجرى الماء، وهي تملأ كل تلك الزاوية من الحديقة التي تتوسطها شجرتا رمان، وإلى يمينهما شجرة متعددة الأغصان وأنواع الفاكهة، حيث أن أحد أغصانها يثمر اللوز وآخر يثمر المشمش وآخر يثمر الدراقن. أما الطرف الآخر من الحديقة ففيه شجرة تين وشجرة توت شامي وشجرة زيتون، تتوسطها شجرة جوز وارفة تظلّل المكان حيث يجلس سيدي مع ضيوفه أحيانًا على مقاعد من القطن المغلّف بسجاد حيك في ضيعة مجاورة لرأس بعلبك، ومشهورة بتلك الصناعة.

لم أتمكّن من تمرير ما قاله عن الساقية من دون تعليق لا أظنه كان خافيًا عليه، ولكن استغربت عدم ذكره له. ومن دون أن أتكلم بدأتُ بالضحك كي أوقف انسياب تذكّره. فما كان منه إلا أن سألني عن السبب وأجبته متحدّية: «ألم تغفل أمرًا مهمًّا في وصفك للساقية؟» صمت لحظة وقال: «لا، لم أغفل شيئًا، لكن أودّ أن أسمع منك ما تعتبرين أنه فاتني». قال ذلك وهو يبتسم ليوهمني أنه يعرف. وأجبته: «ألا تذكر كيف كان بعض الصبية ومن بينهم أشقائي، يعبرون الساقية المسقوفة بين عيني المياه الجارية، زحفًا على بطونهم، وكيف كان ينسلّ أحدهم داخل العين الفوقا ونتراكض

لانتظار خروجه من البحرة تحت العريشة، وكيف كنا نستقبله كأنه قام بإنجاز كبير؟».

- طبعًا أذكر، أجابني وهو يهز برأسه، وتابع: وأذكر أيضًا أنك لم تجرؤي ولو مرة واحدة على عبور الساقية المسقوفة فيما شقيقتك أمال فعلت وتحدّت كل الصبيان.

- هل تحطّ على عيني وتذكّرني بأنني أنا أيضًا أختار من الذاكرة ما يناسبني متغافلة ما ليس في مصلحتي؟ أقبل منك ذلك وأعترف بأن شقيقتي، في مثل هذه الأمور، هي أقوى مني وأنها كانت دائمًا تتحدّى الصبيان وتتفوّق عليهم في كل ما كانوا يعتبرونه من اختصاصهم. ولكن بعد هذا الخروج عن السياق أرجو ألا أكون قد أفقدتك انسياب ذكرياتك.

- لا تخافي، حبيبتي هبى، فذكرياتي هي كل ما تبقى لي ولا أحد يمكنه بعثرتها إلا... ولكن قبل ذلك سأتابع الحكي، علّه يحتل حيزًا من ذاكرتك التي، أنا واثق، أنها لن تذهب سدًى. لذلك سأتابع الرواية التي بدأتها بحضورك وآمل أن تكون أذناك مصغيتين.

- لا أود التعليق، لكننا كنا في الليوان، و...

لم يتركني أتابع وقال: «إلى يمين الـ «ليوان» هناك درج عالٍ مؤلّف من عشرين درجة، يفصل بين البيت الأرضي والقنطرة وبابها المؤدي إلى الخان وغرف الاستقبال. يحد هذا الدرج، من جهة، جدار أحد البيتين في الطبقة السفلية ومن الجهة الثانية درابزين

خشبي مزركش ومطلي بلون خشب الجوز. هذا الدرج يوصل الزائر إلى الطبقة العلوية حيث يقيم سيدي بعد أن تزوج من سيدتي مريم وترك بيت أهله في الحارة الفوقا التي يسكنها كل أهالي الضيعة. ديوان مربع يستقبل الزائر، تتوزّع على ثلاث من أضلاعه غرفتان كبيرتان وسطح الخان. إحدى الغرفتين وهي غرفة الطعام، يليها مطبخ مجهّز بـ «نمليات» عديدة واجهاتها من شبك ناعم يسمى «منخل» وهي، لأنها مهوَّأة، معدة لحفظ الطعام. والمطبخ هذا مطلّ، من جهة على جزء من سطوح غرف الاستقبال، ومن الجهة الثانية يطل على سطح آخر وهو جزء من سقف الخان. أما الغرفة الثانية فهي غرفة نوم لها نافذتان تطلان على ظهر العريشة التي تظلّل «أرض الدار» كما كانت تسمى تلك الساحة تحت العريشة، ومن ثم باتت هذه التسمية تشمل كل الطبقة السفلية.

«الضلع الرابع من الديوان المربع مفتوح على صالة كبيرة مستطيلة الشكل وهي معدة لاستقبال أهل الضيعة وإلى جنبيها غرفتان كبيرتان إحداهما جدرانها مزركشة بالرسوم والخطوط الملونة، وهي مجهزة بالفرش الجميل ومعدّة لاستقبال الضيوف الغرباء عن الضيعة. والغرفة الثانية، غرفة نوم سيدي، فهي رحبة وأرضها من مادة صلبة وردية اللون ولها نافذتان، إحداهما تطل على السوق والساحة والأخرى على سطح ترابي هو سطح أحد شقتي الطبقة السفلية ولا أنسى الـ «يوك» الخشبي المركون إلى أحد جدران الغرفة والمملوء بالفرش واللحف والأغطية المزركشة وراء

ستارة من الكتان الـ «دولس» الأبيض والمطرّز بيدَي سيدتي مريم. أما القاعة الوسطية المستطيلة فهي مطلة على ساحة الضيعة وتنتهي بقناطر ثلاث من الحجر تشكل نافذتين وبابًا، وزجاجها كلّه مقطّع بقضبان من الخشب ترسم أشكالًا هندسية منسّقة. من الباب نخرج إلى شرفة مسيّجة بدرابزين من قضبان الحديد التي تشكل رسومات جميلة متتالية، وتطل على الساحة وكل ما يحيط بالضيعة؛ فأمامها يظهر جبل مار توما وبيادره العديدة، وترتفع على قمته كنيسة قديمة هي كنيسة مار توما التي يعود تاريخ بنائها إلى الأزمنة الغابرة. من جهة اليمين يطل على الناظر جبل آخر، أجرد كما جبل مار توما ويسمى جبل مار كوليا وهو اسم يذكّر بالاسم القديم للضيعة مع تحريف صغير إذ إن اسم الضيعة كان «قونيا». قبالة هذا الجبل من جهة الساحة تطل، في الأفق البعيد، قمة القرنة السوداء التي تكسوها الثلوج في الشتاء ويستمر البعض منها حتى فصلي الربيع والصيف.

– لا أستطيع السكوت لأن كل ما رسمته حتى الآن من كيانك هو أيضًا جزء من كياني وتشكلي الخاص وبخاصة تلك الشرفة الصغيرة التي أمضينا وراء درابزينها أجمل العصريات، ونحن نراقب دينامية أهالي الضيعة ساعة المغيب، وهي ساعة تعج بالحركة والضجيج قبل أن يخلو السوق من الحياة ويسود الهدوء حتى الصباح الباكر حيث تبدأ الحياة من جديد انطلاقًا من صيحات «اللحامين» الذين ينحرون الماشية، والأغنام منها بشكل خاص، أمام دكاكينهم التي تشكّل الطبقة السفلية من بيتنا.

٢٣

- ما وصفتِه الآن هو حديث، ففي بداياتي لم يكن هناك سوق ولا «لحامون». كل ما ذكرتِه من حركة كان في الساحة الفوقا التي هي ساحة الضيعة كما سبق أن قلت لك. لهذا السبب اتركيني أستعيد ما هو مركون في أسفل ذاكرتي قبل أن يغمره النسيان ويتبخر كأنه لم يكن.

- يبدو أنني سأعتذر منك في كل مرّة أقاطعك. سأحاول التزام الصمت، ولكن لا أعدك أنني سألتزم بشكل كامل.

ضحك «بيتي» وقال: «على الرغم من أنك تقطعين حبل أفكاري بمداخلاتك، لكنني فرح بها لأنني أعتبرها نوعًا من المشاركة التي تبعد عني الشعور بالوحدة الذي بات يعذبني».

- لن تكون وحيدًا أبدًا وأنا دائمًا معك حتى ولو كنت بعيدة. وأعدك أنني، حين أتقاعد من التعليم في الجامعة، في نهاية السنة المقبلة، سأمضي كل أوقاتي معك هنا في رحابك.

فرح بكلامي واغرورقت عيناه بالدمع كأن شعورًا مزدوجًا ومتناقضًا عبر كيانه. أخفى دموعه وقال: «دعينا لا نستبق الأمور ولن أخبرك عن حقيقة ما يمر الآن في ذهني. دعينا نعود إلى حيث كنا من عالم الذاكرة».

احترمت تأثره ولذت بالصمت. فتابع من دون مقدمات:

- من يزور سيدي في الطبقة العلوية لا يستطيع أن يتجاهل جدران تلك الدار، فهي جدران سميكة جدًّا مبنية من الحجارة

والتراب، تغلفها قشرة صلبة من الـ «كلّين» المطلي بنوع من الطلاء اللمّاع الملوّن، حيث أن لون جدران كل غرفة يتناسق مع لون ألواح الخشب التي تشكل السقف والتي تشكّل بدورها أرضية الـ «تكنة» التي يعلوها طربوشي الأحمر الذي يكلّل هامتي والذي ميّزني به سيدي عن كل زملائي.

هنا أيضًا لم أضبط نفسي وقد راودني شك في ما أسمعه وقلت بعفوية: «كيف ذلك، أنظر أمامك ألم ترَ طربوشًا أحمر قبالتك على الضفة المقابلة من السوق؟».

- أرى وأطلب منك أنت أن تري؛ هل قرأت تاريخ ولادة ذلك الطربوش قبالتنا؟ ولمعلوماتك هناك الآن طربوش آخر في الضيعة لا ترينه من هنا. لكنهما أتيا تقليدًا للطربوش الذي زيّن به سيدي خليل هامتي. ولا أخفيك أنني فرحت بهما جدًّا وتمنيت لو أن الجميع هنا اعتمر الطربوش الأحمر الذي، لو حدث، لكان زيّن الضيعة وأضفى رونقًا إضافيًا على رونق هذه الضيعة المميّزة. والآن دعيني أتابع مع أنّني شارفت نهاية الوصف، ولكن كي تكتمل شخصيتي، يجب المرور على بيت الخلاء الذي هو حاجة ضرورية لا بد منها. هذا البيت كان في طرف الحديقة وهو كناية عن غرفة صغيرة نصل إليها بواسطة درجات ثلاث. نفتح باب الغرفة لنجد أننا على مصطبة خشبية تتوسّطها فتحة مستطيلة. يقرفص فوقها الداخل لقضاء حاجته ويفرغ غوطه وبوله في إناء كبير تحت المصطبة، فيتكفل أحد العمال بإفراغ محتواه كل يوم أو حين تدعو الحاجة في أماكن محددة من

آخر مجرى السيل وحيث تتكفّل السيول في كل سنة بجرفه وتنظيف المكان. وفي الطبقة العلوية هناك غرفة مماثلة في آخر سطح الخان بعيدًا عن مكان السكن. وفي هذا لم أكن مختلفًا عن كل أترابي قبل أن يستلمني سيدي سامي ويغيّر الأمر تغييرًا جذريًّا.

صمت قليلًا وظننتُ أنه ينتظر مني تعليقًا ما، لكنه سرعان ما تابع وهو مغمض العينين: تصبحين على خير، تعبتُ وأتعبتك معي، إلى الغد.

- ٣ -

تركته وأويت إلى فراشي لأستريح وأستعدّ لجولة أخرى من الإنصات لهذا الراوي الذي يختزن الكثير مما أعرفه ومما لا أعرفه. تمدّدت على سريري متمنّية النوم السريع بعد أن تجاوز الوقت منتصف الليل. حاولت الاسترخاء الذي اكتسبت ممارسته من تعليمات إحدى صديقاتي وهي معالجة نفسانية. حاولت تطبيق تقنياتها، لكن النوم جافى عينيّ المغمضتين. وبعد أن حاولت عبثًا قرّرت أن أترك العنان للأفكار التي تجتاح ذهني وإذا بها تدور، كلّها، حول ما سمعت ممن سميته «بيتي»، خلال السهرة. عدت إلى كل ما رواه لي وشعرت بنوع من التحوّل في ذاكرتي؛ هناك أحداث وأوصاف وتفاصيل أعرفها لأنها ما زالت قائمة، وهي مركونة كصورة فوتوغرافية في قاع ذاكرتي، وهناك أحداث وتفاصيل كانت ضبابية تشبه «نيغاتيف» الصور وقد باتت الآن واضحة، كأن إصغائي إلى روايتها، وبخاصة منه، قد حوّلها إلى ما يشبه الصور القابعة في قاع ذاكرتي من حيث الوضوح. لكن الأحداث والصور التي لم يكن لها أي وجود في ذاكرتي هي الآن ضبابية وخاضعة للتشكل والتطهير، وآمل أن يحدث

ذلك، لكني غير متفائلة بتحولها وستظل على ضبابيتها لأشكلها وأظهرها وفقًا لمزاجي ومخيّلتي. وهنا أدركت أن للمخيلة والرغبة والمزاج والمصلحة و... دورًا كبيرًا في انبناء ذاكرة كلٍ منا، هذه الذاكرة التي هي المكوّن الأساسي والرئيسي لكل كياننا.

استفقتُ، باكرًا، صبيحة اليوم التالي وأمضيت ذلك النهار، أستقبل، برفقة «بيتي» الأقارب وأهالي الضيعة. وحين حلّ المساء وعاد الأهالي والأقارب إلى بيوتهم كي يتابعوا البرامج التلفزيونية، كما باتت حال الجميع بعد انتشار التلفاز الذي ألغى السهرات العائلية و«الضيعوية» التي كانت تجمع الأصحاب لتمضية الوقت إما بالأحاديث والأخبار، أو بلعب الورق، أو بتناول العشاء، أو... بأمور كثيرة تجمع في ما بينهم. إذًا حين حل المساء وهدأ الجو تناولت العشاء مع رفيق عمرنا، ثم ومن دون أن أطلب منه، أجلسني في حضنه استحضر ذاكرته من حيث توقف تدفقها ليل البارحة وقال مباشرة:

- هكذا ولدتُ شابًا يانعًا مكتمل الشخصية والبنية جاهزًا لكل المهمّات التي يطلبها مني سيدي. لم أتكوّن في رحم أنثى، بل في رحم مخيّلة سيدي. ولم أدرِ كم كانت مدّة الحمل. ربما دامت سنين كاملة قبل أن أرى النور وأجد نفسي الأبهى والأضخم بين أترابي. منذ ولدت اهتمّ بي سيدي وعاملني كابن مدلّل لا يبخل عليه بشيء ولا يحرمه شيئًا. تعلّقتُ به جدًّا ونذرت نفسي لإسعاده وتلبية كل رغباته ولم أتألّم لأمر إلا لفترات غيابه عني ولانشغاله بتجارته التي

كانت تغطي المنطقة بأكملها وحيث كان هو الموفّر الوحيد لكل احتياجاتها من مأكل وملبس وأدوات بناء وغيرها. أخفيتُ ألمي هذا عن سيدي حتى ضاق صدري، فبحتُ له يومًا بمشاعري. لم يستغرب الأمر وباح لي بدوره بأنه يشعر بي جيدًا ولهذا السبب قرّر أن لا يتركني وحدي في فترات غيابه. فهمتُ مقصده وسألته هل اختار من ستكون شريكة حياته وسيدتي ومؤنستي. هزّ برأسه وسألني: «ما رأيك بمريم قريبتي وابنة العائلة؟» وصرختُ بأعلى صوتي: «أحسنتَ الاختيار، إنها زينة بنات الضيعة وتليق بها كما تليق بك». ضحك لرد فعلي هذا، ربت على ظهري وقال: «قريبًا جدًّا، لقد طلبتها من أهلها وستكون معنا في أقرب وقت حين أتمّم كل التجهيزات التي تليق باستقبالها بيننا».

كنت أود أن أسأله عن جدتي مريم التي سمعت الكثير عن حسنها ورقّتها، لكنني امتنعت وقرّرت ألا أقاطعه هذه الليلة، ليس رغبة في الإصغاء فقط، بل تجنبًا لملاحظاته التي تأتي، أحيانًا، لاذعة. صمتٌّ وتابع:

- بدأنا بالتجهيزات؛ اهتمّ سيّدي بوضع لائحة المدعوّين من خارج الضيعة لأن في الداخل كل الناس مدعوّون كما هي العادة في كل أعراس أهل الضيعة حيث يشارك الجميع في إنجاح المناسبة. اختار سيدي مجموعة من رجال العائلة، سلّمهم اللائحة ليجولوا في كل أنحاء المنطقة وليوزّعوا الدعوات على من اختارهم سيدي وهم جميعًا من كبار التجار الذين يتعاملون معه في أعمالهم، والمخاتير

في كل ضيعة وغيرهم من الشخصيات المعروفة اجتماعيًّا في المنطقة الممتدّة من مدينة زحله حتى مدينة حمص، وهي المنطقة التي تشكّل ميدان تجارته الواسعة. أما أنا فوجّهت كل اهتمامي إلى تحضير نفسي لأكون بأجمل صورة حين أستقبل سيّدتي الجديدة؛ زرعت الحديقة بكل أنواع الأزهار السريعة النمو، نظّفت كل الغرف وزيّنتها بأبهى الزينات التي طلبتها من سيدي والتي وفّرها لي من دون تردّد. أما غرفة النوم فاعتنيت بها بشكل خاص؛ جهّزت السرير النحاسي وغلّفت الفراش بأنعم الأغلفة الدمشقية والتي كان سيدي قد أتى بها من بلاد الشام المعروفة بنسيج الأقمشة المميّزة. وحُدّد العرس يوم أحد كما هي العادة أيضًا في الضيعة. لكن العرس يمتدّ طَوال الأسبوع الذي يسبق يوم الزفاف، حيث يُباشر ممارسة التقاليد التي منها ما يُنفّذ في بيت العروس ومنها ما ينفّذ في بيت العريس، على أن يمتدّ العرس إلى أسبوع آخر بعد الزفاف وهو مخصّص لاستقبال المهنّئين من داخل الضيعة وخارجها.

- وكم دامت هذه التحضيرات قبل الزفاف؟

- دامت، تقريبًا، شهرًا كاملًا. أما ما تسمينه أنت، زفافًا، فنحن نسميه عرسًا.

- أعذر جهلي بالمصطلحات الصحيحة وتابع أرجوك.

- حان الوقت، وقتُ العرس، مطلع شهر أيلول من السنة ألف وتسعمئة واثنتين، ودبّت الحياة في كل أعضائي؛ اجتمع كل

شباب العائلة ورجالها مع بعض النساء، نصبوا خيمة كبيرة غطّت كل الحديقة، فرشوها بالمقاعد المغلّفة بالسجاد وأضرموا النار في منقل نحاسي كبير ركّزوه أمام مدخل الخيمة وإلى جانبه المهباج وتسلّمه أبو هيكل الذي اختاره الجميع لهذه المهمّة؛ فهو أفضل من يدقّ المهباج ويرقّص الشباب. وما كاد يطلّ الليل حتى نُحرت الخراف وتصاعدت روائح المشاوي التي وُزّعت بأرغفة ساخنة على كل الحضور الذين ما إن أنهوا الطعام حتى عمّروا حلقات الدبكة وبدأوا يدكّون الأرض بأقدامهم الثابتة الخفيفة الحركة، وأيديهم مرفوعة «تلوْلح» بالمسابح والعصي والعقالات التي رفعها البعض عن رؤوسهم لهذه الغاية، والأصوات تعلوا بالعتابا و«الحوربة». استمرّت السهرة حتى انبثاق الفجر، حين أعلن سيدي النهاية قائلًا: «عقبال العايزين» لقد تعبتم اليوم وأنا ممتنّ لكم جدًّا، عودوا الآن إلى بيوتكم، تصبحون على خير وإلى اللقاء غدًا». تفرّق الجمع واهتمّت النساء بترتيب المكان وتجهيزه لليلة المقبلة التي تكرّرت طوال أسبوع كامل.

- هل كان العرس يحضر في بيت العريس فقط؟

- «لا تحوصي، جاييكي بالحكي».

- لقد سبق لي، حين كنتُ صغيرة، أن حضرت بعض الأعراس وأعرف أن هناك تحضيرات كثيرة تتم في بيت العروس، ولهذا السبب استغربت تجاهلك للموضوع.

- لم أتجاهل، لكني اتبعت خطة مختلفة عما يدور في ذهنك

وأردت الانتهاء من موضوع قبل الانتقال إلى غيره حتى ولو كانا قد حدثا معًا.

- لكلّ منا منهجيته، واحترم منهجيتك.

- منهجية! قال بصوت مرتفع وهو يقهقه وتابع: «تسلملي منهجيتك وكل ما تعلمتِه في المدارس والجامعات. لكن اسمحي لعبدك المسكين أن يروي ما يعرفه على طريقته، لا منهجية ولا بلّوط».

- يبدو أنك مصرّ على سماع اعتذاري دائمًا. لن أتدخل بعد الآن.

- من يسمعك يصدّق. لكني سأتابع ولن تتمكّني من قطع حبل ذكرياتي حتى ولو قاطعتني ألف مرّة. ولن أنتظر جوابك وسأتابع:

- هكذا طُبّقت التقاليد التي تسبق العرس في بيت سيدي خليل، بينما اختلف الأمر في بيت العروس حيث تتمايز الممارسات التقليدية في الضيعة؛ ففي بداية الأسبوع تجمّعت نساء العائلة واخترن غرفة من البيت لعرض الجهاز. نظّفت الغرفة وطُليت جدرانها بالطرش الأبيض الجديد والنظيف، وبدأت الاستشارات لتحديد موقع «الصمدة» حيث سيكون مقعد العروس التي ستصمد كل يوم بأناقتها الكاملة ويتجمّع حولها الصبايا والنساء لكي «يعدّوا» لها. تم الاتفاق أن تكون الصمدة قبالة الباب الذي فُتح على مصراعيه استعدادًا للاستقبال. ثم نصبت الحبال على كل الجدران بانتظار

عرض الجهاز الذي بدأت الاستشارات حول موضع كل تشكيلة منه، وتمّ الاتفاق على تعليق الثياب على حائط، والأشغال اليدوية على الحائط المقابل على أن يستوعب الحائط وراء العروس القبعات وحقائب اليد والشالات و... ولم تُنسَ الأحذية حيث تمّ الاتفاق على صمدها على الأرض في أسفل الحائط الذي ستعلّق عليه الثياب. كل هذه الترتيبات حدثت صبيحة يوم الاثنين في بداية أسبوع العرس، ولم تحن فترة الظهيرة إلا وكان كل غرض في محله.

- كيف لك أن تعرف كل هذه الأمور وأنت هنا طوال الوقت؟

- كنت أتوقّع منك هذا السؤال، ولكن هل تذكرين «عطروش» أم اخبار التي لا تفوتها خبرية في الضيعة؟

- طبعًا أذكرها وأذكر الكثير من الأخبار التي كانت ترويها لوالدتي. كانت تعرف كل ما يدور في الضيعة.

- إذًا اصمتي واتركيني أتابع:

- بعد الظهر جُهّزت العروس؛ طلي وجهها باللون الأبيض وخداها باللون الأحمر وسرّح شعرها الأشقر الطويل وترك مسدولًا على كتفيها وظهرها، ثم أُلبست أحد فساتينها المطرّزة الجميلة، ورُفعت إلى المنصة المخصّصة لها وجلست على كرسي زُيّن للمناسبة وبدأ توافد النساء والصبايا اللواتي أتين للمشاركة بـ «العدّ» والفرجة على العروس وجهازها. كلّما دخل وفد منهن وقفت العروس ترحيبًا بهن ثم عادت إلى الجلوس إلى حين مجيء وفد آخر وهكذا

٣٣

دواليك حتى ما بعد منتصف الليل من كل ليالي هذا الأسبوع مع تغيير ثياب العروس كل ساعة تقريبًا، لكي تعرض كل جهازها التي أمضت، مع والدتها وشقيقاتها أشهرًا في تحضيره. كان كل وفد من النساء تتقدّمه سيدة تدخل أولًا وهي تغني للعروس وتردّ الأخريات وراءها. كل الأغاني أو «العدّ» كانت تدور حول جمال العروس ورفعة نسبها ونسب من اختارها عروسًا له. ومن «العدّ» هذا يكتشف المستمع مَن مِن الوفود ينتمي إلى أهل العريس ومن منها ينتمي إلى أهل العروس، حيث أن الأول يشيد أكثر بحسن اختيار العريس وبمكانته المرموقة بين أهالي الضيعة بينما يركّز الوفد الآخر على جمال العروس وطيبة أخلاقها وحسن تربيتها و... أما في الأغاني التي تطال النسب فتتشابه المضامين إذ إن العروسين هما قريبان وينتسبان إلى عائلة واحدة، عائلة سيدي خليل. أما الليلة التي تسبق الزفاف فهي ليلة «الجلي» حيث يجلون العروس إذ تحمل إحداهنّ سيفًا معكوفًا فوق رأس العروس وهي واقفة على عرشها وعلى رأسها ملاية مزيّنة بالعملة الذهبية وترفع يدها اليمنى وتحيي النساء اللواتي ينشدن الأغاني الخاصة بهذه الليلة التي تنشد لكل العرائس في الضيعة. بعد ذلك تبدأ مراسم الحناء حيث تنزل العروس عن منصّتها وتجلس بين النساء وتأتي إحداهن بوعاء يحتوي مادة سائلة يميل لونها إلى البني الأحمر وتبدأ بطلي يدي العروس وأظافرها، والأخريات يزغردن ويرمين العروس بالملبّس، ويتراكض الصغار للتباري بجمعها والتهامها. بعد الحنّاء تنسحب النسوة إلى بيوتهن

ويتركن العروس لترقد باكرًا استعدادًا ليوم زفافها الذي سيكون
طويلًا ومرهقًا. صحيح أنني لم أشهد كل ذلك بأم العين، لكن، كما
سبق أن قلت لك، أم عطا الثرثارة والحشّورة «عطروش» التي لا
تترك مناسبة، كما تعرفين، إلا وتحضرها هي التي روت لي بالتفصيل
كل الذي جرى في بيت العروس خلال ذلك الأسبوع، مردّدة أمامي
مقاطع من بعض الأغاني التي سمعتها وحفظتها. أما الآن فسأعود
إلى هنا إلى سيدي خليل ويوم العرس.

– ما رأيك لو تركنا الموضوع إلى الغد؟

– وهل تحاولين الإشفاق على ذاكرتي؟

– لا، أنا متأكّدة أنها حيّة ونشيطة لكنّني أرغب في «المزمزة»
وسماعك على دفعات.

- ٤ -

في اليوم التالي باشرتُ الكلام من دون مقدّمات كأن حديثنا في الليلة السابقة لم يتوقّف وقلت:

- أعرف أن كلّ الضيعة تُستنفر يوم العرس وتشارك في إنجاح الحفلة وبخاصة إذا كان بين المدعوّين ضيوف أغراب من خارج الضيعة. هم، فعلًا «يبيّضون الوجه» في مناسبات كهذه.

- هذا صحيح وسأعود إليه في حينه، ويوم العرس استفقتُ باكرًا جدًّا لأجد كل شباب العائلة ورجالها بين أرجائي يقوم كل منهم بمهمة محدّدة. أما سيدي فكان بأبهى حلّة يجلس على مقعده في الخيمة بصمت وينظر بفرح إلى حركة الشباب الذين يتراكضون حوله كخليّة نحل قبل أن ينتقل محمولًا على الأكتاف إلى تحت شجرة الجوز حيث كان ينتظره الحلّاق بالقرب من مقعد مرتفع قليلًا هُيئ له كي تتم عملية الحلاقة. أُجلس على المقعد وصاح أحد الشبان بصوته الشجي: « عريس عريس تحت الجوز حلقولو...» وردّد الآخرون وراءه واستمروا في الغناء إلى أن انتهت الحلاقة. نزل سيدي عن

مقعده وتوجه إلى مدخل الدار وتبعه الجميع والأصوات تصدح بـ«الحوربة». أمام الباب كانت ثلّة من الشبان تنتظر العريس واثنان منهم يمسكان برسني فرسين، واحدة منهما صهباء والثانية بيضاء، وهما مزيّنتان بالسروج المزركشة الأنيقة. اعتلى سيدي ظهر الفرس الصهباء وسحب أحد الشبان الفرس الثانية برسنها وانطلق الموكب باتجاه بيت العروس على وقع قرع الطبول و«حوربة» الشبان. رافقتهم بنظري حتى آخر الشارع قبل أن أعود إلى ذاتي أتحضّر لاستقبال العروسين اللذين سبقتهما أم عطا بقليل لتخبرني كل ما جرى في بيت العروس في تلك الصبيحة. بعد ساعات طوال، أتت أم عطا لتخبرني أن بيت العروس استفاق باكرًا تلك الصبيحة واجتمعت النسوة فيه وانشغلن بحمام العروس وتزيينها وتسريح شعرها قبل أن يلبسنها فستانها الأبيض الطويل ويضعن على رأسها الطرحة والإكليل ويجلسنها في صدر الدار محاطة بأمها وأبيها وشقيقاتها وأشقائها وبعض الأقارب من خالات وأخوال وعمات وأعمام و... والزغاريد تصدح من أفواه كل الحاضرين الذين يدور بينهم شبان وشابات يحملون الصدور الكبيرة المملوءة بالحلوى المكونة من الغريبة المعجونة بالسمنة الحموية الأصلية والملبس وغيرها. وهنا تلمّظت أم عطا وقالت: «الغريبة كانت كتير طيّبة». ثم أكملت إخباري بما شاهدته وسمعته إذ قالت إن موكب العريس أطلّ، حوالى الساعة العاشرة، تسبقه أصوات «الحوربة». أمام الباب ترجّل العريس عن فرسه وتوجّه إلى داخل البيت تستقبله الزغاريد التي تصدح من

٣٧

حناجر النساء ترحيبًا. ثم ساد الصمت للحظة قدّم خلالها العريس إلى والد العروس علبة كبيرة سلّمها الأب إلى زوجته التي فتحتها وبانت في داخلها الحليّ الجميلة وبدأت بعرضها على الجميع قبل أن تباشر جمع الصيغة التي تتزيّن بها العروس والتي هي هدية من والدها، جمعتها كلها في علبة مخصّصة لهذا الغرض، وانتقلت إلى سحب الصيغة المقدمة من العريس قطعة قطعة لتزيّن بها عنق العروس ومعصميها وأصابعها وأذنيها وسط الزغاريد و«الآويها» التي لم تتوقّف منذ الصباح. طلبت من أم عطا أن تختصر، وافقت وانتقلت إلى الخارج وروت أن عربة مزيّنة بالورود كانت مركونة إلى جانب باب مدخل البيت، ومخصّصة لنقل العروس وأبيها إلى الكنيسة وقد اهتمّ الشبان بربط الحصان الأبيض بحبال العربة كي يجرّها. وحين انتهى الأمر توجّه سليم، والد العروس، برفقة ابنته وركبا العربة بينما امتطى العريس حصانه وتوجهوا نحو دير السيدة يتبعهم، سيرًا، كل أهالي الضيعة ضمن مجموعتين، الأولى وهي كلها من الرجال تتبعها الثانية التي هي مجموعة النساء. الأولى تحورب والثانية تعدّ وتزغرد. وهنا قالت أم عطا إنها تعبت لكنها لم تتراجع وتابعت كل ما جرى بعد وصول الموكب إلى ساحة الدير: في ساحة الدير، قالت، قفز الشيخ خليل عن فرسه وتوجّه إلى باب الكنيسة بينما ترجّل سليم وساعد ابنته في النزول من العربة، ثم أمسكها من يدها وتوجّها معًا نحو العريس الذي، ما إن اقتربا منه حتى شكر عمّه وأخذ يد العروس ودخلا معًا الكنيسة، يتبعهما الإشبينان، شقيقة

العروس وشقيق العريس. وما إن وصلا إلى أمام المذبح حتى علت الترانيم الدينية من قبل الكهنة والمطران، مطران المنطقة الذي دعاه سيدي إلى المناسبة. وما هي إلا دقائق قليلة حتى امتلأت مقاعد الكنيسة بقسم من الأهالي بينما تجمع الباقون في الساحة يتابعون مراسم الإكليل من الخارج. وحين صدح صوت المطران والكهنة بترتيلة: «بالعزّ والكرامة كلّلهما»، علت الزغاريد في خارج الكنيسة واستمرّت إلى أن خرج العروسان ليعتليا «الهودجين» على ظهري جملين زيّنا للمناسبة. وهكذا ترك الجمع الكنيسة وتوجهوا إلى ساحة الضيعة قبل أن أفتح لهم ذراعي لأستقبلهم في أحضاني.

- وماذا حدث في ساحة الضيعة؟

حلقات دبكة ورقص على وقع صوت الرجال الهادرين بالعتابا والميجانا والأغاني الشعبية التي تأتي على ذكر محاسن الضيعة ومكارم العريس وقيمته بين أهله ودوره في كل المنطقة ويجيبه صوت زغردات النساء وقد صدحت أصواتهن بالأغاني التي تدور كلها حول جمال العروس ومكارم نسبها ودور أهلها في حسن تربيتها و... بعد أكثر من ساعة انتهت حلقات الدبكة في الساحة وتوجّه نحوي العروسان، سيرًا. وما إن وصلا حتى وضع الشبان والشابات كرسيًّا أمام باب الدار اعتلتها العروس وناولتها إحدى الصبايا الخميرة. ثم رُشّت جبهتي بالقليل من الماء، ولزقت فوقها العروس الخميرة وزيّنتها بالنقود المعدنية والكل يصيح: «بالرفاء والبنين». وما إن نزلت العروس عن الكرسي ووقفت إلى جانب عريسها حتى نُحرت

الخراف أمامهما وسارا فوق الخراف التي يسيل دمها، حتى وصلا إلى خيمة في الحديقة حُضّرت لاستقبالهما بوضع مقعد جديد إلى جانب مقعد العريس. جلسا على مقعديهما وبدأت مرحلة التهانئ التي دامت أسبوعًا، وموائد الطعام ممدودة بشكل مستمر لاستقبال المهنئين الوافدين من بعيد ومن الضيعة، وعدد من الشبان يحملون صواني الحلوى ويدورون على الجميع بشكل مستمر.

- هيا أوصلني إلى المهم، كيف انتهت ليلتهما حين انصرف الضيوف وباتا وحدهما في غرفة النوم التي يتوسطها السرير النحاسي الذي سبق أن جهّزته لهما.

ضحك «بيتي» ورفيق دربنا وقال:

- حين غادر الجميع في الليلة الأولى توجه سيدي مع عروسه إلى غرفة النوم في الطبقة العلوية وقاربها بكل حنان ودلّلها وعانقها وهيأها جيدًا قبل أن يواقعها ويسيل دم البكارة على غطاء الفراش الذي سارعت إلى لفّه وغسله، لأن ليس من تقاليد أهل الضيعة أن يعرضوا هذا الدم كدليل على بكارة العروس، بل هم يكتفون بما يقرّره العريس وبردّ فعله، ويفهمون المستور من دون إعلان. وأشهد أنني لم أسمع ولو مرّة واحدة عن عروس في الضيعة كانت فاقدة غشاء البكارة قبل يوم عرسها. وحين خرج سيدي إلى الحديقة، في اليوم الثاني وهو يبتسم، فهم من كان حاضرًا أن كل الأمور قد تمتّ على ما يرام. وحين ظهرت العروس بكل أناقتها على أعلى السلم

المؤدي إلى الحديقة، علا التصفيق والترحيب بسيدة الدار الجميلة التي احمرّت وجناتها خجلًا وهي تنزل الدرج لتتوجّه إلى الخيمة وتجلس قرب عريسها.

- هل كانت جدتي جميلة؟

- تقولين جميلة! حبيبتي مريم كانت الحسن كلّه خَلقًا وخُلقًا. سبحان من كوّنها ومنحها تلك المسحة الملائكية.

- سمعت الكثير عن جدتي ولكن أعتبر أن شهادتك بها هي الأصدق.

- عزيزتي هبى، صدّقيني، لم يمرّ عليّ وفي رحابي إنسى برقتها وجمالها وحسن معاملتها. كانت بالفعل إنسى وليس امرأة وفقًا لما كتبتِه في الموضوع حين نحتّ مصطلح «إنسى» الذي، حين قرأت بحثك عنه في ملحق روايتك «حين كنت رجلًا»، أعجبت به ومنذ ذلك الحين وأنا أتقصد استعماله، ليس حبًّا بك فقط، بل اقتناعًا بصوابيته.

- كلامك يسرّ قلبي وهل يجوز أن أتساءل، بعد اليوم، لماذا أحبك بهذا القدر؟

اغرورقت عيناه بالدموع وقال بصوت خفيض: «آه لو تدرين كم أحبك، كم أحبكم جميعًا، وكم أحببت، بشكل خاص، ابني ورفيقي وسيدي، الغالي سامي».

- رحمه اللّه، أعرف ما تقوله وسنعود إليه لاحقًا. أما الآن فأرجوك أن تتابع حول جدتي مريم وجدي خليل.

بعد صمت قصير، كأنه يتذكر أين توقّف، قال:

- تأخرنا وبدأت أتعب. نتابع غدًا.

- ٥ -

وفي الغد خلوت به، بعد انصراف الأقارب. وهو أمر سيتكرّر كل ليلة. خلوت به فما كان منه إلا أن قال، كأنه لم يتوقف عن الكلام منذ ليل البارحة:

- بعد أيام الاستقبال والتهانئ، بدأت سيدتي بترتيبي على مزاجها ولم يمرّ أسبوع واحد حتى تحوّلتُ إلى تحفة فنيّة ترتيبًا ونظافة وأناقة. كل ذلك وبابي مفتوح على مصراعيه باستمرار لاستقبال الأقارب وأهل الضيعة كما كانت الحال قبل العرس. لكن بعد أقل من شهر أخذ سيدي يهيئ لرحلة عملٍ قد تطول قليلًا. أخبر زوجته بذلك ودعاني إلى الجلوس معه وأوصاني بحفظ الأمانة التي يتركها بين يدي وهو يعلم جيدًا أنني أحفظها برموش عيوني. وحين أتى موعد السفر جهّزتُ له عربة الخيل التي ستقلّه إلى المحطة ليركب القطار ويتوجّه إلى حيث يبغي. وقفت سيدتي في باب الدار وظلّت تلوّح له بيديها حتى اختفى عن ناظريها فاستدارت نحوي ورمقتني بكل حنان وفهمتُ منها أنها تطمئنّ إليّ وأنها تعلم جيدًا أنّني خادمها الأمين والمحافظ عليها بكل ما لدي من قوة وعزم.

- كيف كانت تمضي أوقاتها في فترات غياب زوجها؟

- كانت سيدتي مريم تستيقظ كل يوم باكرًا، وبعد تناول قهوتها تبدأ بغسلي وتنظيفي مما علق بي من النهار السابق، وحين تطمئن إلى مظهري الأنيق، تدخل المطبخ وتهيئ وجبة الغداء التي قليلًا ما كانت تتناولها بمفردها إذ إنها كانت تستبقي كل من يزورها قبل الظهر لمشاركتها الطعام. وفي المساء لا تتغير الحال. فرحت بها وبكرمها لأنها لم تعدّل عادات هذه الدار التي تعج دائمًا بالزوّار، وبخاصة من أفراد العائلة رجالًا ونساءً. استمرّت سيدتي على هذه الحال أسبوعين قبل أن أبدأ بملاحظة بعض التغيرات في سلوكها؛ لم تعد تستيقظ باكرًا، ثم إنها أخذت تتباطأ في تنظيفي وتتمنى لو يساعدها أحد في ذلك. لكن ما استرعى انتباهي بشكل لافت هو أن الست مريم ابتعدت عن تناول الموالح للفطور واستبدلت بها المربيات والعسل وغيرها من المأكولات السكرية الطعم. هذا التبدل في عادات سيدتي لم يقلقني بل على العكس، زرع في داخلي فرحًا وأملًا بأن في الآتي القريب سيكون بين ذراعي طفل، وبدأت أطلب من ربي أن يكون ذكرًا كما يتمنى سيدي خليل. لم أتمكن من كتمان مشاعري وبحت بها لسيدتي التي لم تجبني إلا بابتسامة ناعمة ومعبّرة. تجرّأت وقلت لها إنني سأبعث رسولاً يخبر سيدي بما يسرّه، لكنها رفضت وطلبت مني التكتّم وعدم البوح لأي مخلوق قبل عودة رب البيت وأنها هي من سيخبره بحملها. احترمتُ طلبها وبتّ أنتظر بصبر نافد مجيء سيدي. لكني كنت مطمئنًا إلى أن

٤٤

والدة الست مريم باتت شبه مقيمة مع ابنتها وتحضّر لها كل ما تطلبه وبخاصة في ما يتعلّق بالطعام. لم يتأخر سيدي وعاد بعد شهر تمامًا كما وعدنا. وكما في كل مرة عاد والعربة التي أقلته مملوءة بالهدايا بانتظار وصول كل ما طلبه لتجارته الواسعة التي يتطوع شبّان العائلة لنقلها من المحطّة إلى المخازن في الخان في طبقتي السفلية. عاد لتستقبله سيدتي بالخبر السار وليعم الفرح كل أرجائي، حين رأيت ابتسامة سيدي المعبّرة وهو يجول، صباح اليوم التالي، في كل أنحاء الخان ليراقب البضاعة التي ابتاعها خلال جولته الأخيرة قبل أن تنهمر عليه طلبات الشراء والتوزيع.

– ألم يكرمك جدي بعد أن علم بما تخبّئ زوجته في رحمها؟

– تسألين هل أكرمني؟ لقد فعل وأكرم العديد من فقراء الضيعة أيضًا من دون أن ينسى كنيسة «سيدة الراس» التي زارها برفقة جدتك. وهكذا تتالت الأيام ومرّت الشهور التسعة وسيدتي تتألّق جمالًا، محاطة بوالدتها وأخواتها وكل صبايا العائلة اللواتي بتن كخلية النحل يحطن الملكة بكل الدلال كي لا تتعب نفسها بأي مجهود يمكنه أن يؤثر في صحتها أو صحة الجنين. مرّت الأيام وسيدي يغيب ويحضر من دون أن يطيل غيابه حتى حان الوقت وبدأت الست مريم تشعر بألم المخاض الذي استدعى المجيء بالداية «بدور» التي دخلت الدار باكرًا صبيحة الرابع عشر من شهر حزيران لتشرف على الولادة التي لم تكن سهلة، سمعت خلالها صراخ سيدتي وتأوهاتها لحوالى الساعتين قبل أن أسمع صوت الطفل «نخله» وزغاريد النساء اللواتي

٤٥

تراكضن لزف الخبر السار إلى معلمي الذي كان في مجلسه العادي محاطًا بالزوار الكثر الذين لم يخلُ منهم يومًا. انفرجت أسارير معلمي الذي كان قلقًا وتقبّل تهانئ من تراكض إلى مجلسه وانسحب من بينهم وتسلق السلّم مهرولًا لرؤية ابنه البكر بين يدي الداية وهي تنظفه قبل أن تلفّه بمنشفة بيضاء وتقدمه إلى والده الذي حين لمسه اغرورقت عيناه بالدموع وهو يقبله ويقول: «مبروك علينا يا نخله وشكرًا لك يا اللّه على سلامة أم نخله، حبيبتي مريم». ثم توجه وهو لا يزال حاملًا الطفل إلى غرفة زوجته. هنأها بالسلامة ووضع الطفل إلى جانبها في السرير ثم قبّلها وابتعد عنهما قليلًا وهو ينظر إليهما والبسمة العريضة لا تفارق محياه. تأملهما لدقائق ثم انصرف وعاد إلى مجلسه محاطًا بالأحبة والأقارب، والشبان والشابات يدورون عليهم بصواني الحلوى التي كانت معدّة مسبقًا للمناسبة.

- لم تخبرني عن الطفل. أنا لا أعرف عمّي نخله إلا في الصور التي أرسلها من بلاد الغربة، إلى والدي، وكان قد تزوج وأنجب و...

- لعن اللّه الغربة لقد سرقت منا ومن أهالي الضيعة خيرة شبابها.

- هذا موضوع آخر والحديث فيه يطول. لكن ردّني إلى نخله، هل كان شبيه أمه أو أبيه؟

- كان مزيجًا من الاثنين، لون بشرته قريب من أمه وتقاطيع وجهه أقرب إلى أبيه. المهم أنه كان طفلًا جميلًا وطافحًا بالحياة وقد استمال قلبي منذ لحظة خروجه إلى الدنيا وهو يصرخ. وهنا لا

أخفيك أنني تساءلت عن سبب صراخه وطرحت لدي أسئلة عديدة، منها، على سبيل المثال، هل هذا العالم الذي نعيش فيه، هو فعلًا وادي الدموع كما تقول لنا التعاليم المسيحية؟ وإن كان ذلك صحيحًا فلماذا أوجد اللّٰه الحياة؟

- دعنا من الأسئلة الكبيرة التي تعلم كم أرغب في الغوص فيها وردّني إلى الواقع البسيط، إلى الواقع كما تراه العين من دون تحليل لا نصل به إلّا إلى الشك. دعنا نكتفي بالوصف فقط ورواية الأمور بتسلسلها من دون تدخّل منا.

- سأحاول، مع العلم أن الأسئلة باتت تضج في رأسي وبخاصة في هذه المرحلة من عمري الذي تخطى المئة سنة. نحن الآن في السنة السابعة بعد الألفين وقد أخبرتك متى ولدت.

- أطال اللّٰه بعمرك، ما زلت شيخ الشباب.

- اطمئني لن أرحل قبل أن أفرغ كل ما في داخلي وأضع الأمانة بين يديك لأنني أعرف أنك خير من حفظ الأمانة.

- يا «بيتي» كم أحببتك وكم أحبك!

تأثر من كلامي، ضمني إلى صدره وقال: «حبيبتي هبى اعذريني، لن أتمادى بتساؤلاتي المحيّرة وسأتابع. أبعدني عن صدره وقال مباشرة:

- بعد نخله بسنتين أنجبت سيدتي طفلها الثاني فؤاد وكان له

استقبالٌ شبيه باستقبال أخيه البكر. ثم تلتهما جوليا التي لم يفرح بها والدها كما فرح بأخويها، لكنه لم يظهر خيبته وبالغ في تقديم الحلوى إلى المهنئين كي لا يلاحظ أحد حقيقة مشاعره التي لم يبح بها لأحد سواي إذ قال: «البنات همّهن كبير لكن ما يشفع بنا أن البنت تبدو جميلة وتشبه أمها». لم أناقشه في الموضوع وهو لم يفصح بأكثر من ذلك. لكن اللّٰه استجاب لرغبة سيدي إذ لم تبلغ جوليا السنتين حتى رزقه اللّٰه بصبي ثالث؛ وُلد يوسف واستقبل بكل الحفاوة التي استقبل بها الابن البكر وحتى أكثر، كأن سيدي استعاد به جاهًا شعر بنقصانه مع مجيء جوليا. بات يوسف مدلّل البيت لمدّة سنتين قبل أن تحمل أم نخله بطفلها الخامس الذي ولد مختلفًا عن كل إخوته؛ كان صورة مصغرة عن أمه مريم بلون بشرته الزهري وشعره الأشقر وعينيه الزرقاوين. ولد سامي في ليلة مثلجة باردة، لكنني حضنته ووفَّرت له كل ما يلزم كي ينعم بالدفء هو الذي استقبله سيدي خليل استقبال الأمراء، مغدقًا على أمه الهدايا والحليّ كأنها تنجب للمرة الأولى. لست أدري لماذا تعلّقتُ بهذا الطفل الذي بات المفضّل لدي والذي كان يتفتت قلبي عليه كلما سمعت صراخه. دخل سامي كل كياني كما يدخل النعاس جفون شخص منهك. ربما كان هذا الشعور نذير كارثة غير متوقعة.

- وما هو تاريخ ولادته، ولادة أبي، بالضبط؟ هو لم يعلم ولم نجده مسجلًا في أي مكان. ربما وجدته الآن مسجلًا في ذاكرتك البعيدة.

ولد سامي في تلك السنة التي لم يمرّ مثيلتها على الضيعة منذ زمن بعيد، إذ إن الثلج غطى كل معالمها وكسا طربوشي الأحمر بقشرة سميكة من الأبيض، لم أتمكن من إزالتها على الرغم من كل جهودي وجهود كل المتطوعين من العائلة. واعذريني لأنني ما عدت أذكر التاريخ الحقيقي، لكنه حتمًا بين الألف وتسعمئة وعشرة أو إحدى عشرة. في تلك السنة دام الثلج مدة طويلة وأقفلت مدرسة الضيعة التي بات من تلامذتها نخله وفؤاد إذ إن نخله كان قد أصبح في التاسعة من عمره وفؤاد في السابعة. كان الأولاد الثلاثة الكبار ينزلون أحيانًا إلى الحديقة ويلعبون لبعض الوقت بالثلج تحت إشرافي ورعايتي بينما يوسف والرضيع سامي يلازمان أمهما قرب المدفأة التي تشتعل نارها نهارًا وليلًا. أما سيدي «بو نخله» فقد لازمني كل تلك الفترة لتعذر إمكان التنقل لمتابعة أعماله التي كانت على ازدهار مستمر طوال هذه السنين. وبسبب شخصيته القوية والمنفتحة وبسبب اغترابه في أميركا لفترة من حياته، الذي مكنه من الاطلاع على أنماط متعدّدة من حياة الشعوب وبسبب متابعته لأعماله وأسفاره المستمرة ومعاشرة كبار التجار والشخصيات المعروفة في كل المنطقة، بسبب كل ذلك بات سيدي مشرّع الضيعة وحلّال مشاكلها حيث أن كل من اختلف مع شخص على أمر ما التجأ إلى «بو نخله» ليجد الحل الحكيم لمشكلته، وهكذا باتت كلمته هي الكلمة الفصل في كل الأمور في الضيعة. وفي هذه الفترة التي ولد خلالها سامي والتي أرغمت سيدي على البقاء في البيت

بسبب سوء الطقس، تحولتّ أنا إلى خلية نحل لا أهدأ لكثرة روّاد هذه الدار التي لم يغلق بابها يومًا مهما كانت الأحوال.

توقف لحظة عن الكلام وهو يهز برأسه وعيناه شاردتان ونظراته حزينة. لم أتدخّل، احترمتُ مشاعره. وأمام صمتي، تابع وهو لا يزال شارد النظرات:

- هذا الوضع لم يدم طويلًا؛ فما كاد يبلغ سامي يومه الأربعين حتى مرضت أمّه؛ أول ما شعرتْ به هو أنها استيقظت في أحد الأيام لترى بثرة صغيرة حمراء على خدها الأيمن قرب الأنف. ثم ارتفعت حرارتها ولم ينفعها أي علاج، والبثرة تكبر ويزداد احمرارها. حاول سيدي المستحيل لمساعدة زوجته، وعلى الرغم من سوء الأحوال الجوية أرسل من يأتيه بطبيب من منطقة حمص وهي الأقرب إلى ضيعتنا، لكن القدر كان أقوى من كل محاولات الإنقاذ إذ إن حرارة سيدتي لم تنخفض، لا بل كانت على ارتفاع مستمر إلى أن قضت عليها في صبيحة ذلك اليوم المشؤوم من حياتي. ماتت سيدتي أم نخله بمرض اسمه الحبة الحمراء، كما سمعتهم يقولون. لكن مهما يكن السبب فلقد وقعت الواقعة وتيتّم الأولاد وبخاصة حبيبي سامي الذي كان لا يزال يقتات من حليب أمه. يُتّم الأولاد ويتّمتُ معهم لأن اهتمامها بي لم يقل عن اهتمامها بهم؛ كانت، وبمساعدة أخريات، تنظفني كل يوم وتلبسني أجمل الحلل التي كانت في غالبيتها من شغل يديها. لم تبخل عليّ يومًا لا بالنفيس ولا بالرخيص. حديقتي ملأتها ورودًا وأزهارًا من كل الأصناف، علمتني حسن الاستقبال

والضيافة، حوّلتني إلى محطّ أنظار الجميع إعجابًا وتقديرًا، رفعت رأسي عاليًا كما كان رأسها مرفوعًا رقة وطهارة وحسن معاملة مع القريب والبعيد. عشقتها كما عشقها سيدي وكما أحبها كل أهالي الضيعة الذين أقاموا لها مأتمًا يليق بها. أما سيدي بو نخله الذي فجع بمصابه، فظلّ متماسكًا يحبس دموعه إلى أن تمّت كل مراسم الدفن وعاد الأهالي إلى بيوتهم، بعدها ارتمى في أحضاني وأفرغ على كتفي كل ما حبسته عيناه تلك الفترة. بكى وعتّب ونوّح كطفل صغير وأفرغ كل حزنه أمامي وكنت الشاهد الوحيد على لوعته التي عبّرت عن مدى تعلّقه وحبه لأم أولاده، ولم يندم إلا على أمر واحد وهو أنه لم يعبّر لها كما يجب وكما هو واقع الحال عن حبه لها وهي على قيد الحياة وذلك حفاظًا على رجولته وهيبته.

– هل أنت مقتنع بأن إظهار المشاعر عند الرجل هو دليل ضعف؟

– هكذا كنت أعتقد وبخاصة في مرحلة الشباب وهو أثر التربية والتقاليد. لكني الآن أعتقد العكس تمامًا: إخفاء المشاعر هو الضعف بعينه بينما قمة الشجاعة أن يظهر المرء على حقيقته من دون مواربة. في تلك المرحلة تمثّلت بسيدي خليل وأخفيت عذابي في داخلي وأظهرت القوة الزائفة أمام الآخرين. لكن لا أخفيك أنني لملمت دموع سيدي لفترة طويلة، تلك الدموع التي لم تنهمر أمام أي مخلوق سواي وكنت قد أخفيتها في قاع ذاكرتي كي لا يراها أحد. وهذه هي المرّة الأولى التي أبوح بها بما أخفيته طوال عمري. أبوح لأنني ما عدت مقتنعًا بما ربّيت عليه. وأكرّر: إظهار المشاعر ليس ضعفًا، هو قمة القوة.

- يفرحني كلامك وأشعر أنك ستكشف أمامي عن كل ما حاولت إخفاءه عن الآخرين.

- بكل تأكيد، ما عدت أخشى شيئًا. أشعر أن دنوّي من الموت منحني شجاعة لم أكن أمتلكها حتى في عزّ شبابي.

قال ذلك وانتفض كأن تيارًا كهربائيًّا مسّه وتابع بكل هدوء:

- رحلت مريم ويتّمت الجميع، لكن يتم حبيبي سامي كان الأصعب إذ كنا بأمس الحاجة إلى توفير الحليب له. لكن ما أجمل عادات ضيعتنا! ما إن عرفت النسوة بوفاة مريم حتى تجند منهن مرضعات لتوفير ما يحتاج إليه سامي. كل إنسى كانت ترضع ابنها تبرعت بجزء من حليبها للطفل اليتيم الذي تحوّل بالرضاعة أخًا للكثيرين من أبناء الضيعة. استمر الأمر على هذه الحال إلى أن بات سامي قادرًا على تناول طعام آخر غير حليب النساء الذي استعيض عنه بالكشك الممزوج بالماء وبمرق اللحوم وبعض الفاكهة والخضار. لم ينقص الطفل شيء سوى دفء حضن أمه وحنانها. كنت دائمًا أفكر هل سيؤثر هذا الوضع في شخصية هذا الطفل ونفسيته في ما بعد؟

- بالفعل، لقد أثّرت، فوالدي كان يبدو قاسيًا وصارمًا في تربيتنا، مخبئًا في داخله رقةً وحنانًا ورهافة مشاعر لم أكتشفها إلا متأخرة ولمست أولى بشائرها حين ضمني إليه بعد أن أخبرته عن سوء حال زواجي. ضمني وكأنه يردني إلى حضنه الذي، لا أذكر، أنني نعمت به يومًا. ضمني وأطلق تلك الكلمة التي منها ابتدأت حياتي؛ قال لي،

يومها: «فلنطلّق» لقد وضع نفسه معي واستعمل تلك الصيغة لكي لا يعبر صراحة عن مدى تعلقه بي وبكل فرد من أبنائه. أعرف الآن أنه تأثر بغياب أمه باكرًا، هذا الغياب حوّله إلى كتلة مشاعر دافئة مغلّفة بقشرة قساوة غير حقيقية.

- أخفى عنكم حقيقة مشاعره كي يتمكّن من حسن تربيتكم. أما معي فقد كان دائمًا على حقيقته ودلّلني بأكثر مما أستحق.

- أعرف أنه كان يحترمك ويجلّك، وأعرف أنك كنت قطعة من كيانه. أما الآن فأود أن نتابع.

- سأتكلم عن سامي كثيرًا لأنه هو أيضًا قطعة من كياني، لا بل القطعة الأكبر، ويحتل حيزًا مميزًا في ذاكرتي. وبعد رحيل أم نخله بتنا أنا والأولاد الخمسة بعهدة أم مريم وشقيقتها عفيفة اللتين اهتمتا بنا أحسن اهتمام؛ عفيفة آنسة نشيطة وشديدة الذكاء وتعاملت معنا بكل مسؤولية كما لو كنا أولادها وبتّ، أنا، أمتثل لكل متطلباتها تمامًا كما كنت أتعامل مع سيدتي مريم، وهي كرّمتني ولم تحرمني شيئًا وتعاملت معي بكل ودّ ومحبة تمامًا كما شقيقتها من قبلها. ومع ذلك أولت اهتمامًا كاملًا بسيدي خليل وحاولت أن توفر له كل احتياجاته من مأكل ومشرب ونظافة ملبس و... بشكل جعل سيدي لا يشعر بغياب زوجته إلا من الناحية العاطفية. هذا الوضع دام سنة كاملة قبل أن يستدعيني سيدي إلى غرفة نومه، في إحدى الليالي الباردة، وباح أمامي بما يفكر فيه: «عزيزي ورفيقي، قال، أود أن

أستشيرك في أمر مهم وأطلب منك أن تكون صادقًا معي كعاتك».

- تعرف أنني لم أغدرك يومًا واحدًا، كنت وسأظل الصديق الوفي لمن أوجدني وجعلني أعتزّ وأفخر بما أنا عليه بفضله. أجبته. وتابع:

- عشتَ يا عزيزي، لم أشك يومًا في وفائك لي وتفانيك أمامي وأمام مصالحي ومصالح عائلتي، لكن الأمر مهم جدًّا إذ علي اتخاذ قرار سيحدّد مسار حياتي، على الأقل العائلية.

حدست بما يضمر وابتسمت قبل أن أقول له: «الآنسة عفيفة من خيرة النساء وتليق بك كما كانت، رحمها اللّه، سيدتي مريم تليق بك».

ابتسم بدوره وكانت أول ابتسامة أراها على محياه منذ ذلك اليوم المشؤوم قبل سنة، ابتسم وقال: «هل هذا هو رأيك الحقيقي من دون مجاملة؟

ضممته بين ذراعي وقبّلت يديه، فربَّت على كتفي وقال: «سأفاتح أمها بالموضوع غدًا وأطلب يدها من أبيها وأظنهما يوافقان على طلبي». وأجبته فورًا:

- ومن يخالفك الرأي، أنت الذي يفتي بكل مشاكل الضيعة ويحلّها، أنت حكيم هذه الضيعة ومرشدها وكلنا ننصاع لرأيك الذي لم تخطئ مرّة فيه.

– احفظ السر إذًا إلى أن أعلن عنه بنفسي. قال سيدي خاتمًا الكلام. وأنا سأختم الكلام هذه الليلة.

قال ذلك وصمت.

-٦-

في الليلة التالية رافقني إلى غرفتي، جلس على حافة السرير الذي كنت ممدّدة عليه وبدأ متابعة الحكاية، قال:

- بعد أن أفصح سيدي عما كنت أحدس به، أغمض عينيه وغطّ في النوم بينما عدت أنا إلى ذاتي والحزن يغمرني إذ أدركت معنى اللاعودة، معنى أن يرحل الإنسان بشكل نهائي. سيدتي مريم التي كان وجودها يشكل فرحتي و«مشكى ضيمي»، مريم التي كانت تحضن أولادها بكل حنان ورقة، مريم صاحبة الوجه البهي، مريم التي أحبّها كل من عرفها، مريم هذه لم تعد موجودة. إلى أين رحلت وتركتنا؟ لست أدري. كل ما فكرت فيه وأنا أراقب نوم سيدي هو أن فقدان مريم هو أول تجربة لي عن الفراق النهائي، هي أول من انسلخ عن قلبي، هي أول جرح يصيب كياني. لم أدرك في حينه كم من اللوعات سأصادف في حياتي. قريبًا ستكون الآنسة عفيفة هي سيدتي، هل سأحبها كما أحببت مريم أم الأطفال الخمسة الذين زيّنوا كل حياتنا، مريم التي كان وجهها خيرًا على سيدي وأعماله ووجاهته، مريم الجرح الذي لن يندمل.

٥٦

لم تمضِ أيام على هذا البوح حتى فاتحتْ شقيقة سيدي «رشا» الآنسة عفيفة بالموضوع إذ قالت لها:

- عزيزتي عفيفة لقد اهتممتِ بأولاد أختك مريم لأكثر من سنة وكنت خير من يقوم بهذه المهمّة، ما رأيك لو تحوّل وضعك هنا في الدار إلى وضع شرعي؟

فهمت عفيفة قصدها ولم تُبدِ أي رد فعل متسرّع، لا قبولًا ولا رفضًا، بل سألت محاورتها:

- هل هذا هو رأيك أنت أم هو الذي أوكل إليك هذه المهمّة؟

- بكل صراحة هو الذي طلب منّي أن أكلّمك بالموضوع ويتمنّى عليك القبول. أجابتها رشا. وأتى رد عفيفة:

- أولاد مريم هم بمثابة أولادي وسأوافق على طلبه من أجلهم لأنّه يعزّ عليّ أن يأتي بزوجة غريبة تسيء معاملتهم وبالأخص الصغير سامي الذي تعلّقت به جدًّا. ولكن دعيه يطلب مني ذلك بنفسه، لن أخذله، فهو، بالنهاية، ابن العائلة وسيّدها.

الآنسة عفيفة شخصية قوية ومنفتحة ومتابعة لكل المواضيع من السياسة حتى التجارة وحسن إدارة المنزل و... وهي تمامًا ما كان يناسب وضع سيدي؛ كان بحاجة إلى من يريح باله بالنسبة إلى البيت والأولاد كي يتفرّغ لأعماله التي أهملها قليلًا بعد رحيل زوجته. عفيفة لم تكن جميلة كشقيقتها مريم ولم تكن برقّتها ولا بلطفها لكن حضورها كان قويًّا وينصاع المرء لأوامرها طوعًا ومهابة، وتمكّنت

من الاستحواذ على احترام الجميع بحسن تدبيرها وسداد رأيها الذي تعبّر عنه بكل جرأة ووضوح. أحببتُ عفيفة التي زادت على العزّ الذي أعيش فيه عزًّا إضافيًّا وواكبت زوجها بكل صغيرة وكبيرة.

- سمعتُ الكثير عن مآثر الست عفيفة وقوّة شخصيتها وبخاصة جرأتها في خوض الأمور العامة وحتى الأمنية والسياسية منها.

- ما سمعته صحيح. لكن دعيني أخبرك عنها على مزاجي وكما خُزّن في ذاكرتي؛ فبعد أن باتت سيدتي قامت الست عفيفة بتجديدي من الداخل والخارج. لم تغيّر في ألواني وشكلي، حافظت على ما قام به زوجها، بإعادة إنتاجه، كي يبدو أكثر تألّقًا وإشراقًا. أما العمل المهم الذي قامت به وأدهش سيدي فهو ما فعلته بالخان الكبير حيث تتراكم البضاعة التي لم يكن توزيعها وفرزها متوافرين بشكل مريح. دخلتْ، يومًا، الخان، عاينته جيدًا، رسمت المخطّط ونفّذت؛ دعت شباب العائلة وطلبت من كل منهم عملًا معيّنًا وأشرفت على التنفيذ الذي، حين انتهى، كان محطّ تقدير كبير من قبل سيدي الذي أقنعه أن الست عفيفة إنسى يُتّكل عليها في كل الأمور.

- وهل اهتمامُها بالأولاد كان بقدر اهتمامها بك وبجدي خليل؟

- قامت سيدتي عفيفة بكل هذه الأمور من دون أن تهمل ولو قليلًا الأولاد؛ كانت تبدأ نهارها بالاهتمام بهم وتوفير كل احتياجاتهم قبل أن تنتقل إلى الاهتمام بي وهو أمر كان يسرّني جدًّا حتى ولو كنتُ في المرتبة الثانية لدى سيدتي. كنت أراقبها وأسعد،

لكن ذلك لم يمنعني من المقارنة. في بداية سيادتها علي كان طيف مريم يرفرف في كل أنحائي؛ كنت كلّما نظرت إلى سيدتي الجديدة ظهرت بالقرب منها صورة سيدتي الأولى وتفرض المقارنة نفسها: مريم شقراء مع عينين زرقاوين وشعر طويل أشقر مسدول على كتفيها. قامتها متوسطة الطول والسمنة، نظراتها رقيقة وثغرها دائم الابتسامة حتى ولو كانت متألّمة، لا تأمر، وكان يحق لها ذلك، بل كانت تطلب بتواضع، يدفع الآخر إلى الانصياع لرغباتها من دون تردّد، لا بل بفرح. سيدتي الجديدة هي سمراء وعيناها سوداوان. شعرها كستنائي داكن وأجعد. جسمها نحيف، ممشوق ومنتصب ورأسها مرفوع لا ينحني إلا أمام الأولاد وخصوصًا الصغيرين بينهم، يوسف وسامي، وبالأخص سامي الذي كان صورة مصغّرة عن أمه. أما جوليا فقد حوّلتها إلى تحفة، أناقة وترتيبًا. لم تكن برقة شقيقتها لكنها لم تكن فجّة وتعرف كيف تتعامل مع الآخرين لتحوّل رغباتها إلى أمور محقّقة. لكن ما افتقدتُه، حقًّا، برحيل مريم هو تلك الابتسامة الخجولة الساحرة التي لم تكن سيدتي الجديدة تتمتّع بها إذ إن وجهها كان أقرب إلى الانغلاق والجديّة. سيدتي مريم لم تكن والدتي لكنها كانت أمي التي عاملتني كابنها البكر، ابنها البكر الذي يقرأ كل دواخلها بصمت والذي تبوح له بكل خوالجها. أمي كيف أنساك، كيف لي أن أتقبّل سواك أمًّا وسيدة؟ صحيح أنك رحلت عنا لكن طيفك لن يغيب أبدًا. ولكن بعد تجربتي القصيرة مع سيدتي الجديدة، شقيقتك عفيفة أستطيع أن أطمئنك إلى أننا كنا بأيدٍ أمينة،

فهي نسخة عنك بطيبة قلبها ولو أنها أكثر قساوة منك وأشد بأسًا. كانت تهتم بنا جيدًا وتحتضن صغيرك، سامي، بكل حنان. وهذا السامي الذي دخل قلبي منذ أن احتضنته بعد ولادته سيظل أمانة في عنقي مهما حييت. أمي لن أنساك مهما تقلّبت الظروف ولكن كان عليّ أن أنصاع لمتطلبات سيدتي الجديدة التي، كما رأيت، لا تختلف عما كنت تريدين مع إضافة، أجدها إيجابية، وهي أن السيدة عفيفة كانت أكثر منك انغماسًا في شؤون سيدي العملية بحيث أنه بات يتّكل عليها وعلى ذهنها الرياضي في كثير من مشاريعه وأعماله التجارية. كانت شخصية قوية وشديدة الذكاء، دقيقة التدبير وسريعة الإنجاز لكل ما تراه مطلوبًا منها. أمي لم أقل لك وداعًا، يوم رحلت، لقد دفنتك في قلبي ولن تغيبي عني إلا حين يتوقف قلبي عن الخفقان.

- القلب هو دائمًا مدفن الأحبة وأرجو من ربي أن أرحل وقلبي فارغ.

- أنا لا أطلب من ربي إلّا سير الأمور بشكل طبيعي بحيث يرحل كل منا في وقته وليس قبل أوانه كما حصل لسيدتي مريم وغيرها، كما تعلمين.

- أعلم، ولكن لا أريد استباق الأمور ولا تشتيت انسياب ذاكرتك. ولهذا السبب نعود إلى الست عفيفة.

- لم تكن سيدتي عفيفة إنسى تقليدية عادية، نعم كانت تقليدية

٦٠

في ما يتعلّق بأموري من حيث الترتيب والنظافة والمأكل والمشرب واستقبال الضيوف والاهتمام بزوجها وبوجاهته، لكن نشاطها تعدى حدودي وشاركت سيدي في إدارة أعماله واتصالاته و...

- سمعت من عجائز الضيعة أنها كانت تهتم بالشأن العام أيضًا وقد ساهمت في إخراج محابيس وواجهت المسؤول عنهم بكل جرأة وحسن تدبير.

- حدث ذلك خلال الحرب العالمية الأولى وكانت السيدة عفيفة قد تمرّست بإدارة كل الشؤون، العام منها والخاص. سأخبرك عن تلك الحادثة حين يأتي دورها، لا تحرقي المراحل ودعيني أخبرك عن إنجازاتها في الداخل أولًا.

- إنجازاتها على صعيد العائلة لم تكن مهمّة؛ أعرف أنها أنجبت طفلًا واحدًا وهذا الطفل لم يكن على ما يرام وقد انتهت حياته في مأوى مخصّص لمحدودي العقل. كان مسكينًا وقد زارنا مرّات عديدة وأذكر أنه كان يظلّ كل الوقت صامتًا ولا يتكلّم إلا حين نطرح عليه سؤالًا وأغلب الأحيان كنا لا نفهم ماذا يقول.

- تركتك تروين ما تعرفينه عن «ديب».

- حتى اسمه كان غريبًا. قلت مقاطعة «بيتي» ورفيق عمرنا. لكنه سارع إلى الإجابة وقال:

- لم يكن اسمه غريبًا بل كان معروفًا جدًّا في الضيعة والسيدة عفيفة هي التي أصرّت على تسميته به وقد وُلد طبيعيًّا وكان طفلًا

رائعًا وشديد الذكاء وتكلّم ومشى باكرًا، لكن حظّه كان سيّئًا وأصيب بداء الحمّى وهو في الثانية من عمره وعجز الطب، في حينه، عن إنقاذه وارتفعت حرارته إلى أقصى الحدود من دون توقّف لمدّة ثلاثة أيام، وهذا ما أثّر في دماغه وحوّله إلى شخصية منعزلة. لكنه، وعلى الرغم من ذلك، كان لا يُغلب في لعبة «الداما» التي تحتاج إلى الكثير من الحسابات والحنكة.

– ولماذا لم تنجب عفيفة غيره؟

– لا أدري. إرادة ربنا. أذكر أنها تأخرت في الإنجاب ولم تحمل إلا بعد أن بلغ سامي الثالثة من عمره. اهتمّت به كثيرًا وكانت له أمًّا بكل معنى الكلمة. حتى بعد حملها وإنجابها لم تهمله إطلاقًا كما لم تهمل أحدًا من إخوته. ارتاح معها سيدي وأشركها في كل أعماله واستقبالاته وتجارته وكانت خير شريك. «أخت الرجال» كانت بنظر أهل الضيعة.

– وكيف أنقذت المسجونين؟

– كان ذلك في بداية الحرب العالمية الأولى حين أغار علينا بعض من الجيوش الأجنبية وسجن شبابًا من الضيعة بحجة حيازتهم السلاح. بعد احتجازهم اجتمع أهالي الضيعة عند سيدي للتداول بطريقة لإخراجهم من الاعتقال. سيدتي عفيفة حضرت ذلك الاجتماع، وقبل انفضاضه طلبت الكلام وأصرّت على مرافقة من اتفق عليهم المجتمعون، لمقابلة المسؤول. صمت الجميع أمام طلبها

هذا وتحوّلت أنظارهم نحو سيدي خليل الذي نهض من مكانه وتوجّه نحو زوجته، ربَّت على كتفها وقال: «سيكون لك ما تريدين، وأنا واثق من قدرتك وصواب حججك». فرح بعض المجتمعين بقرار سيدي وامتعض البعض الآخر، ولكن من دون اعتراض لأن فقيه الضيعة وحلّال مشاكلها، بتّ الأمر وانتهى الموضوع.

- ألهذا الحد كانت عفيفة قوية؟

- لم تكن وحدها قوية في الضيعة، سبقتها أم فارس، جدة أمك؛ هي أيضًا واجهت المسؤول التركي وأنقذت المعتقلين زورًا وتعديًا. يُروى أنها شتمته وشتمت من أتى به ولم تتزحزح عن موقفها إلا بعد أن استجاب المسؤول مرغمًا وأفرج عن الموقوفين وعادوا معها إلى الضيعة التي استقبلتهم واستقبلتها بما يستحقون من حفاوة وتقدير.

- أعرف جدة والدتي، لكني عرفتها عجوزًا تتكئ على العكاز. كانت تصل إلى أسفل السلّم وتنادينا فنتراكض لمساعدتها على الصعود وتستقبلها أمي بأحضانها. وكنت ألاحظ أن أمي تحب هذه الجدة وتفخر بها وهي من أخبرتني عن مآثرها.

- جدّتك هذه لم تعرف بالقوة فقط، بل عرفت بكرمها ومساعدتها للفقراء؛ كل ليلة كان يجتمع في بيتها كل المحتاجين، وبخاصة الغرباء عن الضيعة لتناول الطعام معها. رحمها الله وأطال الله عمر سيدتي «هولا» والدتك التي تشبه جدتها جدًّا شكلًا ومضمونًا.

- وأطال الله عمرك يا أوفى الأوفياء ويا رفيق العمر.

هزّ رأسه بأسى وقال:

- دعينا من الأعمار، فلا أحد منا يدري متى ينتهي. أما السيدة عفيفة فلم يمنحها اللَّه عمرًا مديدًا وتركتنا باكرًا جدًّا ونحن بأمس الحاجة إليها. لقد عانت الكثير خلال الحرب العالمية الأولى وتوسّعت اهتماماتها لتطال كل أهالي الضيعة وباتت أم الجميع هي التي لم تنجب إلا طفلًا واحدًا، هو الذي حاولت المستحيل لإنقاذه مما تعرّض له من مرض أثناء الحرب. في تلك المرحلة عانت الضيعة الكثير والبعض من أهاليها عانوا الجوع والحرمان وكانت هي الملجأ الذي وفَّر ما أمكنها من حاجات الأهالي. تصوّري أن الجوع دفع أحدهم وهو غريب عن الضيعة إلى أن يقتات من لحم جمل نافق. لقد وجدوه في إحدى المغر قابعًا في جوف الجمل وينهش من لحمه النتن.

- سمعت هذه القصة من والدتي وعلمت منها أن الأهالي التفّوا حوله ووفَّروا له المأوى والمأكل.

- صحيح، لكن الست عفيفة هي التي قامت بكل ذلك. كان اسمه رشيد ولاحقًا عرف برشيد الشحاد وهو اسم رافقه طوال حياته التي أمضاها بيننا وهو ينقل المياه إلى البيوت. وأعجب لماذا لقّب بالشحاد هو الذي لم يقبل قرشًا واحدًا إلا في مقابل خدمة يؤدّيها. المهم هو أن السيدة عفيفة أسكنته في الخان وطلبت منه أن يحرسه كي تشعره بأنه يقوم بعمل معيّن، وبات هنا إلى أن رحلت عفيفة وقد

تحسّن الوضع قليلًا في نهاية الحرب وبدأ عمله في نقل الماء إلى البيوت.

- كان الوضع سيئًا خلال تلك الحرب كما سمعت من أخبار العجائز في الضيعة وعلمت أن الجراد غزا الضيعة وقضى على كل المواسم وأضاف إلى سوء الحال سوءًا.

- وهنا أيضًا لسيدي خليل وسيدتي عفيفة دور مهم إذ تمكنا من توفير حاجات الأهالي مما كان مخزنًا في الخان من مواد غذائية واستهلاكية. ورحمة اللّه ساعدتنا في تلك المرحلة إذ إن الأرض جادت علينا بنوع خاص من إنتاجها لم نعرفه من قبل. والغريب في الأمر هو أنها توقفت عن إنتاجه حين انتهت الحرب وعادت الأحوال إلى سابق عهدها.

- هل تقصد «التمّير»؟

- وهل سمعت به؟ من أخبرك عنه؟

- والدتي هي التي أخبرتني، نقلًا عن أهلها، أنْ حين غزا الجراد الضيعة وقضى على الأخضر واليابس، ظهرت في البراري نبتة صغيرة غريبة. وحين حاول أحدهم التعرف إلى هذه النبتة الجديدة حفر الأرض تحتها وإذا به يكتشف جذوعًا تشبه حبة البطاطا. وهكذا تمكّن أهل الضيعة من الاستفادة منها بتحويلها، بعد تجفيفها إلى نوع من الطحين ومن ثم الخبز. وقد ساهمت هذه النبتة في إنقاذ كثيرين من الجوع.

- العجيب في الأمر أن هذه النبتة اختفت بعد أن أدت دورها خلال المجاعة. سبحان حكمة الرب وحسن إدارته. ورحم اللَّه جدك خليل الذي تحوّل، في تلك المرحلة إلى ملجأ لكل أهالي المنطقة بسبب أمانته وحسن تدبيره. وتحوّلت أنا إلى مخزن وحامٍ لكل ثروات من كان لديه ثروة وبخاصة من كان يملك الذهب والجواهر.

- ماذا تقصد؟ الناس جائعة وأنت تحوّلت إلى مخزن ذهب وجواهر، كيف؟

- بات جدك في تلك المرحلة قبلة من يحتاج إلى المال، وملجأً لمن لديه ذهب ومجوهرات ويخاف من تعرضها للسرقة أو غيره. كان الواحد منهم يقصده حاملًا ما يملك ويدعه عند جدك أو في مقابل مال، أو أمانة في مقابل سند موقع من سيدي خليل. ومخزن الشيخ خليل هو عبّي، وهذا ما حوّلني إلى مستودع للأمانات. وفي نهاية الأزمة كل من عاد إلى جدك وبيده السند المٌوقع منه أو المال الذي استدانه، استعاد رزقه وأمانته وشكر معلّمي.

صمت الشيخ الجليل لحظة، وهو ينظر إلي وحين لاحظ سكوتي وعدم اهتمامي بالموضوع سألني: «هل أدركت كم كان جدك سندًا لكل هذه المنطقة، وكم كانت سمعته حسنة؟».

- لم أجد في ما قلته عن جدي أمرًا عظيمًا، سوى أنك تود أن تعرِّفني كم كان جدي ثريًّا وموضع ثقة عند الناس. ولا أستغرب أن يكون من أنعم عليه اللَّه، محبًّا للآخرين ومعينًا لهم، بل أرى في ذلك واجبًا وليس عملًا فظيعًا كما حاولت أن تصوّره أمامي.

- أنت لم تعاني ويلات الحرب وكيف أن كل فرد في أوقات كتلك يحاول أن يحتفظ بما يملك له وحده خوفًا وتحسبًا للآتي المجهول. الشيخ خليل لم ينحُ هذا المنحى ولم يحتفظ من كل مخزوناته من مؤن وغيرها إلا بما يكفي عياله بالحد الأدنى وتصرّف بالباقي الكثير، مساعدة لكل من طرق بابه. لكن أهمية سيدي وعلو شأنه بين الناس ظهرا في أفعالٍ أخرى تثبت لك أن جدك كان سيد هذه المنطقة من دون منازع.

- كيف ذلك؟ أعرف أنه كان صاحب أعمال تجارية واسعة، وكان معروفًا في كل المنطقة و...

- ما تعرفينه ليس ما أود أن أخبرك عنه، ما يهمني في الموضوع وما لم يخبرك عنه أحد هو أن سيدي خليل تحوّل في فترة معينة إلى نوعٍ من مصرف قبل أن يكون هناك مصارف كما هي الحال الآن.

- ماذا تقصد؟ هل أسّس مصرفًا؟

- لا، كان اسمه وصيته هما المصرف؛ كل قصاصة ورق ممهورة بتوقيع الشيخ خليل وتحمل رقمًا بقيمة مالية معينة كانت تصرف عند التجار وحتى عند كل الناس كأنها عملة حقيقية، تمامًا كما يُتعامل اليوم، بوجود المصارف، بالشيكات. وهكذا يكون سيدي خليل قد استبق، ظاهرة المصارف الحالية التي تتحكم بكل النواحي المالية في البلد.

- لماذا اعتمد هذا الأسلوب في التعامل النقدي؟

- لا أدري، ربما كان ما اكتسبه خلال إقامته في الولايات المتحدة قبل مجيئه إلى لبنان هو الذي مكّنه من ابتكار طريقة جديدة في التجارة وتداول المال.

- سمعت ذلك من أخي ألبير مرّة حين قال إن جدّه استعان بمفهوم «الشيك» قبل أن يكون هناك حتى مصارف. روى ذلك في سياق تقديره لشخصية جدّه وافتخاره به.

- كل الضيعة تفتخر به وتحفظ له ذكرى طيبة. رحمه اللّٰه لم تكن نهايته كبدايته. لعن اللّٰه من كان السبب.

- دعنا من النهايات الآن وتابع؛ دعنا نراعي تسلسل الأحداث من دون القفز فوقها، وأذكّرك أننا كنا في مرحلة سيدتك عفيفة وابنها ديب و...

- مرحلة الست عفيفة هذه السيدة الحديدية بنية وفكرًا وفعلًا لم تدم طويلًا؛ بعد انتهاء الحرب العالمية بحوالى السنتين أصيبت بحادث تسمّم لم نعرف سببه وحاولنا المستحيل لإنقاذها ولكن فشلنا، واسترد اللّٰه أمانته في مساء ذلك اليوم المشؤوم. أقول المشؤوم لأن رحيلها كان قاسيًا جدًّا على ابنها ديب الذي تدهور وضعه كليًّا وبات لا يكلّم أحدًا و«يحرن» وينزوي في غرفة من الطبقة السفلية، وهي نوع من مستودع لكل ما لسنا بحاجة إليه. أما سيدي خليل الذي حزن جدًّا لفراقها فأخبرني أنه لم يفقد برحيل عفيفة، زوجة فقط، بل فقد شريكًا ومواسيًا فاعلًا في كل المجالات ويُتّكل عليه

في أشدّ الأمور تعقيدًا. كانت الست عفيفة مربّية مميّزة إذ إنّها لم تشعِر أولاد شقيقتها مريم باليتم وعاملتهم كأنهم أولادها هي. وما أحزنني جدًّا بفراقها هو حبيب قلبي سامي الذي كان قد تعلّق جدًّا بخالته عفيفة التي لم يعرف أمًّا سواها. كان في حوالى العاشرة من عمره حين يُتّم للمرّة الثانية. وإن مرّ اليتم الأول من دون عوارض تذكر، أتى اليتم الثاني ليرميه وعلى الرغم من صغر سنه، أمام أسئلة كبرى حول الموت والحياة والخالق ومعنى الوجود. وهي أسئلة حاورني بها مرّات عديدة من دون أن يلقى مني الأجوبة الشافية، وأجزم أنها أثّرت في تكوينه الذهني وتشكل نفسيته.

- وجدّي خليل، كيف تلقّى الترمّل الثاني؟

- كانا مختلفين، بعد رحيل سيدتي مريم، حزن جدك جدًّا ولم يخفِ دموعه عني وأشعرني أنه يفتقد بمريم سندًا عاطفيًّا مهمًّا كان يستعيد به كل ما يفقده من طاقة في عمله، بينما رحيل عفيفة أشعره بفقدان السند القدير في إدارة الأعمال. لم يكن حزنه عليها عاطفيًّا بقدر ما كان عقلانيًّا. لهذا السبب قرّر أن يمسك بكلّ الأمور من دون مساعد، واعترف أمامي بأنه لن يعيد التجربة من جديد.

- لكنّه أعادها وتزوج للمرّة الثالثة.

تصبحين على خير سنتابع غدًا إن شاء اللّه.

- ٧ -

عشية الليلة التالية، جلسنا في الحديقة بعد أن انصرف الجميع. وقبل أن أتوجه إليه بالكلام، قال كأنه لم يتوقّف عشية البارحة:

- حين غادرتنا السيدة عفيفة شعر سيدي خليل أنه ليس بحاجة إلى إنسى تدير شؤون البيت؛ كانت ابنتنا جوليا في حوالى الرابعة عشرة من عمرها، صبية شقراء جميلة وقادرة على تحمّل المسؤولية، وهذا ما قامت به بكل مهارة كما كانت تقوم به أمها وخالتها من قبلها. اهتمت بي جيدًا واهتمت بأبيها وإخوتها وباتت هي سيدتي الصغيرة التي لم أرفض لها طلبًا. لكن جوليا وهي في عزّ صباها وتألّقها كانت محطّ أنظار كل شباب الضيعة الذين كنت أراهم يحومون حولي من دون أن يجسر أحد منهم على عبور عتبتي. هذا من جهة، أما من جهة ثانية فمعلّمي وسيدي خليل كان هو أيضًا لا يزال في عز رجولته وطاقته. وعلى الرغم من ذلك صمد ولم يفكر في الزواج إلا حين بلغت جوليا السادسة عشرة من عمرها وبات أمر زواجها شبه محتّم، وهو أمر كنت أخشاه جدًّا لأن تعلقي بهذه العائلة

التي ضممتها كل الوقت في أحضاني كان أكبر من طاقتي على تحمل ابتعاد أحد من أفرادها عني.

- أفهمك جيدًا لكن هذه هي سنة الحياة فاليوم الذي يغادر فيه العصفور عشّه لا بد آتٍ حتى ولو حاولنا تأخيره ما استطعنا.

- لا أعارض رأيك، لكن سنّة الحياة هذه لا تلغي الغصّة التي يشعر بها المرء لحظة الفراق.

- موضوع دقيق والغوص فيه يأخذنا بعيدًا عما نحن في صدده. تابع أرجوك وأخبرني كيف تزوج جدي للمرّة الثالثة؟

- بعد رحيل الست عفيفة وبعد «جنّاز» الأربعين بدأت ألاحظ غياب سيدي خليل في الليالي، يتركني وهو بأناقته الكاملة ولا يعود إلى أحضاني إلا في ساعة متقدمة. كنت أنتظره وكلي أمل أن يخبرني أين يمضي سهراته، لكنّه تكتّم وأنا لم أجسر على سؤاله. استمرّ الوضع هذا لأشهر، لكن ما استدعى انشغال بالي هو إقدامه على الإتيان بشاب في حوالى الرابعة عشرة من عمره ليساعده في بعض الأمور. ذلك الشاب كان ابن عائلة كريمة في الضيعة وكان أهله من زوّارنا في مرحلة السيدة عفيفة وتمكّنت أمّه من مصادقة السيّدة وأحيانًا من مساعدتها في بعض الأمور. تلك السيّدة إنسى حسناء ولطيفة وتجيد الإطراء والمديح، وكنت ألاحظ أن سيدي خليل يلاطفها ويطيل المكوث مع زوجته بوجودها.

- هل تقصد أن جدّي كان مغرمًا بها؟

- لم يخبرني يومًا بذلك، لكن غيابه في الليالي بعد وفاة عفيفة وبخاصة إتيانه بابن تلك السيّدة لمساعدته أيقظا الشك في رأسي. وما عزّز ذلك الشك هو ما تناقله البعض، أمامي، حول الموضوع من دون أن أتأكّد منه.

- هل هي التي تزوجها جدي؟

ضحك «بيتي» بأعلى صوته وقال وهو ما زال يقهقه:

- ما هذا السؤال؟ الإنسى كانت متأهّلة وزوجها موجودًا وأولادها شبابًا.

- إذًا لماذا كلّمتني عنها؟

- لأقول لك إن جدّك كان، على ما أعتقد وما سمعته همسًا من بعض الأقارب، مغرمًا بتلك الإنسى، أما الزواج فهو أمر آخر.

- أسرع وقل لي كيف تمّ الزواج الثالث ومن تزوّج جدي وهو عاشق لإنسى متزوجة؟

- عاد يومًا جدّك من سهرته، أيقظني، وأنا لم أكن نائمًا، وطلب مني أن أستمع إلى ما سيقوله. تهيّبت الموقف وأدركت أنه سيخبرني بأمر مهم. صمت جدك لحظة، قبل أن يقول، بكل جدية: «عزيزي ورفيق دربي ما رأيك إن أتيتك بسيدة جديدة تعيد البهجة إليك وإلي؟». تهيّبت الموقف ظنًّا مني أنه يقصد عشيقته أم الشاب الذي وظّفه في المستودع. صمتُّ ولم أجبه بأي كلمة، فتابع: «أخبروني

٧٢

عن فتاة هي الآن تدرس في دير للراهبات خارج الضيعة وهي فهيمة وتجيد التكلّم بالفرنسية والإنكليزية». وقبل أن يتابع سألته: «هل رأيتها؟». أجابني أن أهلها سيخرجونها من الدير عما قريب وستكون زوجتي إن رغبت أنا في ذلك». «وابنة من تكون؟» سألته وقال: «هي ابنة صديقي السيد بو رستم وهي شقيقة مخايل الذي يساعدني الآن في أشغالي». وسألته: «سيدتي جوليا تقوم بكل الواجبات وهي قوية وقادرة كما برهنت». لكنه لم يتردّد وأجابني: «جوليا ستتزوج وتتركنا، فمن سيهتم بنا؟». أسكتني بقوله هذا ورأيت نفسي أقول: «مبروك لك سيدي ورافقك اللّه في كل خطواتك».

صمت رفيق دربنا ينتظر تعليقي على الموضوع الذي أتى مباشرة:

- إنها حالة شائعة؛ يُغرم الرجل بإنسى وتُزوجه ابنتَها. أعرف حالات كثيرة من هذا النوع وعادة ما تكون الابنة، في مثل هذه الحال، متسلّطة وتتحكّم بزوجها وأمّها معًا.

- شائعة أو غير شائعة، هذا ما حدث معنا وتزوّج سيدي خليل من الآنسة تفاحة ولكن من دون أن يقام احتفال كبير للمناسبة كما في المرّتين السابقتين.

- ما كان شعورك حين رأيت تفّاحة؟ فكثيرًا ما يكون الانفعال الأول صادقًا.

- كان شعورًا ملتبسًا؛ من جهة تفهّمت سيدي خليل الذي كان لا يزال في عز رجولته، ومن جهة ثانية كنت حذرًا وقلقًا مما سيأتي به هذا الزواج، وبخاصة قلقًا على وضع الأولاد.

- كان قلقك صادقًا نظرًا إلى ما حلّ بالعائلة لاحقًا.

- في البداية لا بد من الإقرار بواقعة أن سنّ جدّك كانت تساوي ضعفي سن تفاحة، فهو كان من جيل والدها تقريبًا وهو أمر لم يكن لمصلحته وقد استغلّته تفاحة إلى أبعد الحدود. وعلى الرغم من ذلك أظهرت الست تفاحة اهتمامًا كبيرًا بي وبالأولاد وهكذا تمكّنت من نيل ثقة جدّك وبهذا الأسلوب وبسبب صغر سنها، نفّذت كلّ مآربها، وأول ما عملت على تنفيذه كان زواج سيدتي الصغيرة جوليا التي كانت تعتبرها منافسة لها في إدارة شؤون البيت. هنا بدأتُ أتلمّس رغبتها في التسلّط والسيطرة من دون أن يكون لها منازع. لكن لا أنكر أنها اهتمت بي كثيرًا وحاولت تجديد ما كان قد ترهّل من هندامي عبر السنين. جوليا كانت، فعلًا في سنّ الزواج كما كانت التقاليد في تلك المرحلة ولهذا السبب لم يعارض جدّك رغبة زوجته الجديدة. الأمر كان سهلًا والعريس معروفًا؛ هو ابن صديق جدّك الذي كان حكيمًا وشريكًا له في حلّ مشاكل الضيعة ومن وجهائها وقد كرّمه الأهالي يوم كرّموا جدّك وأهدوا إليه قطعة من الأرض كما أهدوا جدّك. وكان شبه معلوم، بين الجميع أن الشاب وديع، ابن الشيخ اسكندر، هو النصيب المناسب لابنة الشيخ خليل.

- ألم يكن لعمّتي جوليا رأي في اختيار زوجها؟ ما هذا الظلم!

- لا تتسرّعي. الشاب وديع كان يزورنا باستمرار مع والده وكنت ألاحظ أنه يتبادل النظرات والابتسامات مع سيدتي جوليا مما يعني

أنهما كانا عاشقين، ولكن بصمت. وقبل أن يزورنا والد وديع ليطلب يد جوليا رسميًّا اختليت بحبيبة قلبي السيدة الصغيرة وسألتها عن رأيها في وديع. ابتسمت ولم تجبني صراحة، لكن أشعرتني أنها تميل إليه وترغب في الزواج منه. وجدّك استشارها ووافقت قبل أن يوافق هو على طلب الشيخ اسكندر.

- على كلّ حال الأمر لم يتغيّر كثيرًا في أيامي أنا. هل تذكر؟

- أذكر تمامًا وسأخبرك في حينه عن رأيي في زواجك. المهم هو أن زواج جوليا تمّ بسرعة بعد أن أنجز الجهاز وقد أقيم لها ولوديع عرس «مطنطن» كما يقال ظلّ حديث أهالي الضيعة لفترة طويلة. ولا عجب في ذلك لقد جمع ابني شيخي الضيعة في ذلك الزمان. لكن المهمّ في الموضوع هو أن انتقال جوليا إلى بيت آخر أشعرني أن لبنة قد هوت من كياني مع أنها كانت تزورنا باستمرار، ورحت أتهيّب سقوط لبنات أخرى، لا بد آتٍ، في فترات لاحقة.

صمت رفيق دربنا وغرق في ذاته كأنه يستعيد شريط انسلاخ أعضائه عنه. لم أكلّمه ولم أسأله أي شيء، تركته يستعيد الكلام وحده. لم يطل انتظاري وسمعته يقول:

- تركتنا جوليا وبدأت الست تفاحة بالتخطيط لإبعاد الآخرين. نخله وفؤاد كانا يساعدان معلّمي في إدارة أعماله بعد أن أدخل عليهما شقيق الست تفاحة. أمّا يوسف وسامي فقد أقنعت الست زوجها بإرسالهما إلى المدرسة خارج الضيعة وهو أمرٌ جيّد بحد ذاته ووفر لهما المستقبل المشرق.

- صمت من جديد واغرورقت عيناه بالدموع وهو يقول: «حبيبي يوسف». مسح دموعه وتابع:

- وهكذا أرسل سامي إلى مدينة جونيه حيث دخل مدرسة «الفرير»، وأرسل يوسف إلى القدس ليتعلّم في دير للرهبان ويترهب إن هبطت عليه الدعوة. سامي كان يزورنا في العطل المدرسية وفي الصيف، أما يوسف فكان جدّك يزوره ويأتيني بأخباره حول تفوّقه في الدراسة.

- ومتى أنجبت الست تفاحة طفلها الأول؟

- حين حملت تفاحة تغيّر مزاجها وباتت لا تطيق وجود أحد من أولاد زوجها في البيت، وأول عمل قامت به هو أنها أتت بشقيقها الثاني للعمل مع معلّمي وأخذت تقنع زوجها أنه ليس بحاجة إلى أكثر من اثنين في العمل وبدأت تسيء معاملة فؤاد ونخله وتحثّهما على الهجرة كما فعل كثيرون من شبان الضيعة نظرًا إلى ضيق الحال وتسلّط الدولة العثمانية. المهم هو أنها نجحت في مسعاها وأبعدت الشابين عني وهاجرا إلى أستراليا التي كانت، مع البرازيل، وجهة كل من هاجر في تلك المرحلة.

- علمت من والدي أن عمّتي جوليا كانت قد سبقتهما إلى أستراليا ولهذا السبب اختارا هذا البلد وليس البرازيل كما غالبية شباب الضيعة.

- صحيح. أمضت جوليا بيننا سنة بعد زواجها ثمّ هاجرت،

وبتنا ننتظر رسائلها التي تطلعنا فيها على جمال تلك البلاد وغناها وإمكانات العمل فيها. ربّما كان ذلك هو السبب وراء اختيار فؤاد ونخله لأستراليا. رحلا على أمل العودة كما فعل والدهما الذي كان قد سبقهما إلى الهجرة. لكنه هاجر في مرحلة الشباب إلى الولايات المتّحدة وحين دعاه والده للعودة، لبّى الدعوة مستفيدًا من كل ما اكتسبه في أميركا. يا ليت يفعل المهاجرون كما فعل جدك! يا ليتهم يعودون إلى الأرض التي استنبتوا فيها. ولكن يا للحسرة، قليلون جدًا هم الذين عادوا ولم يكن من بينهم لا فؤاد ولا نخله.

- لم أعرف أعمامي إلا في الصور، وحدها عمتي جوليا حظيتُ برؤيتها.

- ألا يؤلمك أن يتحوّل الإنسان إلى صورة على حائط حتى قبل وفاته؟

- ألم يحدثك جدّي عن شوقه إلى رؤية أولاده؟

- حدّثني في البداية، بعد هجرتهم بقليل، ولكن حين أنجبت الست تفاحة انغمس جدّك بالعائلة الجديدة وبات يكتفي بالرسائل والصور الواردة من أستراليا حيث أنشأ كل من نخله وفؤاد عائلة؛ نخله تزوج من فتاة زحلاوية وفؤاد تزوج من ابنة عمّه الذي كان قد سبقه إلى تلك البلاد. كل منهما أنجب خمسة أولاد وقد زار البعض منهم لبنان ومرّوا بي كأنهم يزورون معلمًا أثريًا من معالم هذا البلد مع أنني كنت أحاول المستحيل لأشعرهم بأصلهم وجذورهم، لكنني

٧٧

فشلت؛ كانت زياراتهم سريعة كأنهم يقومون بها تلبية لواجب وليس من باب الحنين.

- أنا لا ألومهم فجذورهم هي حيث ولدوا وترعرعوا وبنوا علاقات اجتماعية وغيرها.

- أعرف ذلك، لكن هذا لا يمنع الشعور بالغصّة والعودة بالذاكرة إلى لحظة وداعي لأبويهم. أنت لا تعرفين هذا الشعور؛ انسلاخ الأحبة عن القلب وفقدان الأمل برؤيتهم من جديد وضمّهم، أمر يفتّت حتى الصخر.

- اختبرت هذا الشعور وأنت تعرف ذلك.

ضمّني إلى صدره، قبّل جبهتي وقال: «كلي أمل أنه سيعود وهو لم ينقطع عن زيارتنا وأعرف أنه غير متأقلم حيث هو».

- آمل ذلك، لكن أرجوك أن تعود إلى حيث كنا، قلت له كي لا أغوص في موضوع لم يحن وقته بعد. قلت ذلك وتابعت كي أعيده إلى تسلسل ذكرياته: وحدها جوليا كانت تزور لبنان من وقت إلى آخر وتزورنا وتقيم معنا أحيانًا وقد أحبّت شقيقتي أمال بشكل خاص. وأجابني فورًا:

- جوليا لم تنجب ولم تنشئ عائلة وأعتقد أن وضعها هذا هو الذي سمح لها بزيارتنا لأكثر من مرّة قبل أن تعود نهائيًّا، ليس إلينا فقط بل إلى التراب الذي ووري فيه أبوها وأمها من قبلها. لقد رحلت قبل أوانها وبطريقة مفاجئة.

– كانت لا تهتمّ بصحتها ولا تنتبه إلى نوعية غذائها. ربما يعود ذلك إلى نوع من لا مبالاة أو جهل، لكن النتيجة واحدة وهي أنها سقطت على طريق دير السيدة من دون أن تزعج أحدًا. انطفأت بلحظة، كي لا أقول انفجرت.

– وهو الأصح لأنها كانت «تحب بطنها» كثيرًا ولا توفر السكاكر والدهون وكل المأكولات الدسمة و... رحمها اللّه. ولكن أين تبخرت مجوهراتها؟

– كانت تملك الكثير من الصيغة والبعض منها يعود إلى جدتي مريم كما علمت من عمتي نفسها، وشقيقتي أمال حاولت الكثير لتحصل على البعض منها. لكن عبثًا حاولت، فعمّتي جوليا كانت شديدة الحرص على تلك العلبة الكبيرة التي تخبئ فيها كل مجوهراتها.

– رحمها اللّه من جديد، عاشت وماتت كأنّها لم تعش.

– أتقول ذلك لأنها لم تلد؟

انتبه رفيق دربنا إلى وضعي الذي يشبه وضع عمّتي وقال بلهجة من يلوم نفسه:

– لم أقصد ذلك إطلاقًا. عدم الإنجاب ليس عيبًا، العيب هو أن نمرّ في هذه الحياة من دون أن نترك أثرًا يذكر، وهذا الأثر ليس محصورًا بالأولاد فقط وأنت أدرى بذلك.

- فلنغلق هذا الموضوع ونتابع، قلت ذلك لأخرجه من حرجه.

- نتابع غدًا، اعذريني، لا أدري لماذا تعبت باكرًا هذه الليلة.

تفهّمت تعبه، تركته وأويت إلى فراشي.

- ٨ -

صبيحة اليوم التالي استفقتُ على رائحة أعادتني إلى مرحلة الطفولة. ظننتُ أنني أحلم لكنّه فاجأني وهو يقدّم إلي طبقًا من قش وعليه رغيف خبز ذرة وإلى جانبه صحن فيه قالب جبنة بلدية. نهضت من فراشي وعانقته سائلة: «من أين أتيت بهذه الوليمة؟».

- لا يصعب شيء على رفيق دربكم. تذكّرت عند مجيئك لزيارتي أنّك مغرمة بخبز الذرة الذي ما عاد يصنعه إلا قليلون في الضيعة ومنهم أم طنوس التي زارتنا منذ يومين. طلبت منها ما تحبين وقد أتتني به باكرًا هذا الصباح.

- هذا أشهى فطور، شكرًا لك.

- لا تشكريني، فلو أستطيع استعادة كل الماضي لما تأخّرت دقيقة واحدة.

تناولنا الفطور معًا وتهيأنا لاستقبال الزوّار الذين أتونا بكل أخبار الضيعة ومضى النهار وأوّل السهرة وأنا ممتنة لرفيق دربنا «بيتي» على اهتمامه بي. وفي المساء، حين بتنا وحدنا، أجلسني في حضنه واستأنف الكلام:

- سيدتي جوليا عادت إلى تراب ضيعتها، إلى تراب الوطن، لكن فؤاد ونخله لا أدري أين دفنا، حُرمتُ حتى زيارتهما ووضع وردة على ضريحيهما. فؤاد، لا أذكره إلا شابًّا يافعًا وشجاعًا ولا أعرف أولاده إلا في الصور. حتى هو نفسه في الصور التي كان يرسلها إلى سيدي سامي لم أتعرّف إليه جيدًا. كان، في تلك الصور أصلع الرأس على عكس ما كان عليه هنا، بينما حبيبي نخله لم يتغيّر كثيرًا وتوفّي بعد فؤاد الذي أردته، كما علمنا، نوبة قلبية وهو يقود سيارته بينما توفي نخله في فراشه وبين أفراد عائلته.

صمت قليلًا ثم قال: «تعدّدت الأسباب و...

- الموت واحد. أجبته.

هزّ برأسه وتابع: «باطلة هذه الحياة وأقسى ما فيها فقدان الأحباب».

- علمت أمرًا حيّرني، علمت من ابنة عمّي نخله التي زارتنا، مرة بعد وفاة والدي، أن عمّي نخله وعمّي فؤاد ووالدي توفّوا، جميعهم، في التاريخ نفسه وهو الخامس عشر من شهر حزيران.

- هذه معلومة لم أكن أعرفها. إن صدقت فلعنة اللّه على هذا التاريخ.

- سأعترف لك بسر لم أبح به أمام أحد حتى الآن وهو أني، بعد أن علمت ذلك، بتّ أتشاءم من هذا التاريخ وكلّ سنة أكون على أعصابي طوال هذا اليوم وأشكر ربي حين يمرّ على خير.

- حبيبتي هبى، اللّه كريم ويعلم ماذا يفعل ويستعيد أمانته حين يرى ذلك مناسبًا.

- لا أجادلك في الموضوع لأنّنا عاجزان عن فهم إرادة اللّه وحتى وجوده.

- لا، هبى، لا تكفري، اللّه موجود وهو الحكيم والعليم بكل ما يحدث.

- أعذرني، لكن فلنقفل الموضوع ولنعد إلى ذكرياتك التي ترغب أكثر مني في البوح بها.

- صحيح، لكن لم أبح ولن أبوح لأحدٍ غيرك، وأنت تعلمين ذلك وتعلمين لماذا.

- كن مطمئنًّا سأحافظ على وصيتك حتى ولو لم تنطق بها صراحة.

ضمّني إليه وتابع:

- حين هاجر الثلاثة إلى أستراليا واستبعِد كلٌ من يوسف وسامي إلى المدارس البعيدة، فرغ الجو للست تفاحة واستفردت بزوجها الذي بات يلبّي كل رغباتها وبخاصة أنها كانت حاملًا بطفلها الأول. شعرتُ في ذلك الوقت أنّني كنت محتلًا من أهل الست تفاحة؛ فأمها لازمتها بشكل مستمر وأخواها احتلا الخان وكل المخازن وباتا يقومان بالأعمال التي كانت من اختصاص سيدي خليل وولديه نخله وفؤاد.

- لماذا لم تتدخّل وتلفت نظر جدي إلى ما كنت تلاحظه؟

- أنت لا تعرفين جدّك، كان لا ينفّذ إلا ما هو مقتنع به حتى ولو حاول الجميع ثنيه عنه. كنت أعرف ذلك ولهذا السبب تحوّلت إلى مراقب فقط. وهنا أعترف أمامك بأنني ابتعدت قليلًا عن معلّمي مع استمراري في مراقبة ما يحدث من بعيد.

- وماذا راقبت؟

- بعد أقلّ من سنة على زواج سيدي خليل من السيدة تفاحة رُزق بأول ولدٍ منها. لم تكن الفرحة كاملة على الرغم من أن الولادة كانت سهلة، فالمولود الجديد هو أنثى وبتّ تعلمين جدك في هذا الموضوع. حتى الست تفاحة لم تكن ممتنّة، كانت ترغب في إنجاب ذكر يُنسي زوجها أولاده السابقين. ولكي يكتمل «النقل بالزعرور» كما يقول المثل الشعبي، أصرّ سيدي خليل على تسمية المولودة الجديدة باسم مريم. لم يرق الأمر زوجته لكنّها رضخت لعلمها أنها لا تستطيع تغيير أي شيء يأمر به زوجها.

- ألهذه الدرجة أحبّ جدّي، جدّتي مريم؟

- أعرف أنه أحبها جدًّا لكن ربما رحيلها المبكر أوجد عنه نوعًا من الشعور بالذنب لأنه لم يتمكّن من إنقاذها. ومريم الطفلة أعادت إلى أرجائي بعض الحركة والبهجة بعد خلوّي من أحبائي الكبار. لم يبق معي سوى ديب الذي كان يظلّ منزويًا وغارقًا في أغراضه المكدّسة في الغرفة المظلمة في الطبقة السفلية بالقرب من مدخل الخان.

- ألم يحاول جدي معالجة ديب؟

- في ذلك الزمن لم يكن الطب متقدّمًا كما اليوم، تعرفين ذلك، وكان الناس يتقبّلون العاهة كما لو أنها القدر الذي لا فرار منه.

- حتى اليوم يعجز الطب عن معالجة بعض الحالات، وبخاصة كل ما يتعلّق بالاضطرابات العقلية والنفسية. لكن أخبرني عن مريم، كيف كانت؟ هل استعاد بها جدي ما افتقده؟

- أحبّ جدّك الطفلة التي لم يكن لون بشرتها كلون بشرة الجدة مريم. وُلدت الطفلة سمراء لكنّها جميلة و«كلّها هيبة»، كما كان سيدي يقول. وهنا لا بدّ من الاعتراف لمريم حين تقدّمت قليلًا في السن وبدأت تتكلّم وتقوم ببعض ما يُطلب منها، كم كانت دمثة وخلوقة. كتلة من الرقّة والحنان كانت مريم طوال حياتها التي لم تكن طويلة كما تعلمين.

- أعلم، وسنصل إلى ذلك. وما أعرفه أيضًا أن تفاحة لم تتأخر في الإنجاب مرّة ثانية وأتى إلى الدنيا عمّي حبيب. من سمّاه حبيب ولماذا؟

- جدّك، طبعًا. لم أسأله يومًا عن اختياراته لأسماء أولاده. لكن الاسم «حبيب» موجود في العائلة وابن عم والدك اسمه أيضًا حبيب.

- وأنت كيف استقبلته؟

- بالترحاب، أعادا إلي البهجة بعد أن تركني كل الأولاد من سيدتي مريم. حبيب ومريم الصغيرة باتا بهجتي التي كانت تنتعش بضحكاتهما وأصواتهما البريئة. وسيدي خليل اعتنى بهما كأنه لم يرزق أولادًا قبلهما.

- وكيف كانت علاقة والدي وعمّي يوسف بهما؟

- قوانين الدير الذي دخله يوسف كانت صارمة وتمنع المنتسب إليه من مغادرته، حتى لزيارة أهله، ولهذا السبب حرمتُ ضمّ يوسف إلى قلبي لسنوات عديدة، بينما والدك كان يزورنا خلال العطل المدرسية. أما بالنسبة إلى علاقته بأخويه الصغيرين، فكانت عادية جدًّا، يلعب معهما ويأتيهما بالحلوى والألعاب مع أنّه كان يتلافى أمّهما التي كانت تهتم به بحضور والده وتقسو عليه في غيابه. وحبيب قلبي سامي الذي كان يشكو لي من ظلم خالته لم يشكها يومًا إلى والده.

- آه من الرجال، يكفي أن يكونوا مشبعين جنسيًّا كي ينسوا حتى أولادهم!

- الوسادة، يا حبيبتي، الوسادة. وفقدان الزوجة هو كألم ضربة الكوع، يكاد يفقد المرء وعيه حين يتلقى الضربة، لكن سرعان ما يتبخّر الألم.

- ولهذا السبب كان جدي يسرع في الزواج في كلّ مرّة يفقد فيها زوجته. لا نلاحظ الأمر نفسه عند النساء، فقليلات هن اللواتي يتزوجن بعد ترملهنّ.

- الأمر يختلف؛ الرجل عاجز عن تدبير أمر بيته وأولاده بعد رحيل زوجته، وبخاصة إذا كان الأولاد ما زالوا بحاجة إلى من يهتم بأمورهم من مأكل وملبس ونظافة وما إلى ذلك، بينما الإنسى هي أقدر منه على كلّ هذه الأمور ولا تحتاج إلى الرجل إلّا لتوفير الناحية الماديّة.

- والنواحي الأخرى كيف توفرها؟

- ماذا تقصدين؟

- فهمتَ تمامًا ماذا أقصد.

- هنا أيضًا لا بد من الاعتراف أن مقدرة الإنسى على تحمّل الحرمان الجنسي هي أقوى من مثيلتها عند الرجل، ولهذا السبب يُقال: «عازب دهر ولا أرمل شهر». الرجل شهواني أكثر من الإنسى، هذه هي الطبيعة.

- تعرف أنني لا أوافقك الرأي في هذا الموضوع، لكنّي سأقفله لنعود إلى ما نحن في صدده. أكمل سردك وأخبرني عما كنتَ شاهدًا عليه.

- للتوضيح قبل أن نتابع؛ أنا لم أكن شاهدًا فقط أنا المكان و «فهمك كفاية».

أسكتني جوابه لدقائق نسيت خلالها ما كنا وصلنا إليه لأغوص في معاني هذا المفهوم الذي قذفه أمامي بكل بساطة قبل أن يرميني بتلك العبارة: «فهمك كفاية». نعم، فهمي كفاية وهذا ما أخرسني.

- لا تغوصي في تحليلاتك كثيرًا، هذا بعض ما تعلّمته منك يا عزيزتي هبى، سمعته يقول وهو يضمّني إلى صدره الدافئ.

- وأنت تعلّمني الكثير أيها المكان الحبيب.

- ألمي يأتي من ثباتي ضمن هذا العبور الذي لا يتوقّف.

- ولهذا السبب سمَّيتك الشاهد.

- لكنني شاهد متفاعل، أبكي وأضحك وأشارك في كل الأمور ولا تنسي أنني كنت مخبأ أسرار كل من عبر على ثباتي وما زالت صورهم قابعة في ذاكرتي، لا بل هي التي منها تتشكّل ذاكرتي.

- ولهذا السبب أنت الغالي على قلبي وأنت الحضن الذي فيه أنسى كل متاعبي. حين أدخل ربوعك وتستقبلني بين ذراعيك أعود طفلة ناسية كل سنيّ عمري وما حملت هذه السنون من تجارب حلوة ومرّة. أضع كل عمري في ثلّاجة بعيدة عني لأتحوّل إلى نوع من الإسفنج الجاف والجاهز لامتصاص حلاوة كل لحظة وأنا في حضنك وبين الأهل الطيّبين.

- أحبّ كلامك هذا الذي يشعرني بالسعادة وينسيني عمري الذي تجاوز المئة، وأعود أنا أيضًا طفلًا يرضع من ثدي أمّه.

- لكنّك طفل يختزن تاريخي كلّه، ولهذا السبب أنت أنا، أنت الجعبة التي أغرف منها كلّ ما يمدّني بالقوة والعزم والفخر. أنت الرمز.

- حبيبتي هبى، كلامك أثلج قلبي وأمدّني بالقوة على تزويدك كل ما أختزن من دون تردّد ولا حرج لأنّني أشعر، وأنا واثق من شعوري، أنّ كلامي يسقط في حقل خصب وسيثمر بعد رحيلي.

- أشكر ثقتك، لكن دعنا من الكلام حول الرحيل لنعود إلى الست تفاحة ومآثرها.

- أهرب من الموضوع وتردينني إليه. أكره هذه المرحلة.

- لكنها واقع لا ينفع الهرب منه لأن الهرب لا يلغيه. ليس من شيمنا، أنا وأنت أن نتخاذل أمام المصاعب ولا ندفن رأسينا في التراب كي لا نرى. أنا وأنت لا نهاب من رؤية الواقع مهما كان مرًّا ولدينا الجرأة لتحويله إلى قول.

- لا شك عندي في ذلك ورواياتك التي انتقدك البعض عليها هي خير شاهد على ما تقولينه لي الآن. لكن دعيني أرتاح لأستعيد قوة القول، والصباح رباح.

- ٩ -

صبيحة اليوم التالي سمعت صوت أرملة خالي كنج الذي قُتل غدرًا في نهاية أحداث العام ١٩٥٨ التي عصفت بلبنان. سمعتها تنادي بأعلى صوتها: «بعدكن نايمين؟» وما هي إلا دقائق حتى رأيتها أمامي في الغرفة وهي تحمل سلّة عنب بيد وباليد الأخرى صحنًا مغلّفًا بكيس من «النايلن». نهضتُ من سريري وعانقتها وقبّلتها وسمعتها تقول: «يوم وصلتِ إلى الضيعة، بللت البرغل باللبن لأصنع لك الكشك الأخضر. هيا أحضري النعناع والبصل لنتناول الفطور معًا». ذهبنا إلى المطبخ وإذا برفيق العمر قد أتى بالنعناع من الحديقة، وحين جلسنا إلى الطاولة الصغيرة قال:

- أحفظ وصية سيدتي هولا التي ما عادت تزورني كما في السابق، ولا أترك الحديقة تخلو من النعناع أبدًا. وحين حُوّلتْ كلّها إلى مرجة خضراء، حرصت على اقتطاع زاوية صغيرة للنعناع على أمل أن تأتي الست أم ألبير وأحضّر لها «الكبّة النية»، أكلتها المفضّلة». صمت لحظة وهو يضحك ثم تابع: «هل ما زالت على عادتها لا تأكل الكبّة من يد أحد؟».

فهمت ماذا يقصد وأجبته: «هي الآن لا تأكل الكبة النية إلا من صنع يدي فقط».

أما أرملة خالي، أم غنّام فقالت: «أم ألبير ست الستّات أطال اللّه عمرها».

ذلك النهار زارتني حياة ابنة خالي التي ولدت بعد اغتيال والدها والتي تزوجت من أحد أقاربنا، زارتني وعرضت علي أن نقوم بجولة في أحياء الضيعة. وافقتها الرأي وأول حي زرناه كان الحارة الفوقا التي لم تتغيّر كثيرًا سوى أن زواريبها باتت مفروشة بالإسفلت وبعض بيوتها مرمّمة والقليل منها مجدّد كليًّا والبعض الآخر مهدّم. لكن كل ذلك لم يغيّر في صورة تلك الحارة كما أحفظها في ذاكرتي. أما الجديد فكان الحي الكبير الذى نبت في أسفل الضيعة والذي كان في السابق مخصّصًا للبساتين و «الحواكير»، حيث يجد الزائر عددًا كبيرًا من البيوت الحديثة تصل في ما بينها طرقات معبّدة. دخلنا هذا الحي وزرنا بعض الأقارب والأصحاب قبل أن تنقلني حياة إلى حي آخر، شمالَ الضيعة الذي كان سابقًا ساحة واسعة، مقسّمة بين الأهالي ومزروعة بالعنب العبيدي الشهي الطعم والذي كان المفضّل عند والدتي. حين دخلنا الحي استقبلتنا البيوت الإسمنتية الجديدة البناء التي احتلّت المكان. كنت أنظر إلى هذا الجديد وأنا صامتة كأنني أستعيد بالذاكرة تلك الكروم الشاسعة حيث الدوالي كانت تنام على الأرض محتضنة عناقيد العنب الأشقر والأسود. لاحظت حياة شرودي وصمتي فقالت: «سآخذك إلى مكان يطلّ على كل الضيعة

وسترين كم توسّعت وكبرت». ومن دون أن أجيبها توجّهت إلى حيث تقصد؛ قطعت دير السيد شرقًا ثم انعطفت شمالًا، وواصلت قيادة السيارة على طرقات معبّدة لم تكن من قبل، ثمّ توقفت وقالت: «الآن انظري، ها هي الضيعة كلّها تحت نظرك». ترجّلتُ من السيارة، وقفت على حافة الطريق ورأيت كل الضيعة بكل حاراتها القديمة والجديدة وكان همّي أن أجد بيتنا بين كل هذه الأبنية المستجدّة. كنا سابقًا، حين نتسلّق جبل مار توما وننظر إلى الضيعة يكون بيتنا علامة فارقة بطربوشه الأحمر وبمركزه في ساحة الضيعة. أما ما رأيته مع حياة فنغّص قلبي وأفرحني في الوقت نفسه، فالأحمر كلّل الكثير من البيوت الجديدة وتحوّل بيتنا إلى واحد منها، وجدته هرمًا يحاول المكابرة. أزعجني المنظر وعدت إلى السيارة لأبدي استهجاني وفرحي بهذه الضيعة التي توسّعت والتي يعني توسعها أن أهاليها متمسّكون بها. وحين سألتني حياة: «أين نذهب الآن؟» أجبتها: «فورًا إلى البيت». كنت بحاجة إلى ضم رفيق عمرنا إلى قلبي وأن أقبّل جبينه العالي.

حين أخبرته عن الجولة التي قمت بها مع حياة وعن الأحاسيس التي شعرت بها، غمرني بذراعيه، قبّل وجنتي وقال:

– الضيعة ما عادت الضيعة التي هي في ذاكرتك، كلّ شيء تغيّر وليست البيوت وحدها هي التي تبدّلت وتمدّنت، ألم تلاحظي كثرة السيارات التي تملأ كل الشوارع وحتى الزواريب؟ ألم تلاحظي أن غالبية نساء الضيعة يقدن الآن السيارات؟ ألم تلاحظي ملابسهن

«المودرن» القصيرة؟ ألم تلاحظي تسريحات شعرهن التي تضاهي تسريحات الممثلات على التلفاز؟ كل عاداتنا الماضية اندثرت؛ ما عادت النساء يخبزن في البيوت على التنور أو الصاج، ما عدن يجتمعن لصناعة المونة في شهر أيلول، بات كل شيء متوافرًا ويأتينا به التجار من الخارج، حتى إن الزراعة قد تراجعت وبتنا نشتري الخضار والفاكهة. انقلبت الحياة رأسًا على عقب.

– إنه التطور ولا بأس إن كانت ضيعتنا من روادها في هذه المنطقة، أم أنك تحن إلى الماضي؟

– لا أخفيك أنني أفضّل هدوء حياة الماضي على سرعة الحياة الحالية، وأحنّ إلى كل عاداتنا التي أراها تندثر أمامي.

– وأنا سأعترف لك أيضًا بأنني أحنّ إلى الضيعة التي عرفتها صغيرة وحتى شابة. كنت حين أزورها أشعر بالعودة إلى جذوري، إلى هويّتي الحقيقية وأتخفّف في ربوعها من كل مكتسبات حضارة المدن. كنت أشعر ببراءة الطبيعة وحلاوتها، كانت العودة إلى الضيعة تعيدني طفلة فرحة بينما اليوم العودة إلى الضيعة ليست عودة بل انتقال من مدينة كبيرة إلى مدينة صغيرة لا تذكرني بالماضي الذي أحنّ إليه وكنت أجده بين ذراعيك وفي كل أنحاء الضيعة.

– من ليس له ماض ليس له مستقبل يا حبيبتي هبى، وكما ترين ما زلت أحافظ على هذا الماضي إلى حد بت عرضة للنقد من قبل الذين حوّلهم «التمدّن» إلى حدّ أنهم نسوا أصولهم.

- هؤلاء هم «الرغوة» التي تطفو على سطح الماء والتي سرعان ما تزول ولا يستمرّ إلا الأصيل.

- سرعة التطور يا عزيزتي تنعش هذه «الرغوة» الطافحة على السطح وتطيل عمرها وهذا ما أخشاه لأن دوامها وإنعاشها المستمر سيُلغيان الأصيل ويمحوانه حتى من الذاكرة.

- أنتَ الذاكرة، وبوجودك وثباتك أحتمي، وفي حضنك أستعيد الضيعة التي عرفتُ وأحببت. تجاهل كل ما حولك وأعدني إلى حيث توقّفنا البارحة أعدني إلى ما أحن إليه وجئت إليك من أجله.

- قلت لك إنني لا أحب تلك المرحلة لأنني كنت أرى إلى أين ستؤدّي وأعجب من سيّدي خليل كيف أنّه لم ير مثلي.

- ألم تنبّهه إلى ذلك وتحدّثه عن مخاوفك؟

- حدّثته، لكن ثقته بنفسه وبمن حوله كانت كبيرة. خاب ظنّي به ليس بسبب ثقته بنفسه التي لم أشكّ في صوابيتها يومًا، ولكن كيف لعاقل مثله أن يثق بمثل من كان يحيط به؟ كيف لحكيم مثله أن يتعامى عما كان يحدث حوله وفي بيته. كيف استسلم ونفّذ كل رغباتها من دون تردّد هو الذي لم يقم بخطوة قبل أن يشبعها دراسة وتمحيصًا؟ كنت أراه على طريق التدهور وهو، خلافًا لعادته وطبعه، غير آبه.

- وممَّ كنت تخاف؟ سألته كي يعود إلى الوقائع ولا يسترسل في الكلام عن تغيّر شخصية جدي.

٩٤

- كنتُ أخاف عليه وعلى ما جناه طوال عمره. كنت أرى كيف يسلّم، بإرادته، كلّ ما بناه إلى الآخرين. حبيبا قلبي يوسف وسامي أبعدا وفرغ الجو للست تفاحة التي، ويا للأسف، كان لها سطوة كبيرة على جدّك.

- ما كان فارق العمر بينها وبين جدي؟

- الفارق كان كبيرًا. ألم أقل لك إنه كان مغرمًا بأمها قبل زواجه منها؟

- ألا تظن أن السطوة التي تتكلّم عنها هي سطوة الأم وليس الابنة؟

- ربما، لكنّها كانت ذكية ولم تتدخّل مباشرة، تركت الأمر لابنتها التي استبدّت بزوجها.

- ألا تعتقد أن تفاحة كانت على علم بحب جدي لأمها وحاولت الانتقام منه؟

- لكنّها انتقمت منه لمصلحة أهلها والأجدى بها، كان، أن تنتقم من أمّها.

- لا ندرك تمامًا أواليات الغيرة وكيف يُوجّه كيدها.

- أما هي فكان كيدها موجّهًا إلى تدمير جدّك وتحويل كل ما جنى في حياته إليها وإلى أولادها وقد استعانت بإخوتها لهذا الغرض، وجدّك مستسلم كأنه مسلوب الإرادة.

- ألا تعتقد أنه كان قد تعب وأراد أن يوكل أعماله إلى من هو قادر على الحركة أكثر منه؟

- أتفهّم دفاعك عن جدّك وصورته، لكن اسمعي ما سأرويه لك ثمّ احكمي.

- كلّي سمع.

صمت قليلًا وهو مغمض العينين كأنه يحاول أن يمسك أول الخيط، ثم قال بنبرة استهجان:

- تصوّري أن أول عمل قامت به الست المصون كان تملّكي وإخضاعي لإرادتها؛ فلشت رغباتها على كلّ أنحائي وأخذت تبدّل في ألواني وشكلي وهندامي، حتى حوّلتني إلى ما يروق ذوقها ومزاجها وأبعدت كل ما يذكّر بما ومن قبلها. استبدّت بي وأنا صامت كرمى لسيّدي على الرغم من عتبي عليه لأنه لم يتدخّل ويضع لها حدًّا لتماديها في تغييري. حوّلتني إلى عبد بعد أن كنت الصديق. لكنّ ذلك لم يؤثر في وفائي. استعبدتُ وثابرتُ على الوفاء، فهو طبعي.

- لا شك عندي في وفائك، لا بل في غيرتك على كل ما يتعلّق بنا وبمصالحنا وأماننا و... لكن قل لي ألم تفرح بالتجدّد الذي أضفته عليك السيدة تفاحة؟

- ليس كل تجدّد يُفرح، فقط النيّة الحسنة هي التي تفرح القلب، ونيّة السيدة تفاحة كانت إلغاء أثر كل من سبقها لتتملّكني وحدها.

لكن ما أتعسني في تلك المرحلة لم يكن في تغييري وتحويلي إلى ما يرضي مزاج السيّدة، بل ما أتعسني هو تغيّر جدّك الذي انصاع لرغبات زوجته، هو الذي كان يفرض ما يشاء من دون أن يخالفه الرأي أحد. ما أتعسني هو استهتار جدّك بكل ما بنى وتسليمه مجانًا إلى ذوي السيدة تفاحة. بدأ بتوظيف أخيها البكر قبل زواجه منها، ثمّ، بعد الزواج، وظّف أخاه الثاني.

- وما العيب في ذلك؟ هل كان من الأفضل أن يوظّف الغرباء؟

- كان الأجدى به أن يسلّم أولاده بدلًا من أن يخضع لرغبات زوجته الثالثة ويبعدهم إما إلى المهجر وإما إلى المدارس البعيدة.

- يتبين لي أنّك تفضّل أولاد جدتي مريم على الآخرين.

ابتسم ابتسامة عريضة وقال:

- إنهم، بالفعل، أحبائي. ولم أندم على حبي لهم، فهم من أعادوا المجد والعزّة إلى روحي بعد زمن الانكسار.

- سنصل إلى هذه المرحلة التي أعادت إليك الروح. ولكن تابع أرجوك من دون قفز فوق المراحل.

- أمرك سيّدتي وحبيبتي، لكن اعلمي أنني كنت أودّ أن ألغي هذه المرحلة من ذاكرتي ولا أعود إليها الآن إلا كرمى لعينيك الصافيتين.

صمت وأغمض عينيه كما عادته حين يحاول استرجاع ما هو غير جاهز في ذاكرته. تنحنح وقال وهو ما زال مغمض العينين.

- السيدة تفاحة أنجبت أربعة أولاد؛ مريم وحبيب وجان وجانيت. مريم تصغر حبيبي سامي بعشر سنوات. كانت طفلة هنيّة ومحبّة وتعاملت مع سامي بكل ودّ وترعرعت في كنف والديها من دون أي مشكلة، بينما جانيت كانت «تلبيسة» وكثيرة الحركة ولا يحلو لها اللعب إلا مع الصبيان. وحبيب أيضًا كان محبًّا ومطيعًا ويقوم بكل ما يُطلب منه من دون تذمّر أو تردّد بينما جان الذي سُمّي باسم جدّه لوالده، فكان «تلبيسًا» ومشاكسًا ولا يلبّي ما يطلب منه إلا بعد معاندة ترغم أمّه أو أباه على تعنيفه أحيانًا.

- ولماذا تتذمّر من هذه المرحلة وترغب في إلغائها من ذاكرتك؟

- ستعرفين وستوافقينني الرأي. كوني صبورة ودعيني أتابع المسار الذي أوصلني إلى ما لا تعرفينه وربما لا ترغبين في سماعه.

- أنا هنا لأسمع الحقائق والوقائع كما حدثت وليس لسماع ما أحبُ فقط من تاريخك وتاريخنا في ربوعك.

- لا بدّ من العودة إلى تلك المرحلة وسرد تفاصيلها، ربما سردها يشفيني من ألمها.

- يعجبني قولك هذا، فهو يصبّ في صلب علم النفس العلاجي الذي تعلّمناه في الجامعة.

- مدرسة الحياة، يا حبيبتي العالمة هو أهم من كل ما نكتسبه في المدرسة وفي الجامعة، مع أنني لست ضد التعلّم واكتساب المعرفة.

- النقاش يطول في هذا الموضوع وسيبعدنا عما نحن في صدده.

- نحن ما زلنا في صلب الموضوع، لكن اعذريني إن اختصرت في السرد وأوجزت لك بسرعة ما عذّبني من دون ذنب اقترفته. سامحه اللّٰه كم تقبّل تماديها وكم أهملني ولم يعد يستمع إلى كلامي وعتابي وألمي وتمزّقي وأنا أرى وألمس كل ما يحدث في داخلي وفي الخارج. يا حبيبتي، بعبارة موجزة، باتت السيدة تفاحة هي «المباينة والمتصرّفة» وجدّك يلبّي كل رغباتها حتى إنني رأيته، مرّة، يسلّم أحد أخويها ليرات الذهب من دون عدّ؛ غرف كمية من الصفيحة وناوله إياها وكان ذلك على مرأى أكثر من شاهد، حتى إن أحدهم نبّهه إلى خطأ ما يفعل ولم يكترث، بل أجابه: «كلّي ثقة به».

- هل تقصد أن الخرف كان قد بدأ يغزو عقل جدي؟

- لا، أبدًا، كان بقواه العقلية الكاملة، يشرّع ويحكم ويحلّ مشاكل أهل الضيعة كما في السابق. لكن لكل جواد كبوة، وكبوة جدّك سبّبت له السقوط في الهاوية.

- في أي تاريخ حدثت تلك الكبوة؟

- بدأت أشعر بالتوجه نحو الهاوية في السنة الخامسة والعشرين من القرن الماضي. أذكر جيدًا أنني أخبرت والدك بذلك في حينه وكان ما زال في الخامسة عشرة من عمره ووعدني بأنه سيخبر

يوسف بالأمر وقد فعل لأن يوسف الذي كان في السابعة عشرة من عمره، ترك الدير وغادر القدس وأتى ليقول لنا إنه ليس مهياً للدعوة الكهنوتية. عاد إلى الضيعة بعد أن حصل على الشهادة الثانوية التي تخوّله دخول الجامعة. ولكن حين أخبرته عن وضع أعمال جدّك، وبعد أن عاين الوضع واختبره بنفسه، أخبرني أنه سيبحث عن وظيفة يساعده مدخولها على أن يتابع دراسته في الحقوق، وأن يتمكّن من تسديد أقساط سامي في المدرسة. شددت على يده وشجعته.

- أعرف من والدي ووالدتي أن عمّي يوسف كان عنوانًا للشجاعة والذكاء.

- يوسف! لم تلد النساء مثله هيبة وذكاءً ورجولةً. هذا اليوسف أتاني بعد فترة قصيرة ليزفّ إلي خبر حصوله على الوظيفة، قال: «رفيق عمرنا لا تهتم، لقد ربّيت أولادًا تشرب دمًا». ضممته إلى قلبي وقلت: «أنت أملنا الآن يا شيخ الشباب».

صمت رفيق عمرنا لحظة ثم قال والدمع يبلّل عينيه:

- شيخ الشباب بطلّته السمراء المهيبة كان عند حسن ظني وتوقعاتي، ولكن...

لم يتابع كلامه وانفجر بالبكاء وهو يشير بيديه إلى أنه غير قادر على المتابعة. تفهّمت ألمه، قبّلته وانصرفت إلى غرفتي أنتظر الغد ومتابعة الحكاية.

- ١٠ -

- **لم** أنم هذه الليلة، بادرني بالقول، حين بزغ الفجر ودخل غرفتي. هيا انهضي ولنجلس في الحديقة قبل أن يتوافد الزوار.

جلسنا في الحديقة، تحت العريشة التي تثمر العنب البيتموني والتي تحرص والدتي على الاهتمام بها بشكل خاص لأنها تحب عنبها. جلسنا وساد الصمت بيننا، صمت خرقتُه بعبارة عاديّة جدًّا إذ قلت: «ما أجمل «الصبحيات» في الضيع!».

- وبخاصة في ضيعتنا مع نسائم هذه الشرقية التي تتسرّب مباشرة من الجرد، أجابني قبل أن يتابع: كم سمع هذا المكان من دردشات وكم حفظ من أخبار وكم استقبل وودّع من أحبّة وأصدقاء وحتى خصوم! خصوم الداخل والخارج.

- دعنا من الخصوم وأخبرني عن الأحبة.

- لن يكون لنا متسع من الوقت لذلك، لقد فتحتُ بابي والزوار لن يتأخروا.

ما إن أتمّ جملته حتى سمعنا صوت العم بو سليم ينادي، يصبّحنا وهو يتوجه نحونا. وكرّت سبحة الوافدين وأمضينا النهار بين الأهل والأصدقاء نتنقل بين أحاديث مختلفة: سياسية واجتماعية وثقافية و«حرتقجية» و... إلى أن أتى المساء وحان وقت الكلام:

– في تلك الفترة التي شهدنا تدهور وضع جدّك الاقتصادي بتُّ لا أستقبل إلا التجار الذين يطالبون سيّدي بما لهم عليه. في البداية تمكّن من سد قسم من الديون لكنّه عجز في النهاية وأعلن إفلاسه. وهنا حدث ما أدمى قلبي ورماني في حال من اليأس، تمنّيت خلالها الموت؛ تخيّلي أنه تخلى عني وأرغم على رهني. شكوت الأمر إلى يوسف وسامي، لكنّهما كانا عاجزين عن فك أسري؛ فيوسف كان لا يزال في السنة الثانية من دراسة الحقوق في الجامعة اليسوعية وسامي في نهاية المرحلة الثانوية عند الفرير ماريست في جونيه. اجتمعت معهما وتداولنا بما وصلنا إليه وقرّر يوسف أن يخبر نخله وفؤاد علّهما يسعفاننا في تلك المحنة.

– وما كان وضع السيدة تفاحة وأولادها في تلك المرحلة؟

– كان الأولاد لا يزالون صغارًا إذ إن مريم، البكر، كانت في حوالى العاشرة من عمرها والصغيرة جانيت في الرابعة. لم أنتبه إليهم بشكل خاص، كان همّي البحث عن مخرج من هذه الورطة التي أذلّتني ودفعت بمعلّمي إلى التخلّي عني، أنا رفيق دربه وعمره.

– هل بات لك سيّد آخر؟

- ليس تمامًا، كنت مرهونًا وليس ملكًا لأحد، واستمرّ سيّدي خليل وعائلته في أحضاني على أمل أن يتحسّن الوضع ويتمكّن من سدّ كل ديونه وفك رهني.

- هل تمكّن وكيف؟ يبدو أنه تمكّن لأنك ما زلت رفيق دربنا وحبيبنا حتى الآن ولم أسمع أننا فقدناك يومًا.

- عانينا الكثير تلك السنة المشؤومة، إذ انكبّ سامي على دراسته كي ينهي المرحلة الثانوية بنجاح ويتمكّن من استلام عمل يجني منه بعض المال لمساعدة يوسف وإنقاذ وضع والده. أما يوسف الذي كان يعمل ويدرس فلم ينقطع عن مراسلة أخويه في أستراليا إلى أن أتى الفرج وأخبره نخله أنه آتٍ إلى لبنان لتسوية الوضع. فرحنا بالخبر وبدأت مرحلة الانتظار التي دامت أكثر من شهر كامل قبل أن يستقبل يوسف وسامي أخاهما في مرفأ بيروت ويرافقاه إلى هنا حيث استقبلته واستقبله أهالي الضيعة أحسن استقبال. حين دخل علينا بابتسامته العريضة الحلوة، شعرت أنّني أستعيد الروح وشعوري كان صادقًا. وحين سألته عن أحواله في الغربة، غمرني بين ذراعيه ووشوش في أذني: «اطمئن كل شيء سيكون كما تريد. أنت رفيق عمرنا وستظل كذلك، لن أسمح بأن تتركنا ولا أن نتركك. جئت كي أعيد الشيخ خليل إلى سابق عهده وأعيد إليك البهجة. لن تكون مذلولًا وأنا على قيد الحياة».

- هل كانت أعماله في أستراليا منتعشة وهل تمكّن من جمع ثروة في تلك الفترة القصيرة نسبيًا كي ينقذ ما أفسده جدّي؟

١٠٣

- جدّك استهتر فنهبه المقرّبون، سرقوه واغتنوا وتخلّوا عنه حين احتاج إليهم. ولكن والحمد للّه، عودة نخله فتحت لنا باب الفرج بعد أن حالفه الحظ وكسب مبلغًا كبيرًا عن طريق «اليانصيب» في أستراليا؛ ربح الجائزة الكبرى وأتى بها إلينا لينشلنا من الهوّة التي كنا نقبع في قعرها على الرغم من مساعدة يوسف المحدودة والتي سترت حالنا إلى أن أتى الفرج.

- يعني أنها لعبة حظ.

- ومن قال إن الحظ لا يلعب دورًا في الحياة؟

- ذكّرتني بما قاله لي يومًا صديقي الغالي الروائي الكبير حنا مينه.

- وماذا قال لك هذا الرجل الكبير الذي خبر الحياة بكل مرارتها؟

- قال لي يومًا وهو يخبرني عن رواج كتبه وتحويل بعضها إلى مسلسلات تلفزيونية، إن أكبر خطأ ارتكبه الفكر الماركسي هو أنه لم يلحظ دور الحظ في تحليلاته. الحظ هو عنصر من عناصر هذه الحياة.

- لكن هذا الحظ لا يعني الوجه الإيجابي فقط، لأنه لعب معنا الوجهين. صحيح أنه أسعفنا في مرحلة معيّنة، لكنّه أدمى قلوبنا في مراحل عديدة.

١٠٤

- هذه هي الحياة. قلت لأقفل الموضوع وطلبت منه أن يتابع ما حدث بعد مجيء عمّي نخله. استجاب بسرعة تدلّ على ارتياحه إلى تلك المرحلة وقال:

- سأخبرك في البداية ما هو مضحك قبل أن نصل إلى الجدّ؛ حين أتى عمّك نخله مع يوسف وسامي من بيروت كانوا يركبون سيارة فخمة كبيرة يقودها سائق. توقّفت السيارة أمام بابي، وبعد أن أفرغناها من أمتعة نخله، ظننت أن السائق سيعود بها إلى بيروت، لكنه لم يفعل وحين سألت نخله عن الأمر قال لي إنه استأجرها مع السائق كلّ فترة إقامته في لبنان. أدركت حينذاك أن أوضاعه الماديّة جيّدة واطمأننت إلى مستقبل وضعنا الذي سيتحسّن حتمًا.

- وأين المضحك الذي وعدتني به؟

- بعد أن صعدنا جميعًا إلى الطبقة العلوية بقليل سمعت دوشة في السوق فخرجت إلى الشرفة لأسأل ماذا يحدث، ورأيت ثلّة من الشبان والرجال والأولاد يحيطون بالسيارة وسمعت أحدهم يقول: «تعاو تفرّجو نخله ابن الشيخ خليل جايب مكنة بتحكي». دخلت مذهولًا لاستفسار الأمر من نخله. لم يجبني وانفجر بالضحك، ثم غمرني بين ذراعيه وقال: «إنّه الراديو». لم أفهم ماذا قال ونزلت السلّم راكضًا وحين اقتربت من السيارة سمعت ما أذهلني؛ كانت بالفعل «بتحكي». وهكذا تعرّفنا، للمرّة الأولى، إلى ما يسمى الراديو الذي لم يدخل الضيعة ويصبح مألوفًا إلا بعد سنين عديدة

وعند البعض القليل فقط. هذا من ناحية، أما الناحية الثانية، فكانت السيارة بحد ذاتها؛ تجمهر الشبان أولًا حول السيارة لأنها كانت «هجنة» غير مألوفة في ربوعنا. وحين سمعوا الراديو ذهلوا وعلا صياحهم، والبعض منهم ذهبت به الأفكار إلى الجنّ وعالمه الغريب. ألا يضحكك هذا الأمر سيدتي الجميلة؟

- يضحكني فعلًا لكنّك لم تفاجئني به لأنني سمعت هذه الخبرية سابقًا من والدي.

- أعلم أنك تعرفين الكثير مما سأرويه لك، والفرق بيننا هو أنك سمعتِ به بينما أنا عايشته وعشته. هو في ذاكرتك كلام، حفظتِه كما حفظت دروسك في المدرسة، أما في ذاكرتي فهو صور لحالات انفعالية مررت بها. هل تقدّرين هذا الفرق؟

- أقدّر.

- إذًا اصمتي ودعيني أفرغ ذاكرتي قبل فوات الأوان.

لم ينتظر جوابي وتابع:

- أعادني نخله إلى سابق عهدي، وتدفّق الزوار والمهنئون بعودة المغترب إلى رحابي؛ نصبنا خيمة كبيرة في الحديقة وأجلس نخله أباه في الصدر مكرّمًا معزّزًا كما في السابق قبل سفر نخله إلى أستراليا. دام الاستقبال لمدّة أسبوع كامل قبل أن تبدأ الاجتماعات الليلية بين سيدي خليل وأولاده الثلاثة: نخله ويوسف وسامي. يجتمعون ويتداولون بشؤون الديون التي تراكمت على جدّك وبسبل

التخلّص منها في أسرع وقت. لم يوجّه نخله كلمة لوم واحدة إلى أبيه ولم يسأله عن سبب تدهور أوضاعه، بل كان حريصًا على أن يصل لكل صاحب حق حقه، وأول عمل قام به كان العمل على فكّ رهني. هنا تدخّل نخله وطالب أن أكون، بعد فك الرهن، بعهدة يوسف وسامي فقط. لم يرق الأمر جدَّك لكنه لم يعارض. وهكذا غادرنا نخله، من جديد، بعد أن أوكل محامينا الجديد، يوسف، متابعة كل الدعاوى وتخليصها، بعد أن سلّمه ومعه سامي، وكالة عامة عن كل ما يتعلّق بي.

- وأنت فرحت بذلك.

- طبعًا فرحتُ وبخاصة أنني كنت واثقًا أنهما لن يتخليا عن إخوتهما الجدد من الست تفاحة، وهو أمر سمعته منهما.

- وما كان دورها خلال إقامة عمّي نخله هنا؟

- لم تتدخّل، بعد أن نبّهها سيدي خليل إلى ذلك ولم تعلم بما آلت إليه الأمور إلا بعد وقت طويل سأخبرك عنه في حينه.

- وكم دامت إقامة عمي هنا؟

- حوالى الأربعين يومًا، غادرنا بعدها على أمل أن يزورنا باستمرار وأن يأتينا معه بفؤاد وجوليا، ولكن...

صمت فورًا وهو يهزّ برأسه. حضنته وأنا أقول: «أعرف، أعرف». وأجابني: «لعن اللّه الغربة». ولأخرجه من حزنه، غيّرت

الموضوع وسألته أن يحضر لفطور الغد كبد الماعز كي نتناوله مع البصل والنعناع. وهذا ما كان، إذ استيقظت في اليوم التالي ورائحة النعناع تملأ كل أرجاء البيت.

- ١١ -

هذا اليوم كان الأحد، وقرّرت أن أحضر القداس في كنيسة مار ليان، شفيع الضيعة. اتصلت بابنة أحد الأقارب وترافقنا، سيرًا، إلى الكنيسة. مررنا بالسوق ونحن نتحاشى السيارات التي تقود غالبيتها الصبايا والنساء. وقبل أن نتجه يمينًا توقفت عند دار بيت جدّي لأمي حيث بنى كلّ من أولاد خالي بيتًا جديدًا، بعد أن هدّوا البيت القديم، البيت الذي أحب والذي ما زالت صورته في ذاكرتي حيث كنا ندخل «الليوان» أولًا ونطل منه على الحديقة وبئر الماء وبيت الخيل وخمّ الدجاج والتنور الذي طالما أكلنا من خبزه الشهي. كل هذا الذي في الذاكرة انمحى وها نحن أمام بناءين ضخمين جميلين لم يحجبا عني الصورة الخلفية، صورة الطفولة واللعب واللهو وتسلّق أغصان شجرة التين الأحمر التي كانت تحتلّ مساحة كبيرة من الحديقة وصوت ثغاء الماعز والغنم حين كانت جدّة والدتي تعصر أثداءها لتشربنا الحليب الطازج. لاحظتْ رفيقتي شرودي ونبّهتني إلى أن القدّاس قد بدأ، فتابعنا طريقنا صامتتين وصور الماضي تغزو خيالي.

وصلنا إلى الكنيسة، كان القداس قد بدأ فعلًا وصوت الكاهن والجوقة يلعلع بالتراتيل التي ما عدت أذكر إلا القليل منها. دخلنا وإذا بالكنيسة مكتظة بالناس، وما لفت انتباهي هو أن السيدات كنَّ من دون غطاء على الرأس، هذا الغطاء الذي كنا نسميه «الإشارب». إلى ذلك لاحظت أن لا قسمة بين مقاعد الرجال ومقاعد النساء، فهم يجلسون جنبًا إلى جنب كما في كنائس بيروت وكلّهم يرتدون أجمل الملابس التي تجاري آخر صيحات «الموضة» مع تسريحات شعر للنساء لم أرَ مثلها حتى عند بطلات السينما والمسلسلات التلفزيونية، يرافق كل ذلك آخر صرعات التبرّج وصبغ الشعر و«البوتوكس» والنفخ وغيرها من وسائل التجميل وإخفاء العمر عند السيدات. للحقيقة، لم أتابع القدّاس، كل انتباهي كان مشدودًا إلى هذا الانقلاب في عاداتنا وسلوكنا حيث ما عاد من فارق بين أهل مدينة وأهل ضيعة، حتى ولو كانت في أقاصي الوطن كما ضيعتنا. بالفعل، بات العالم قرية صغيرة ووسائل الاتصال عمّمت كل خاص وكل «شاردة وواردة» ونشرتها في كل زوايا الكرة الأرضية.

انتهى القداس وأمام الكنيسة سلّمت وتكلّمت مع الأهالي الذين اطمأنوا إلي وإلى إخوتي وأختي وبخاصة إلى أمّي التي طالب بها الجميع وطلبوا مني أن أبلّغها عتبهم عليها لقلّة زياراتها للضيعة كما في السابق. وعدتهم بأنني سآتي بها في أول فرصة وترافقنا إلى باب الدار حيث تابع البعض سيره ودخل معي البعض الآخر، وكانوا في غالبيتهم من أفراد العائلة، لنجلس في الحديقة ونشرب القهوة المرّة من يد العم جرجس، أفضل من طبخ القهوة العربية الأصلية.

بعد أن استمعتُ من الأقارب إلى كل أخبار الضيعة وأهلها، فاجأنا رفيق دربنا بأن قال: «سنتناول الغداء معًا، لقد أحضرت التبولة والكبّة النيّة، ولن أقبل أي اعتذار». رحّبتُ بالفكرة واستبقيت الحاضرين لمشاركتنا الطعام. وما إن انتهينا من التهام الكبّة النيّة الشهية حتى دخل علينا «بو طوني» وهو يحمل كيسًا كبيرًا. رماه على الأرض أمامنا وهو يقول: «هل يجوز أن تزورنا الدكتورة إلهام من دون أن نطعمها الذرة من كرومنا؟» رحّبت ببو طوني وشكرت له اهتمامه هو الذي يعرف جيدًا كم أنني أحب «عرانيس» الذرة المشوية على الفحم. وهكذا أمضينا عصرية ذلك اليوم قرب «المنقل» حيث يشوي بو طوني العرانيس ويوزّعها علينا، ونحن نتلذّذ بطعمها السكري الذي أفتقده في العرانيس التي أشتريها، أحيانًا، من الباعة الجوّالين في بيروت.

مضى النهار مع الأحبة وعاد كل منهم إلى بيته وبتُّ وحدي معه. غمرني بين ذراعيه وصعدنا إلى الطبقة العلوية حيث شغّلنا التلفاز وجلسنا نستمع إلى الأخبار التي لم تأتِنا بأي جديد بحسب تعليقه. أقفلتُ التلفاز وقلت له: «أنتظر الجديد منك أنت». ابتسم ابتسامة باردة، وبعد صمت قصير قال:

- غادرنا نخله بعد أن سوّى قسمًا كبيرًا من المشاكل التي كانت عالقة وأوكل إلى يوسف المتابعة بعد أن ينهي دراسة الحقوق التي كان في آخر سنة منها. رحل نخله ودخل سيدي خليل في مرحلة من الاكتئاب لم تدم طويلًا إذ سرعان ما أخرجه منها الأطفال الأربعة

ومشاكلهم الصغيرة. أما سامي فعاد إلى مدرسته ليتحَضّر للامتحانات الرسمية التي تخوّله دخول الجامعة.

- كم كانت أعمار الأولاد الجدد؟

- كانت أعمارهم تراوح بين الثماني سنوات لمريم والسنتين لجانيت وبينهما حبيب في السادسة وجان في الرابعة.

- إذًا كانت عمّتي مريم تصغر أبي بعشر سنوات. الفارق ليس صغيرًا.

- لا تنسي ديب الذي كان في حوالى الخامسة عشرة من عمره.

- مسكين عمي ديب، لا أذكره إلا عجوزًا صامتًا كان يأتي به والدي أحيانًا لزيارتنا وتمضية بضعة أيام بيننا. إن لم نكلّمه لا يتكلّم، لكنّه كان ينفجر من الضحك حين يسمع خبرية مسلّية، قبل أن يعود ويغرق في صمته الهادئ الذي لا يؤذي أحدًا.

- هو، بالفعل، مسكين، لكنّه تسبّب لنا بمشاكل عديدة بسبب عناده ورفضه تنفيذ كل ما يطلب منه مما وضعه في حال تناحر مستمرّة مع الست تفاحة وأولادها، وقد حاولتْ المستحيل لإبعاده، لكنّها فشلت وظلّ ديب هنا تتأرجح حاله بين الهدوء والتوتّر. وأكثر ما كان يميّز تلك الحال هو الانزواء والصمت.

- إن كان ينزوي ويصمت فبماذا كان يزعج الآخرين؟

- أكثر ما كان يزعج في سلوكه هو العناد؛ كان يحرن ولا يتزحزح عن مطلبه حتى يُلبّى.

- أعرف أنه كان حالًا خاصة ولو عولج بطريقة صحيحة لما تدهورت حاله، ولربما تمكّن من استعادة ما يُسمى بالحياة الطبيعية.

- حظّه أنه ولد في عصر لم تكن فيه تلك المعالجة متوافرة، وحين توافرت وحاول والدك معالجته كان الأوان قد فات.

- كان والدي يعطف عليه ولهذا السبب كان يأتي به من وقت إلى آخر كي يمضي بعض الوقت معنا وفي جو عائلي يحيطه بالحنان.

- رحم اللَّه حبيب قلبي سامي كم كان محبًّا ورحومًا!

- ولهذا السبب درس الطب كي يتمكّن من مساعدة الناس.

- لا، سيّدتي، والدك لم يدرس الطب باختياره، الغرام هو الذي دفعه إلى ذلك.

- كيف ذلك؟ أخبرني، ولو أنني عرفت، من والدتي، بعض التفاصيل.

- إنسي ما روته والدتك لأسمعك الرواية التي سمعتها أنا من والدك.

- وهل لوالدي رواية مختلفة عن رواية والدتي؟

- الاختلاف هو في التفاصيل وفي الحال النفسية التي مرّ بها والدك قبل أن يوافق على شرط جدّك لأمك.

- كيف أخبرك هو الذي كان يصر على إخفاء كل ما يؤلمه كي لا ينغّص حياة من يعيش معه؟

- أنا كنت أعيش فيه وليس معه، وروايتي عنه هي الأصدق. وإِنْ كنت تشكّين في ما تسمعينه مني فارحلي واتركيني أمضي ما تبقّى لي من حياة مع من يسكن ذاكرتي.

- أنا كلي ثقة بما أسمعه منك وأعدك بأنّني سأصمت لأرافقك في رحلتك مع الأحبة الذين يسكنون ذاكرتك.

ابتسم بارتياح وتابع:

- أنهى والدك المرحلة الثانوية وأقمت له، بمساعدة يوسف، حفلة جمعتُ له فيها كل أصدقائه. اجتمع الشبان في الحديقة، أكلوا وشربوا وغنّوا ودبكوا وباركوا لسامي بالشهادة قبل أن ينصرفوا إلى بيوتهم. بعد ذهابهم جلست مع يوسف وسامي وهما يحاولان التخطيط للمستقبل وسمعتهما يتداولان بما سيختاره سامي من اختصاص وكان ميّالًا إلى اختيار دراسة الأدب العربي أو الحقوق كأخيه يوسف، وبرّر ذلك بالقول إنه سيدرس ويعمل كي يتساعد مع يوسف على القيام بمتطلبات العائلة. لم يعارضه يوسف وترك له حرّية الاختيار ووعده بتوفير كل مساعدة يحتاج إليها. وبعد أن انفصلا كلٌّ إلى سريره، رافقتُ سامي وحاولت إقناعه بعدم دخول الجامعة وأن يتسلّم أعمال أبيه الذي بدأ يشيخ ولا يهتم بأمور تجارته كما في السابق وبرّرت له ذلك بأنه سيكون سيّد عمله بدلًا من أن يعمل عند الآخرين، حتى ولو كانت الدولة. نظر إليّ وقال: «لا أحب التجارة وأعشق الكلمة والكتابة وسأكون كاتبًا وأديبًا مهمًّا». لم أحاول إقناعه بما أرغب له وتركته لأحلامه.

- كان والدي يعشق الكلمة وأذكر كم كتب من كلمات في مناسبات عديدة وما زلت أحتفظ ببعضها وبخاصة ذلك الدفتر الصغير حيث كان يدوّن على صفحاته خواطره ومشاعره الحميمة وآراءه حول الكون والوجود والحياة والموت وكل الأسئلة الكبرى. وقرأت بشكل خاص ما كتبه حول معاناته حين أرسلت إليه والدتي، في فترة الخطوبة، أنها ما عادت تريده.

- أعرف كل تلك المعاناة ولكن لا تستبقي الأمور ودعيني أروِ لك كيف تمّت الخطوبة أولًا.

- أعتذر، لكن حاولت فقط موافقتك الرأي حول ميل والدي إلى الكتابة وحبه للكلمة الجميلة المعبّرة. والآن سأتركك تتابع.

- بعد أن اتفق مع أخيه يوسف على اختيار الفرع الأدبي للتخصّص، ارتاح ونام تلك الليلة نومة هنيئة في حضني. وصبيحة اليوم الثاني الذي كان يوم أحد، استفاق سامي باكرًا مقرّرًا الذهاب إلى الكنيسة لحضور القداس بينما كان لا يزال يوسف نائمًا، هو الذي يعمل ويكدّ طوال الأسبوع. ارتدى حبيبي سامي بزّته الجديدة، هديّة يوسف له، لمناسبة نجاحه بالشهادة، سرّح شعره الأشقر الأجعد، تعطّر واختال أمامي قليلًا كأمير، قبل أن يغادر. رافقته بنظري حتى آخر الشارع قبل أن ينعطف يمينًا نحو كنيسة مار اليان.

- ألاحظ أنك تفضّل والدي على الجميع.

- أحبّ الجميع، لكن لسامي الذي حضنته بعد وفاة والدته وهو

١١٥

لم يبلغ الشهرين من عمره، هو الأغلى على قلبي ولا تناقشيني في ذلك، وأنت الأكثر معرفة أن الحب لا يناقَش ولا يفسّر منطقيًّا.

فهمت ملاحظته هو الذي لم يوافق يومًا على علاقاتي الغرامية وكان يعبّر عن ذلك. فهمت ملاحظته وصمتُّ، تاركة له المتابعة، وقد فعل:

- عاد سامي من الكنيسة وركض مباشرة إلى غرفة يوسف، أيقظه ليسأله هل يعرف هوْلا ابنة الشيخ فارس. وأتى جواب يوسف: «هل رأيتها؟ وهل أعجبتك؟». هنا استفاض سامي في وصف تلك الشابة التي لم يعرفها من قبل: «إنها أجمل ما رأت عيني حتى الآن ومختلفة عن كل بنات الضيعة بقبّعتها الأنيقة وملابسها الراقية وطلّتها الشامخة و...». هنا أوقف يوسف تدفّق سامي الحماسي وروى له أن الصبية هوْلا تبدو مختلفة عن رفيقاتها في الضيعة لأنها عائدة لتوّها من المهجر، من البرازيل حيث أمضت أربع سنوات في بيت جدّها لوالدتها، وتابع سائلًا: «هل أعجبتك إلى هذا الحد؟» وأتى جواب سامي خجولًا إذ قال: «لكنها ما زالت صغيرة، فهي لا تتجاوز الثالثة عشرة من عمرها». وأجابه فورًا يوسف: «وأنت أما زلت صغيرًا؟». وأمام إطراق سامي وحيرته، ضمّه يوسف بين ذراعيه وقال: «لن تكون إلا لك اطمئن وسأطلبها لك من والدها في أقرب وقت. أما الآن فدعنا نتناول الفطور ونسأل الوالد ورفيق دربنا عن رأيهما في الموضوع».

رأي سيّدي خليل أتى إيجابيًّا ومشجعًا لأن مصاهرة الشيخ فارس تضيف إلى العزّ عزًّا. أما رأيي فكان بجملة واحدة: «ذرّيتكما ستكون سليلة الجدّين: الحكمة والشجاعة، وأنا أبارك هذا الاختيار». فرح سامي برأيينا وطلب من يوسف أن يسرع في طلب يد هوْلا من أبيها. ويوسف لبّى رغبة أخيه بأسرع مما كنا نتوقّع؛ ففي عشية ذلك اليوم طلب من سامي أن يرافقه إلى بيت الشيخ فارس الذي هو على مقربة منا. تردّد سامي وبدا مرتبكًا وقلقًا، فهدّده يوسف وقال: «إن لم ترافقني اليوم فسأحجم عن القيام بأي خطوة لاحقًا وأتركك تدبّر أمورك وحدك». انتفض سامي وزايد على حماسة أخيه وسبقه إلى الخارج.

- لماذا لم يرافقهما جدي؟ أليس من عاداتنا أن يطلب أهل العريس يد العروس من أهلها؟

- انتظر جدّك تمهيد الطريق أمامه لأن أي رفض من قبل الشيخ فارس حتى ولو كان بحجّة صغر سن ابنته أو طلبه تأجيل الموضوع كانا سيوقعان خصومة بين العائلتين وانقسامًا في الضيعة. جدّك كان يعلم جيدًا أن الشيخ فارس لن يرفض، لكن حكمته دفعته إلى التريّث.

- وهل كان سيتقبّل رفض جدي فارس طلب يوسف وسامي؟

- رفض طلب جدّك خليل كان سيوقع المشكلة حتمًا أما المشكلة بعد رفض طلب يوسف وسامي فكان يمكن تفاديها.

- كيف؟ هل كانا سيخفيان الأمر عن جدي؟

- حتمًا لا. لكنّه، ربّما، كان تلافى المشكلة بالإعلان أنهما قاما بما قاما به من دون علمه. لكني أعلم جيدًا أن جدّك كان مطمئنًا إلى موقف الشيخ فارس وواثق أنه لن يخذل ولديه، خيرة شباب الضيعة في تلك المرحلة، وأن كل والد مهما علا شأنه يتمنى أن يصاهر الشيخ خليل وأن تتزوج ابنته أحد أولاده. بالفعل عاد يوسف وسامي تلك الليلة فرحين وأخبرا والدهما عما دار بينهما وبين الشيخ فارس الذي رحب بطلبهما مع تمنيه أن يدرس سامي الطب قبل الزواج ووعد بأن ابنته ستنتظره سبع سنوات لو قبل هذا التمني.

- وما كان رأي العروس بكل ما حدث؟

- يبدو أنها وافقت على كل ما قاله والدها.

- أمر غريب من إنسى قويّة الشخصية كوالدتي. كيف قبلت أن تربط نفسها لسبع سنوات واللّه وحده يعلم ماذا يمكن أن يحدث خلالها من تغيّر وتبدّل في مشاعر فتاة لا تتجاوز الثالثة عشرة من عمرها.

- هذا ما حدث، أما المشكلة فكانت مع سامي الذي كان يخطّط لدراسة الآداب بينما يوسف كان فرحًا بالشرط الذي وضعه الشيخ فارس لأنه هو أيضًا كان يرغب في أن يدرس سامي الطب ويكون أول طبيب في الضيعة، لا بل في المنطقة كلها كما سيصبح هو، بعد سنتين أول محامٍ في المنطقة. وحين أخبرني سامي عن

معاناته وتمزّقه بين ما يرغب في دراسته وإعجابه بتلك الفتاة، حاولت إقناعه بصوابية رأي الشيخ فارس. وبعد نقاش طويل بيننا استقرّ رأيه على قبول دراسة الطب لكنه لن يتخلى عن دراسة الأدب التي سيحاول متابعتها إلى جانب الطب. حين انتهى إلى هذا القرار لم ألمس عنده ما يدل على ارتياحه لما قرّر، وحدست أن قلقه متأتٍ من أمر آخر، وهو خوفه من أن تغيّر هؤلا رأيها خلال هذه السنوات السبع الطوال. لم أتردّد في سؤالي وأتى جوابه كما كنت أتوقّع، وسارعت إلى طمأنته إلى أن الشيخ فارس إن وعد نفّذ، حتى ولو على قطع رأسه وأن ابنته لن تجسر على مخالفته. أمّا تعليق يوسف فكان ضحكة عريضة وتعليقًا مقتضبًا إذ قال: «إن غيّرت رأيها فستّين سنة... ستكون هي الخاسرة».

- ألهذا الحدّ كان واثقًا ومعتزًّا بنفسه وبنسبه؟

- كان كتلة من الشموخ الذي لا يلين ولا يطال منه أحد. لم ينقصه شيء على الإطلاق لا فهم ولا طلّة ولا هيبة ولا طلاقة لسان ولا شجاعة ولا... ألم يخبرك والداك عن حبيب قلبي وجرحي الذي لن يندمل، يوسف؟

- أخبروني وأعرف الكثير عنه وعن «مرجلاته».

- كان يدرس ويعمل ويؤمن لسامي كل ما يحتاج إليه بكل رضى كأنه يدرك بشكل لاواعٍ أن سامي هو الذي سيتسلّم الراية وليس هو.

- رحيله شكّل صدمة لوالدي لم يخرج منها طوال حياته.

- دعيني أخبرك عن يوسف قبل رحيله وستعلمين لماذا والدك لم يخرج من صدمته. كان فرحة هذا البيت والجسر الذي يحمله، يشع عنفوانًا وذكاءً وكرمًا وشجاعة مع رجحان عقل وقوة حجة جعلا منه أهم محامٍ في المنطقة قبل أن تمرّ السنة الأولى على تخرّجه. يوسف كان أقوى من الحياة التي احتالت عليه لتغلبه. غدرته وهو في قمة العطاء. غادرنا وهو على قمة الهرم الذي تسلّقه بسرعة فائقة. غادرنا وجدران قاعات المرافعات ما زالت ترتجّ من قوة صوته وصوابية حجّته. غادرنا وطلّته البهية السمراء ما زالت تراود أحلام الصبايا. غادرنا ونحن بأمسّ الحاجة إليه، لكن عزاءنا أتى من حبيب قلبي سامي الذي سرعان ما احتلّ الساحة ونهض بنا من جديد وأوصلنا إلى ما كان يوسف يصبو إليه.

- لكنّك تستبق الأمور؛ ألم تلحظ أن ذكر يوسف عطّل تسلسل أفكارك وجعلك تقفز فوق أمور عديدة.

- قفزت فوق أمور عديدة لكني لم أنسها وسأعود إليها بسرعة. لكن ذكر يوسف يربك ذاكرتي وأعترف بأنه «يخربط» نشاطها وانسيابها الهادئ. أمّا الآن فقد هدأت وسأتابع من حيث شردت.

- سأساعدك بالعودة إلى حيث شردت وهو جواب يوسف لوالدي على إمكان أن تغيّر والدتي رأيها.

- بالفعل، لقد حدث، بعد فترة، ما كان يتخوّف منه سامي: بعد أن سمع والدك شرط الشيخ فارس وترحيب يوسف بهذا الشرط واعدًا

أخاه بأنه سيتكفّل بكل المصاريف، من قسط الجامعة اليسوعية ومن سكن وغيره في بيروت. إذًا بعد أن أصغى حبيبي سامي إلى كل ما قاله يوسف، ترك الضيعة وتوّجه مباشرة إلى كلّية الطب حيث أجرى امتحان الدخول ونجح وسجّل في السنة الأولى منتسبًا إلى الدورة الثانية في سجل الجامعة.

- ماذا تقصد بالدورة الثانية؟

- أذكر أن والدك أخبرني بأنه سيكون من الدفعة الثانية التي ستتخرّج في اليسوعية. يعني أنه سيكون من بين أوائل الأطباء في لبنان. فرحت لهذا الخبر كما فرحت سابقًا ليوسف كونه سيكون أول محامٍ في ضيعتنا.

- لكن علمت من والدتي أن أحد أقاربها كان قد سبق يوسف في دراسة الحقوق.

- ممكن، لكن أوّل من ذاع صيته في هذه المهنة هو عمّك يوسف ليس في ضيعتنا فقط، بل وفي كل المنطقة، وحتى الآن يروي لنا البعض عن شجاعة يوسف ومقدرته في الدفاع عن موكّليه قبالة أكبر الأسماء التي كانت معروفة في حينه.

- تدور وتعود إلى يوسف.

- اعذريني، سأعود إلى قصة سامي وهوْلا؛ تمّت الخطوبة وانصرف كل منهما إلى تهيئة نفسه للزواج المؤجّل إلى أكثر من سبع سنوات يخلق اللّه خلالها ما لا تعلمون. تمّ ذلك في بداية الثلاثينات

من القرن الماضي وأحوال جدّك خليل كانت راكدة ولم تعد إلى عهدها السابق، حتى ولو كانت مداخلة نخله قد أنقذت جدّك وأنقذتني معه من الانهيار. صحيح أننا لم نعد كما في السابق، لكن أبوابي ظلّت مشرّعة وجدّك ظلّ مرجعًا لكل أهالي الضيعة وكل ذلك بفضل عمّك يوسف الذي تمكّن، بعمله، من توفير كل ما نحتاج إليه مع تكفّله التام بتوفير كل ما يلزم كي يتابع والدك دراسته. لا أخفيك أننا مررنا بسنتين من الضيق قبل أن يتخرّج يوسف ويبدأ عمله ويسطع نجمه ويعيد إلينا مجدًا خبا لبعض الوقت.

- والشابة هوْلا ماذا كانت تفعل كل هذا الوقت؟

- الشابة هولا، جميلة هذه الضيعة في تلك الفترة، كانت عائدة لتوّها من البرازيل حيث أمضت أكثر من أربع سنوات برفقة جدّتها لأمها التي كانت، بالنسبة إليها أهمّ من أمها. بعد عودتها بدت مختلفة عن كل صبايا الضيعة إن كان من حيث الملبس أو تصفيف الشعر أو اعتمار القبعات أو... باختصار كانت مميّزة بكل معنى الكلمة ومفخرة والدها الذي لم يرفض لها طلبًا، مما دفع بوالدتها إلى الانحياز إلى أختها الصغرى التي لم تكن تحظى باهتمام أبيها كأختها هولا. إضافة إلى ذلك كانت هولا تمتلك لغة أجنبية هي البرتغالية. لكنّها باكتسابها تلك اللغة كانت قد نسيت الكتابة والقراءة، بشكل جيّد، باللغة العربية، ممّا دفع بوالدها إلى الاهتمام بالموضوع والطلب من أحد أساتذة الضيعة، وهو قريب لوالدك، أن يعطيها دروسًا خصوصية باللغة العربية، الأمر الذي لم يسبقه إليه أحد. ولكن هل تمّت المهمّة على خير؟

- علمت من والدتي أنها لم تمرّ على خير وقد أخبرتني بتفاصيلها، وكانت تقول دائمًا إنها تلقّت أول صفعة من والدها في تلك المناسبة وهي صفعة لم تتلقَّ غيرها طوال حياتها.

- الأستاذ نقولا الذي اختاره جدّك لإعادة تعليم هوْلا العربية هو شاب وسيم، بليغ وابن عائلة كريمة ووحيد والديه.

- ألم يخطر ببال جدي الذي كان حكيمًا وشجاعًا أن شابًّا مثل الأستاذ نقولا قد يسبّب له المشاكل؟

- أعتقد أن جدّك كان متأكّدًا أن لا أحد يجسر على القيام بما تفكرين فيه.

– لكنه حدث، وعلى الرّغم من كل تبريرات والدتي لما حدث لم أقتنع كليًّا بما سمعته منها.

– أنت لمّاحة، وسأروي لك فقط ما سمعتْه أذناي من والدك وعمّك يوسف؛ عاد سامي مساء تلك الليلة، من بيروت قبل نهاية الأسبوع واختلى مباشرة بيوسف الذي فوجئ بمجيئه. كان سامي متوتّرًا جدًّا وما إن أغلق باب الغرفة التي جمعته بيوسف حتى أخرج من جيبه رسالة وقدّمها إلى أخيه الذي سأله: «ما الموضوع، ولماذا كل هذا التوتر؟ هل طردت من الجامعة؟». أجابه سامي: «اقرأ وستعرف سبب توتّري». أخذ يوسف الورقة من يد سامي وباشر القراءة، ثمّ طواها وقال: «وألف سلامة معها، أجمل فتاة وابنة أكبر

زعيم في هذه الضيعة وغيرها تتمنى على رجلك. فإن كانت هوْلا تريد فسخ الخطوبة فاستعجل وافسخها قبلها».

– ألهذا الحدّ كان يوسف متعجرفًا؟ ألم يراعِ مشاعر أخيه المغرم؟

– لا شيء كان يعلو على كرامته؛ الموت كان أهون عليه من جرحها. وهذا ما أكّده لسامي الذي قال له بنوع من الغصّة: «أنت لا تعلم معنى الحب وكم يعذّب صاحبه إن فقد حبيبه». وأتى جواب يوسف سريعًا وحازمًا: «لا حب ولا بلّوط، ستذهب الآن إلى بيت الشيخ فارس وتخبره أنك فسخت الخطوبة وأنك ما عدت تريد ابنته زوجة لك حتى لو انتظرتك عشرين سنة». صمت سامي، لا يدري ماذا يقول أو يفعل. وأمام صمته وتردّده تابع يوسف: «إن لم تفعل ما طلبته منك فأنا من سيفعل، سأذهب الآن إلى بيت الشيخ فارس وأسمعه ما يجب أن يسمع». قال ذلك وهمّ بالخروج من الغرفة فأوقفه سامي، وقال: «أنا سأذهب، اتركني أقطف شوكي بيدي». قال ذلك وانصرف. أما يوسف فأخذ يحاور نفسه، ولكن بصوت مرتفع وسمعته يقول: «ماذا خطر في بالها؟ هل لديها شخص آخر وما عادت ترغب في الزواج من سامي؟ وماذا سيكون موقف أبيها الذي وعدنا وهو رجل يقف عند كلمته حتى على قطع رأسه؟ هل يعلم بما قامت به ابنته؟ لكن مسكينة هوْلا إن كان لا يعلم، ستنال عقابًا وخيمًا. أما سامي فما هو موقفه الحقيقي؟ أعرف أنه متيّم بخطيبته، فهل سيسهل عليه الابتعاد عنها ونسيانها؟ عليه أن يفعل

وأن يكرّس كل وقته لدراسته، فما زال شابًّا صغيرًا وسيحظى بأفضل منها بعد تخرّجه وأنا واثق أن كل صبايا المنطقة سيرغبن في التقرب منه وهو الشاب الوسيم وابن العائلة المعروفة والمقدّرة من الجميع بالإضافة إلى أنه سيكون أول طبيب يتخرّج في الجامعة اليسوعية المشهود لها بمستواها الأكاديمي والمعرفي». طال الوقت ويوسف يتمشى ويكلّم نفسه قبل أن يعود سامي متوترًا، وشعره منكوش والغضب بادٍ على وجهه. فسارع يوسف إلى سؤاله: «ما بك ولماذا أنت بهذه الحال من الغضب وأين كنت كل هذا الوقت؟». استرخى سامي على كرسي وابتسم قائلًا: «لقد سوّيت الأمور بعد أن توضّحت خفاياها. كانت لعبة قام بها «العكروت» نقولا».

- لقد روت لي والدتي الحكاية، روتها مرّات عديدة على مسمعي وكانت دائمًا ترويها بفرح كأنها كانت تقوم بلعبة للتسلية ولاختبار مدى تعلّق والدي بها.

- وكيف روت لك الحكاية وهل تتطابق روايتها مع ما سمعته، في حينه من سامي؟

- أخبرتني والدتي أن سامي، في تلك الليلة دخل عليهم وهو يسأل عن والدها الذي ما إن ظهر أمامه حتى قدّم إليه ورقة مقتطعة من دفتر وطلب منه أن يقرأها. استغرب جدي الأمر في البداية، لكنه أمام إصرار والدي تسلّم منه الورقة، وما إن قرأها حتى توجه إلى والدتي يستفسر منها عما قرأه وهل هي فعلًا من كتبه. نهرها وطلب

منها توضيحًا للأمر، فما كان من والدتي التي استهولت الموضوع وقدَّرت خطر غضب والدها عليها حتى قالت: «نعم هذا خط يدي لكن الموضوع كان درسًا في الإملاء العربي الذي يقوم به الأستاذ نقولا كما طلب منه والدي. وحين سألها جدي كيف وصلت هذه الورقة إلى يد والدي، استغربت الأمر وقالت إنها لا تعرف. هنا أوفد جدي أحدهم ليأتيه بالأستاذ نقولا فورًا، محاولًا تهدئة والدي بقوله إنها لعبة غبية سينال من قام بها عقابه فورًا. أتى نقولا واعترف بأنه هو الذي قام بهذا المقلب فما كان من والدي إلا أن انهال عليه ضربًا قبل أن ينهره جدي ويطلب منه أن يخرج من بيته طالبًا منه أن لا يريه وجهه بعد الآن، ثمّ توجه إلى والدتي وقال إن عقابها لن يكون سهلًا. وفي النهاية توجّه إلى سامي وطلب منه أن ينسى الموضوع وأن من يجسر على معارضة كلامه ووعده لم يخلق بعد. اطمأن سامي وعاد إلى بيته، أما جدي فقد توجه فورًا إلى والدتي وصفعها على وجهها قائلًا: «هذه الصفعة لن تتكرّر لأن عقابك في المرّة الثانية سيكون قطع رقبتك». حين كانت تصل والدتي إلى هذه النقطة في روايتها كانت تضحك. وتتابع: «كانت أولى الصفعات وآخرها، تلقّيتها من والدي». وسألتها مرّات عديدة هل كانت تعلم بما خطّط له نقولا، وهل كانت موافقة على ذلك؟ وكانت في كل مرّة تنهي الرواية بالقول إنها كانت تعلم أن نقولا معجب بها، أما هي فلا، وأن سامي كان أفضل من تطمح إليه أي فتاة من جيلها في ذلك الزمان.

- هذا ما سمعته من سامي وهو يخبر يوسف عما حدث معه في بيت الشيخ فارس. لكن يوسف حاول أن يبرهن لسامي أن هولا متورّطة بما سمّوه مقلبًا من تدبير نقولا، إلّا أن سامي برّأها ونام تلك الليلة مطمئنًا إلى استمرار الخطوبة وفخورًا بما فعله بقريبه نقولا وبموقف الشيخ فارس أيضًا الذي «دفش الأستاذ خارج بيته كالكلب الجربان».

ـ وما كان موقف جدي خليل من كل ما حدث؟

- جدّك لم يعلم بالموضوع، لقد حيّده يوسف وسامي، وبخاصة سامي، لأنه ما كان يرغب في تكبير الموضوع وأتت النهاية كما يريد. وجدّك الذي كان قد خبا وهج مقامه بسبب ما تعرّض له من إفلاس قبل مجيء نخله وانتشاله، لم يعد يتدخّل في مواضيع كثيرة، تاركاً للشباب إدارة الأمور على الرغم من موقف السيدة تفاحة التي كانت تودّ السيطرة على كل شيء.

- وسيطرت بالفعل لأنها شغلت جدي عن كل ما كان يهتم به قبلها. شغلته بأولادها الجدد وبإخوتها وعائلتها وأبعدته عن أولاده من زوجتيه السابقتين.

- لا تنسي أن جدّك كان قد شاخ وكان بودّه أن يستريح كما قال لي مرّات عديدة وهو فخور بنجاحات يوسف وسامي اللذين كان يفخر بهما، بينما أولاده من تفاحة كانوا بعد صغارًا ولا يعرف ماذا سيكونون في ما بعد.

- كيف كانوا؟ وهل والدي وعمي يوسف كانا يحبانهم؟

- تأخّر الوقت وأشعر بحاجة إلى الراحة. تصبحين على خير.

- ١٢ -

صبيحة اليوم التالي، أجلسني رفيق دربنا في حضنه وتابع كلامه كأنه لم ينم ولم يتوقّف عن السرد، وقال ردًا على سؤالي المسائي ليلة البارحة:

«أولاد تفاحة الأربعة كانوا يتمتعون بطباع مختلفة؛ مريم وحبيب كانا طيّبين وقريبين جدًّا من أخويهما، يوسف وسامي، بينما حنا وجانيت كانا «تلبيسين» ويقومان بمقالب و«شيطنات» قلّما تروق الآخرين وبخاصة مريم التي كانت قريبة جدًّا من سامي ويوسف. وحين شبّت وباتت محطّ أنظار الشباب أحاطها يوسف وسامي بكل عناية وكان لهما الدور الأهم في اختيار زوجها الذي كان أحد الأقارب. أما ديب فقد كان مشكلة تفاحة الأهم لأنه لم يسمع كلمتها ولم يلبّ أيًّا من طلباتها؛ كان يحرن تاركاً تفاحة تصرخ وتأمره من دون جدوى.

- مسكين ديب، لا أذكره إلا عجوزًا يزورنا من وقت إلى آخر حيث كان لا يتكلّم ولا يشارك إلّا بضحكة صاخبة تمتدّ لثوانٍ قبل

أن يعود إلى صمته. كنت أحبّه وأحنّ عليه حين يزورنا، لكنّي كنت أنسى وجوده حين لا أراه.

- ألم تلاحظي أنك تكرّرين ما قلتِه سابقًا عن ديب أم أن الخرف بدأ يدبّ في عقلك؟ «اتركيها علينا» قال ذلك وهو ينفجر من الضحك. ضحكت بدوري وأجبته كما لو أنّني أعتذر عن هذا التكرار شبه الحرفي لما قلته سابقًا عن ديب:

- ليس لديّ أي شيء آخر أقوله عن ديب ولا أجد في ذاكرتي حوله إلّا هذه الصورة التي إن ذكرته مجدّدًا فسوف أعيد تكرارها كما هي.

ضمّني إلى صدره وهو يتابع الضحك، قبّلني على جبهتي وقال بكلّ جديّة:

- بالفعل كان مسكينًا، ودائمًا كنت أتساءل كيف لأب كالشيخ خليل وذكائه وحكمته ولأم كالسيدة عفيفة القوية الشخصية والحادة الذكاء أن ينجبا ولدًا كديب؟ لكن، كما قلت لك، المرض، أي «الحمّى» هو السبب. لم يكن مؤذيًا؛ كل ما كان يقوم به هو انزواؤه في الغرفة المعتمة تحت الدرج وإبداء الغضب إن حاول أحد الدخول إلى عالمه أو حاول إخراجه منه. لكن في بعض الأحيان كان يتحوّل إلى إنسان عادي جدًّا ويتعامل مع الآخرين كواحدٍ منهم. لو ظهرت حالُه في هذه الأيام لأوجدوا لها علاجًا لأن الطبّ تقدم جدًّا، كما تعرفين، لكن في حينه كان يترك المريض من دون علاج مستسلمًا لما يُسمّى القدر.

- ألم ينتبه والدي، الذي كان يدرس الطب، لإمكان معالجة أخيه؟

- أولًا لم يكن الطب متقدّمًا كما اليوم، وثانيًا حين تخرّج والدك وبات طبيبًا كانت حال ديب قد ترسّخت وبتنا جميعًا متأقلمين معها. يمكنك القول إن مقاربة حال ديب هي مزيج من الجهل والاستهتار والاستسلام. وهنا يحضرني سؤال مهم: من منا كان أكثر سعادة؟ هو أم نحن؟ من يدري؟

- سؤال مهم وهو كالأسئلة الكبرى التي حيّرت أكبر العقول والتي هي حتى الآن ما زالت من دون جواب.

- أعرف أنك تعشقين هذا النوع من النقاش، ولكن سأردك إلى الواقع وأتابع الحكاية التي عاهدت نفسي على روايتها قبل فوات الأوان. لن أنتظر ردّك وسأعود إلى عائلة الشيخ خليل، سيّدي ومعلّمي وسبب وجودي الذي أكنّ لذكره كل احترام تمامًا كما كنت أفعل في حياته.

صمت قليلًا وهو مغمض العينين ثمّ قال:

- لقد زارني في الليل وشجّعني على متابعة الحكاية، زارني معلّمي وأوصاني أن أخبرك بكل ما أعرف وقال: «ثق بإلهام أو بهبى كما تسمينها أنت، ثق بها إن كنت تريد لحكايتنا أن لا تموت ويطويها النسيان بعد تشتّت الأحفاد وأولادهم وابتعادهم عنك وعنا جميعًا». سأتابع من حيث انتهيت وسأعود إلى الموضوع الذي أثاره

جدّك معي هذه الليلة في ما بعد. لن أخبرك عن حالي الراهنة إلّا في خاتمة الحكاية.

- هل تراه كثيرًا في «مناماتك»؟ سألته.

- لا، لم يزرني إلا البارحة وأنا متأكدّ أن لزيارته مدلولًا.

- مدلولها واضح وهو رغبتك في «الحكي»، أو للدقّة، رغبتك في تحويل صور ذاكرتك إلى كلمات، تريدها أن تنطق ويسمعها الجميع.

ضمّني إلى صدره، قبّلني على جبهتي من جديد وهو يمسّد على شعري، ثمّ أبعدني عنه وطلب مني أن أجلس قبالته. فعلتُ واسترخى على كرسيه وقبل أن يفتح فاه دخل علينا العم «بو سليم» أحد عجائز العائلة. رحبنا به ولاحظت أن «بيتي» فرح بقدومه كأنه يودّ أن يشهد أحد على صدق روايته، وسمعته يقول له: «جيت بوقتك ستساعدني إن نسيت شيئًا وأنت ممن لازمونا طوال حياتنا، أهلًا بك واعلم جيّدًا أن هبى تأنس لحضورك».

- أعرف، أعرف، وهي تعلم كم هي غالية على قلبي. أجابه «بو سليم».

اكتملت الحلقة بجلوس العم «بو سليم» بيننا وقال رفيق دربنا:

- نستطيع أن نتابع حديثنا، فالعم «بو سليم» من أهل البيت، وقد يشاركنا وربما يصحّح لنا إن جنحنا في تغليب العاطفة أحيانًا.

– أنا كلّي ثقة بـ «بو سليم» وقد سبق أن أخبرني الكثير مع أنه يهتمّ بشكل خاص بأخباري العاطفية ويسألني باستمرار عن جديدي في هذا الموضوع.

– ليس حشرية منّي، قال «بو سليم»، لكن حبًّا بك وبكل ما تقومين به حتى ولو انتقده البعض.

– من تقصد بهذا «البعض»؟ سألته.

– من تحت إبطه مسلّة تنخزه. أجابني وهو ينظر إلى رفيق دربنا الذي لم يكذّب خبرًا وقال:

– أعترف بأنني ما كنت موافقًا على بعض ما قامت به في حياتها ولا أخفي ذلك.

– أعرف رأيك جيدًا وقد عبّرت عنه مرّات عديدة ولا أرغب في سماعه من جديد. دعنا الآن نشرك «بو سليم» بما نحن في صدده.

– هل من مشروع جديد تقومان به من دون علمي؟ سأل «بو سليم» وهو يفرك يديه.

– نحن في صدد رصد الماضي واستعادته، يا صديقي، وأنت شاهد على هذا الماضي وكل حيثياته، فاستمع إلى ما سأخبره لهبى، أي إلهام، وصحح لي إن أخطأت أو نسيت.

– أنا جاهز، هيا أسمعنا. أجابه «بو سليم».

– كنا قد قطعنا شوطًا من حكاية الماضي بغيابك وسأتابع من حيث انتهينا.

- وأين وصلتما؟

- إلى مرحلة تخرّج سامي في كلّية الطب وما سبقها وما تلاها.

- وهل أخبرتها عن تخرّج يوسف وعمله ونجاحاته في مجال الحقوق والمرافعات؟

- كلّكم تتكلّمون عن يوسف، لماذا هذا الشغف به وكأنه الابن الوحيد لجدي خليل؟ قلتُ بانفعال.

- يوسف هو الذي أعاد المجد إلى هذا البيت بعد الكبوة التي ألمّت به على أثر انكسار جدّك في التجارة. يوسف هو الذي أعادنا إلى ما كنا عليه من مكانة بين الناس. لم يعدنا من باب المال والتجارة، بل من باب العلم والمعرفة والشهرة وسعة العلاقات، هو الذي ذاع صيته في كل المنطقة. لقد حلّق وحلّقنا معه وأعاد إلى الشيخ خليل العجوز بعضًا من العزّ الذي افتقده قبل مجيء نخله وانتشاله من الديون.

هذا ما قاله «بو سليم» قبل أن أقاطعه وأسأله عن سبب تجاهله لدور والدي. وهنا تدخّل رفيقنا وأجاب:

- لوالدك دور كبير جدًّا لكن رحيل يوسف المبكر هو الذي يدفعنا إلى الكلام عنه بهذه الحماسة. لقد تركنا في عزّ شبابه وعطائه وترك في قلبنا جرحًا لم يندمل حتى الآن ولن يندمل ما حييت.

- سنصل إلى تلك الكارثة، ولكن أخبرني الآن عن مسيرة والدي وزواجه من والدتي.

- قبل تخرّج والدك وزواجه، لا بدّ من العودة إلى السيدة تفاحة وقرارها تزويج ابنتها مريم التي كانت قد بلغت السادسة عشرة من عمرها وباتت جاهزة لتنشئ عائلة مستقلّة. لم تقبل السيدة تفاحة أن تدخل الكنّة، وابنتها الصبيّة ما زالت في البيت. حبيبتي مريم لم ترفض طلب أمّها، ووافقت على الزواج من «مخاييل» وهو قريب والدها وشخص رصين وقادر على القيام بكل واجباته. وهكذا تم زفاف مريم قبل زواج سامي وفقًا للتقاليد عندنا التي تقول بضرورة تزويج الفتاة قبل أخيها مع أن سامي كان يكبرها بعشر سنوات. تزوجت مريم وانتقلت إلى بيت زوجها تاركة وراءها فراغًا لن يعوّض لأنها كانت كتلة من العواطف الحارة والمحبّة. عسلًا بشهده، شكلًا ومضمونًا كانت مريم.

- مسكينة، قال «بو سليم» لم يكتب لها أن تعيش ما كانت تستحق.

- صحيح ما تقوله، لكن دعني أروِ الحكاية بحسب تسلسل أحداثها. أجابه الرفيق وتابع: تزوّجت مريم في ربيع تلك السنة قبل تخرّج سامي بأشهر قليلة. أكمل دراسة الطب وعاد إلى حضننا وحضن ضيعته التي افتخرت به وبات لها ملجأً في الحالات المرضية التي كانت تعالج بحسب الطب العربي الموروث من الأجداد وبعض الكتب القديمة.

- ما زلت أذكر حفلة تخرّجه التي أقامها له يوسف، وأذكر السفرة

التي مدّت تحت العريشة وتجمّع شبّان العائلة وحلقات الدبكة و...
قال «بو سليم»:

- تلك السهرة امتدّت حتى الفجر وتخلّلها، إن كنت تذكر، مفاجأة مهمّة؛ اتفق بعض شبّان العائلة وصباياها مع يوسف وذهبوا إلى بيت الشيخ فارس ليدعوا هوْلا إلى مشاركتهم السهرة. وافق الشيخ فارس وأتت هوْلا برفقة أخيها كنج لتفاجئ حبيبي سامي الذي ما إن رآها حتى نهض من مكانه ليرحّب بها وبأخيها، شيخ الشبّان الذي يهابه الجميع. حين دخلت علينا يرافقها الشبان بـ «الحوربة» اشتعل الجوّ بالزغاريد وفسح لها يوسف في المجال كي تجلس على رأس الطاولة. هنا بدأت السهرة فعلًا وعمرت حلقات الدبكة وصدحت الأصوات بالعتابا والميجانا و... وأسرّ يوسف في أذني: «هذه السهرة هي «بروفا» صغيرة للعرس الذي سيتم قريبًا».

- لكنّك لم تلاحظ كيف تغيّر وجه السيدة تفاحة التي ما إن دخلت هولا حتى نهضت من مكانها وصعدت إلى الطبقة العلوية ساحبة جانيت من يدها. سأله «بو سليم».

- كانت، رحمها اللّه، «حَما» بكل المعنى السّيئ للكلمة. امتعاضها في تلك السهرة وانسحابها بعد مجيء هولا، كانا، بالنسبة إلي، مؤشّرًا على ما ستكون عليه علاقتهما في ما بعد، وخفت على هولا التي كانت لا تعرفها جيّدًا.

- أما أنا فلم أخف على هولا لأنني كنت أعرفها جيدًا وأعرف أنها «أخت الرجال».

- هذا ما ظهر لاحقًا، وأنتَ، يا شيخ «بو سليم»، تريد دائمًا استباق الأمور. دعنا نعود إلى تلك السهرة ونتجاهل ما فعلت السيدة تفاحة من دون أن ينتبه إليها أحد، حتى زوجها، الشيخ خليل الذي كان فخورًا بولديه يوسف وسامي.

- كان، في تلك الليلة كالطاووس الفارد ذيله وهو يسير متهاديًا بين حلقات الشباب والصبايا. أجابه «بو سليم».

- وتلك الليلة عاد بالذاكرة إلى زوجته الأولى وقد عبّر عن ذلك إذ سمعته يقول ليوسف: «ليت أمّك كانت هنا معنا لكانت فرحتها كبيرة كما فرحتي بكما. أنتما كل عزائي بعد أن هاجر نخله وفؤاد وجوليا. هل يعودون يومًا وأنا بعد على قيد الحياة؟ لعن اللّٰه الهجرة ما أقساها!».

- بلعت الغربة الكثير من شبابنا. قال «بو سليم».

- البلدان اللذان يهاجر إليهما شبابنا هي البرازيل وأستراليا حصرًا أليس كذلك؟ سألتُ.

- لا تنسي أميركا أيضًا، فجدّك خليل كان هناك قبل أن يعود إلينا. أجابني رفيق دربنا قبل أن يتابع: «ولا تنسي الآن كندا أيضًا».

- لعن اللّٰه الغربة، كما قال جدّي. ولنتابع الحكاية. قلت لأعيدهما إلى الحديث السابق.

- معك حق لأن موضوع الغربة يفتح الجراح التي لم أتمكّن من تقبّلها كأمر واقع، مع أنها كذلك ولا نستطيع تغييرها.

- لا ينجو بيت واحد في الضيعة من هذه الغصّة. الكل «يعضّ على جرحه». قال «بو سليم». ولكن دعنا من هذا الموضوع الذي سيحوّل جلستنا مع الدكتورة إلى مجلس عزاء.

- «برافو» «بو سليم»، فصديقنا ميّال بطبعه إلى المأسوية. أجبتُ «بو سليم».

- من يتكلّم عن طبع مأسوي! أجابني رفيقنا وهو يهزّ برأسه، لكنّه أقفل الموضوع فورًا وعاد إلى تلك السهرة، وقال: «انتهت تلك السهرة قرابة الفجر، إذ رافق الشبان والصبايا ومعهم سامي، الصبية هوْلا وأخاها كنج إلى بيتهما».

- وتلك السهرة ظلّت حديث أهالي الضيعة لفترة طويلة. قال «بو سليم» قبل أن يهم بالانصراف.

دعوته إلى تناول الغداء معنا، لكنّه اعتذر وحمل «عكازه» وثبّت مشيته وتوجّه نحو باب الدار. وأتى تعليق من رفيق دربنا إذ قال: «أهالي ضيعتنا نفسهم كبيرة. أمّا الآن فما رأيك في طبخة برغل بدفين؟» وافقته الرأي وباشرنا تحضير الغداء وهو يعدني بأنه سيحضر لي أكلة «كبّة حيلة بالقورما» في أقرب وقت.

- ١٣ -

أتى المساء وانصرف الزوّار وأغلق باب الدار. نظر إلي وقال: «حان وقت الحكاية، فلنجلس تحت العريشة و...».

- ماذا ستخبرني اليوم؟ سألته قبل أن يتابع.

- إجلسي واصمتي. سأروي لك ما يخطر ببالي، لكن ضمن السياق، وسأبدأ بزواج والدك وانتقال السيدة هوْلا إلى أحضاني.

- هل كانت حفلة زواجه تشبه ما أعرفه وما سبق لك أن أخبرتني عنه في حفلة زواج جدّي خليل من جدّتي مريم؟

- التقاليد والعادات لم تتغيّر بين المرحلتين. عنصر وحيد اختلف بينهما وهو دخول السيارة بدلًا من الخيل؛ لقد استأجر عمّك يوسف سيارة أميركية كبيرة بيضاء مزيّنة بالورود وهي التي نقلت العريسين إلى دير السيدة حيث بارك زواجهما مطران بعلبك الذي دُعي إلى المناسبة. وبعد إتمام المراسم نقلتهما السيارة إلى هنا متبوعين بكل المدعوّين، حيث أقيمت حفلة كبيرة لهما. لكن السيّارة لم تغادر وظلّت مركونة أمام الباب. وحين سألت يوسف عن

الموضوع أجابني أنّها ستقلّهما إلى فندق في شتورة حيث سيمضيان شهر العسل قبل أن يعودا ويتقبّلا التهانئ في البيت. استغربتُ الأمر لكن رغبة حبيبي يوسف، تلك، أسكتتني. وفي نهاية السهرة ركب العروسان السيارة وهما يشوّحان بأيديهما إلى يوسف ومن رافقه إلى الخارج. أقلعت السيارة بهما وعدنا إلى الداخل حيث أوى كل إلى فراشه. لم يبقَ في الحديقة سوى يوسف الذي جالسته لنقوِّم معًا أحداث ذلك النهار من آخر أيام شهر آب سنة ١٩٣٨. بعد التقويم واستعراض كل ما حدث تركني يوسف ليأوي إلى فراشه، ولكن قبل أن يصعد الدرج سمعنا خبطًا على الباب وصوت إنسى يطلب السيدة تفاحة وهي تقول: «تفاحة يلّا يلّا مريم عمتخلّف». في تلك الليلة ولدت جمال، ابنة مريم البكر. وكعادته لم يفرح جدّك خليل بالخبر لكنّه تقبّله لأن جمال كانت أول حفيد يراه في بيته، فكما تعلمين، لم يرَ أحفاده الآخرين الذين ولدوا في أستراليا ولا يعرفهم إلا في الصور. حتى إنه لم يحفظ أسماءهم.

- ومتى عاد والداي من شهر العسل؟

- لم يكن شهرًا بكل معنى الكلمة؛ وخلال غيابهما، قرّر جدّك أن يترك لهما وليوسف الطبقة العلوية، وانتقل مع تفاحة وأولاده منها إلى الطبقة السفلية. أغاظ قرار جدّك هذا الست تفاحة، لكنه أسعد الأولاد، وبخاصة حنا وجانيت اللذين فرحا به بسبب سهولة وصولهما إلى الحديقة والبحرة من دون معاناة الصعود والنزول على الدرج. أما الست تفاحة فقد اعتبرت أن قرار جدّك هذا هو نوع من

١٤٠

التكريم لابنة الشيخ فارس التي استعدتها حتى من قبل معاشرتها ومعرفتها جيدًا.

- لكن ما أعرفه هو أن هذا القرار اتّخذه يوسف وليس جدي.

- وكيف علمت ويوسف لم يخبر أحدًا به سواي؟

- أنسيت علاقته الحميمة بأبي؟ هل يعقل أن يخفي عنه هذا الموضوع؟ ولكي يرتاح بالك أعترف بأنني علمت بالأمر من والدتي وليس من والدي.

- على كلّ حال كان الكره متبادلًا بين والدتك والست تفاحة.

- لا تخبرني جديدًا، سبق أن سمعت من أمي أخبارًا «تشيّب شعر الرأس».

- لكن ما شفع بالأمر أن مدّة مساكنتهما لم تدم طويلًا؛ ففي فترة زواج والديك كان حبيب قد شبّ وبدأ يعمل بينما حنا الذكي جدًّا تركنا والتحق بالرهبنة البولسية في حريصا لمتابعة دراسته، وتعرفين أن عمّك حنا، بعد الدراسة، اختار البقاء في الدير والحياة الكهنوتية التي نجح فيها جدًّا. أما جانيت الصغيرة، فكانت طيّبة وتحاول دائمًا تلافي المشاكل، مع أنها، كما قلت لك سابقًا، كانت «تلبيسة» وتقوم ببعض المقالب، لكنّها مضحكة في غالب الأحيان.

- قلت إن مدّة المساكنة لم تكن طويلة ماذا تقصد بذلك؟

- أقصد بضع سنوات حدث خلالها الكثير من الأمور، منها

المفرح ومنها المحزن. سأبدأ بالمفرح لأن المحزن سيسكتني لأنه فاق قدرتي على التحمّل. بداية الأخبار المفرحة هو حمل سيِّدتي هوْلا بعد زواجها بشهرين. لكن «وحامها» كان صعبًا جدًّا وأمضت ثلاثة أشهر لا تتقبّل أي طعام وتتقيأ باستمرار. في بداية الشهر الرابع استعادت شهيتها وتوقّف «الوحام» وكبر بطنها واستدار كلّ جسمها وبدأت التكهنات حول جنس الجنين. كنت واثقًا أنها ستنجب لنا صبيًّا، لكني تحفّظت عن إبداء رأيي خوفًا من الشماتة لو أتى المولود أنثى، وبخاصة شماتة السيدة تفاحة التي كانت تجزم وتجاهر بأن شكل بطن هوْلا يدلّ على أنها حامل بـ «بنت». لكن «الماء يكذّب الغطّاس» كما يقال وحان وقت الولادة وكان ذلك يوم جمعة في التاسع عشر من شهر أيار سنة ١٩٣٩. منذ صباح ذلك اليوم بدأ المخاض واستنفر حبيب قلبي سامي وطلب الداية «أوجني» من بعلبك، ولازم البيت لمراقبة حال هوْلا التي تصرخ من الألم كلما أتتها إحدى «الطلقات» التي كانت متباعدة في بداية النهار قبل أن تتسارع وتيرتها بعد الظهر وما بعد الولادة، ولادة الصبي البكر للدكتور سامي. ولد ألبير محاطًا بالزغاريد وحملته الداية إلى أبيه لكي يهتم بتنظيفه وفحصه. مدّده سامي على الطاولة وباشر تنظيف جسده من الدم وغيره، فما كان من المولود الجديد إلّا أن «فنتر» بالعالي «فنتورة» وصلت إلى وجه والده الذي تلقّفها بكل سرور. لكن تعليق الست تفاحة أتى مغايرًا إذ قالت «هذا الولد سيكون فاجرًا ووقحًا»، بينما خالفها سيدي خليل وقال: «هذا الولد سيتفوّق على أبيه».

- ومن منهما صدق؟

- صدق كلاهما هذا إذا أخذت ملاحظة السيدة تفاحة بوجهها الإيجابي واعتبرتِ أن ما قالته يعني الشجاعة. ولكن دعيني منهما لأخبرك عن فرحة يوسف بالمولود الجديد؛ لم يكن هنا حين ولد ألبير، وحين أخبرناه عاد مسرعًا حاملًا معه كل أصناف الحلوى والملابس والألعاب و... للطفل. دخل علينا بكل حيويته وتوّجه مباشرة إلى غرفة سيّدتي هولا، ومن دون أن يستأذنها رفع الطفل بين يديه وقبّل «بيضاته»، وهو يقول: «أم ألبير ستّ الستّات». ثم أعاد الطفل إلى أمه، قبّل هولا على جبهتها ونادى بأعلى صوته: «سامي مبروك لقد عمّت الفرحة، بفضلك، هذا البيت». وأتاه صوت سامي من عيادته: «فرحتي حين أراك عريسًا».

هنا توّقف رفيق دربنا عن الكلام واغرورقت عيناه بالدموع وهو ينظر إلي كأنّه يقول: «اعذريني، جرحي لن يندمل». أحطته بذراعي وربَّتُّ على كتفه ولأخرجه من حالته، غيّرت الموضوع وقلت: «لقد جفّ ريقنا، ما رأيك إن قطفنا عنقودًا من العنب البيتموني المتدلّي فوق رأسينا وتلذّذنا بحباته الذهبية؟» فهم قصدي ولبّى طلبي قبل أن يعود إلى الحكاية من جديد. لكنه عاد باندفاع مكابر وقال:

- الطفل ألبير أعاد الحيوية إلي وإلى كل من حوله وترعرع محمولًا على الأيدي وحظي باهتمام كبير من عمّتيه مريم وجانيت، مخالفتين موقف الست تفاحة التي كان اهتمامها به، أحيانًا، من

باب المجاملة فقط. أما جدّاه لوالدته فكانت فرحتهما به كبيرة جدًّا، فهو أوّل حفيد لهما. وكثرت زيارات الشيخ فارس وزوجته إلى هنا حاملين معهما كل أصناف الهدايا المتوافرة في حينه للحفيد الصغير.

- لا أريد أن أقاطعك، ولكن هل تذكر كم كانت جدتي ظرفات جميلة؟

- لم ترَ بجمال وجهها عيناي. سبحان الخالق على تلك الصورة. لكن المسكينة عجزت باكرًا.

- أنا لا أعرفها إلا شبه مقعدة من شدّة ألمها من ساقيها. لا أذكرها إلا جالسة على أريكة في زاوية تلك الغرفة التي طالما عبثنا بها ونحن أطفال.

- أهلكها «العصبي» الذي لم يكن له دواء في تلك المرحلة.

- ومع ذلك، وعلى الرغم من مرضها وألمها كان وجهها يشعّ هيبة تحت حلّتها السوداء الداكنة، ووالدتي ورثت عنها الكثير.

- هولا إنسى مميّزة ونادرة؛ ورثت جمال أمها وشخصيّة أبيها، وهي بذلك جمعت المجد من طرفيه، أطال اللّه بعمرها.

صمت قليلًا ثمّ قال: «أمنيتي أن أراها وأن تزورني ولو مرّة واحدة قبل...».

- لا تكمل، أطال اللّه عمرك وعمرها، وأعدك بأنكما ستلتقيان عمّا قريب.

- الوعد دين وأنا أنتظر على أمل أن تفي بوعدك في وقت

قريب، فهي سيّدتي التي عشت بإمرتها القسم الأكبر من عمري والتي أحفظ لها كل احترام ومحبّة. كانت مع سيّدي وحبيب قلبي سامي رمز العائلة الناجحة التي أنجبت خيرة الأبناء الذين ناضلوا ونجحوا في حياتهم من دون منّة من أحد سوى توجيه والديهما واهتمامهما. صدّقيني يا عزيزتي هبى أنني فخور بكم جميعًا، ابتداءً من ألبير الذي منذ صغره كان مميزًا. ألم تخبرك أمك أنه مشى وتكلّم في الشهر التاسع من عمره؟ ألم تخبرك أنها كانت تتحدّث معه في فترة فطامه عن حليبها وهو لم يزل دون السنتين من عمره؟

- أخبرتني كيف كان يطلب منها أن تخرج ثديها ليطليه بـ «البودرا» ثم يقول لها: «هوّي واوا خبّيه». أما إدوار فتأخّر في النطق، وفطامه كان صعبًا.

- حين وُلد إدوار لم أكن حاضرًا. فوالداك كانا يسكنان بلدة شكا حيث كان والدك يعمل. سكنا تلك البلدة لأكثر من سنة أنجبت خلالها السيدة هولا ابنها الثاني. ولادة إدوار كانت سهلة جدًّا إذ إنه خرج وحده من رحم أمه قبل أن تُستدعى الداية. لكنه لم يخرج كباقي الأطفال، خرج مغلّفًا بغشاءٍ يلف كل جسده الصغير، ولد «مبرنسًا» وهذا يعني أنه ولد محظوظ.

- أخبرتني والدتي عن الرعب الذي انتابها حين رأت الوليد الذي خرج من رحمها ككيس منفوخ. والدتها كانت معها في تلك الفترة لكنها لم تتمكن من إسعاف ابنتها لأنها لم ترَ من قبل مثل

هذه الحالة، وما أنقذ الوضع هو وجود إحدى الجارات التي اقتربت من المولود ومزّقت الغلاف، وهي تصيح: «مبروك مبروك، إنه طفل محظوظ وسيجلب معه الفأل». مُزّق الغلاف وصرخ الطفل الجديد صرخته الأولى.

- عاد والداك إلى هنا في بداية الصيف حين أنهى ألبير مدرسته في شكا، عادا ومعهما إدوار الذي كان قد بلغ شهره الرابع. ولد في الحادي عشر من شباط سنة ١٩٤٢ وتلك السنة لم تكن على ما يرام بالنسبة إلي، بل كانت سنة قلق على صحة يوسف الذي كنت ألاحظ انخطاف لونه وفقدانه للوزن والشهيّة. لكنّه فرح جدًّا بإدوار مع أنه قال له حين رفعه بين يديه وقبّله: «أنت جيت وأنا رايح، هـ «الزنطارية» مش عمتحلّ عنّي». كان يعتقد أن الدم الذي يراه في خروجه هو «زنطارية» لكن والدك كان قلقًا جدًّا وبخاصة حين عرضه على أطباء «اختصاصيين» وسمع آراءهم التي أتت موافقة لرأيه وهو أن يوسف بحاجة إلى عملية جراحية لاستئصال الورم. لكن والدك قرّر أن يعرضه على أطباء مشهورين في فرنسا قبل أن يعالجه بالجراحة. حزم أمره وسافر مع يوسف إلى فرنسا وأجريت له العملية هناك. لكن رأي الأطباء لم يكن مطمئنًا. عادا والقلق يملأ قلب حبيبي سامي الذي أخبرني أن يوسف لن يعيش أكثر من سنة. قضمت حزني واهتممت بيوسف الذي لم يكن يبالي وتابع حياته كالمعتاد وهو يعتقد أنه شفي. عاود عمله في مكتبه، وكلّما عاد إلينا في نهاية الأسبوع يكون محمّلًا بالهدايا وبخاصة لحبيبه ألبير الذي

كان ينتظره ويفرح بهداياه. مع الهدايا كان يعطي ألبير بعض المال. وفي إحدى المرّات نسي يوسف أن يعطي ألبير ما عوّده عليه، فما كان من ألبير إلا أن قال: «حين يأتي والدي سيعطيني ربع ليرة». ضحك عمّك يومها بأعلى صوته، رفع ألبير عن الأرض، قبّله وقال له: «خرى عليك وعبيّك». كان مرحًا جدًّا وكنت أستغرب الأمر، فكيف لشخص خارق الذكاء كيوسف أن لا يشكّ في وضعه الصحي على الرغم من كل اهتمام سامي بالموضوع؟ هل كان يكابر؟ لا أدري. هل شجاعته هي التي مكّنته من مواجهة الموت من دون خوف؟ لا أدري. لكنه «استحقها» حين عاوده النزف بعد أقل من سنة، ومع ذلك لم يجبن وواجه الموت بابتسامته المشرقة التي لم تفارق محياه، حتى وهو يلفظ أنفاسه الأخيرة. فارقنا في عزّ شبابه وفي عزّ فرحتنا به وبنجاحاته وبصيته الذي عمّ المنطقة كلّها. جرح يوسف لم يفارقني حتى الآن وسيرافقني إلى القبر.

– وجرحه لم يفارق والدي أيضًا الذي، بعد رحيل يوسف، بات وحيدًا يجابه الحياة بكل مصاعبها.

– اعترف لي سامي، مرّات عديدة، بأن يوسف كان سندًا لا يُعوّض، وقد أقام له عزاءً يستحقّه ونعى كل أهالي المنطقة الذين بكوه كلّهم وندبه «مطانس نادر»، شيخ الشعراء بالعامية، بأجمل الأبيات التي ظلّ يردّدها الناس لفترة طويلة. ولكن ما الفائدة؟ انتهت المراسم وأيّام التعزية وبتنا وحدنا من دون يوسف. غاب عن حواسّنا لكنّه ما زال في قلبي حتى الآن، ولن يغادره وسيدفن معي

من جديد. إنّه الجرح الثاني بعد جرح حبيبتي مريم؛ جرحان قصما ظهري كما قصما ظهر سيدي خليل الذي فقد الكثير من ذاكرته بعد وفاة يوسف وما عاد يكترث لشيء. يا ليته لم يمت وعاد إلى الدير كما ندر في مرحلة مرضه الأخيرة. قال لي في ذلك اليوم: «إن شُفيت من هذا المرض فسأعود إلى الدير وأعود إلى حياة الكهنوت». يا ليته بقي كيفما كان.

- والسيدة تفاحة وأولادها؟

- كلّهم حزنوا لرحيل يوسف وبخاصة مريم التي كانت حاملًا بابنتها جوليا التي وُلدت بعد رحيل يوسف بقليل. أمّا حنا الذي كان يدرس في الدير فقد أتى برفقة جوقة من الكهنة وأقاموا ليوسف جنّازًا يليق به ورتّلوا كل الصلوات الخاصة بالمناسبة.

- حدث ذلك خلال الحرب العالمية الثانية على ما أقدّر.

- في نيسان من سنة ١٩٤٣ وكان ألبير لم يكمل سنته الرابعة بعد.

- لكنّه يذكر وفاة عمّي يوسف وهو يقول دائمًا إن صورة يوسف المسجّى في الغرفة المطلّة على الحديقة ما زالت عالقة في ذاكرته.

- الحرب العالمية الأولى كانت قاسية جدًّا على الضيعة، لكنّنا لم نبتلِ خلالها بمصاب جلل كما حدث معنا خلال الحرب العالمية الثانية التي انتعشت الضيعة خلالها وعرفت، للمرّة الأولى، حليب البودرة والمعلّبات التي أدخلها العسكر الأجنبي إلى الضيعة. وفي

تلك المرحلة، كان عمّك حبيب الشاب قد ترك المدرسة وبدأ يعمل ويتاجر ويعاشر العسكر الأجانب وتعلّم منهم اللغات التي ساعدته كثيرًا في ما بعد في عمله في الطباعة.

- و«التلبيسة» جانيت؟

- «تلبيسة» صحيح لكنّها كلّها قلب، وقد بكت يوسف كثيرًا وشاركت أم رياض، عمّة أمّك، في «العدّ» لرثائه. وأم رياض، تذكرينها، كانت شيخة القوّالة وما زلنا حتى الآن نردّد ما غنّته في الأفراح والأتراح على السواء، وقد ناحت مدّة يومين على فراق الشيخ فارس وكل أهالي الضيعة ما زالوا يذكرون ما رثت به أخاها.

- أذكرها جيّدًا وأحبّها، لكن شقيقتي أمال لا تحبّها وأنت تعرف لماذا.

ضحك رفيق دربنا من كل قلبه وهو يذكر ما قالته العمّة بدّور في ذلك اليوم لشقيقتي أمال وقال: «سأخبرك ذلك حين نصل إلى تلك الحادثة المشؤومة والتي مرّت على خير في النهاية». ثمّ عاد إلى الجدّ وقال:

- «العترة علّي بروح»، رحل يوسف واستمرّت الحياة حيث عاد كل واحدٍ منا إلى ممارسة دوره وحياته العادية؛ هوْلا تهتمّ بولديها وسامي يغادرنا كل صباح على «الموتوسيكل» ليجول في المنطقة ويطبّب الناس قبل أن يعود في المساء ليخبرنا ماذا فعل من إسعافات في ذلك النهار. كان أحيانًا يُطلب إلى بعض الضيع البعيدة حيث لا

يصل المرء إلا على ظهر الحصان أو البغل أو الحمار. أحيانًا أخرى كان يضطر إلى القيام ببعض العمليات الجراحية و... كان يعود إلينا منهكًا قبل أن تعيّنه الحكومة طبيبًا لقضاء بعلبك الهرمل. بعد تعيينه هذا، بات مركزه في الهرمل وتطلّب الوضع اقتناء سيارة للتنقّل وهذا ما تمّ، وكان أول شخص في الضيعة يملك سيارة خاصة. وحين كان يُسمع هديرها من بعيد يعرف الجميع أن الحكيم قد عاد ويتوافد عليه المرضى إلى ساعة متقدمة من الليل، فيعالجهم قبل أن يفرغ لنا ويجلس معنا قليلًا ثم يأوي إلى فراشه ليرتاح، ويعاود الكرّة في اليوم التالي. ونحن يا سيّدتي سنأوي بدورنا إلى النوم لنستعيد الكلام غدًا. أنت ستنامين ولكن لا أدري هل أغفو بعد أن استعدت معك هذا الماضي الأليم.

- عليك أن تغفو لأن الماضي الذي ذكرته ليس كلّه أليمًا، هو ككل حقبات الحياة فيها المرّ والحلو.

استأذنته وصعدت إلى غرفتي وغرقت في النوم من دون أن أعرف ماذا فعل في تلك الليلة وكيف أمضى وقته.

- ١٤ -

في الصباح استفقت على رائحة المناقيش بالصعتر. هببت من سريري وتوجهت إلى المطبخ حيث وجدته يغسل النعناع والبندورة والخيار. أحطته بذراعي وقبّلته على خدّيه وأنا أقول: «هذا أطيب فطور».

- كنا من قبل نفطر الطلامي المخبوزة على التنور، ندعكها بالسمنة والسكّر ونلتهمها قبل أن تبرد. أما اليوم، حين اختفت التنانير واستبدلت بها الأفران، فباتت المنقوشة هي الترويقة وهم اليوم يتفنّنون بها حيث هناك المنقوشة بالجبنة وبالكشك وبالقاورما و...

- لكل عصر أدواته وبالتالي مأكولاته وكلّها لذيذة. يكفي أن تكون الصحة جيّدة ليتقبّل صاحبها كل التغيّرات وأنت، يا عزيزي، ما زالت صحّتك كالحديد.

- لا تحكمي على المظاهر. فآلام العظام تقضّ مضجعي وأكابر كي أكون بمظهر جيّد.

أزعجني كلامه وحاولت تغيير الموضوع ودعوته إلى مشاركتي

التهام المناقيش التي كانت لا تزال ملفوفة بالورق كي تحافظ على سخونتها. قبل أن ننهي الفطور دخل علينا مطانس ليسأل: «أين هوْلا؟ ولماذا لم تأتِ معك؟ وهل تشكو من شيء؟».

- إنها بخير، أجبته، وفي المرّة المقبلة ستأتي معي.

- «بلاها هلبيت ما بيسوا» قال ذلك وصمت.

- مطانس كان شبه مقيم في بيت جدّك فارس وهو يحبّ سيّدتي هوْلا جدًّا ولا يزورني إلا إن علم أنها هنا. قال رفيق دربنا.

- أعرف ذلك ووالدتي أخبرتني عنه وبخاصة عن تجارته التي جنى منها بعض المال.

- «رزق اللّه عهديك الأيام كانت كل نسوان الضيعة تلبس من عندي ما عدا هوْلا» قال العم مطانس.

- من أين كنت تأتي بالألبسة؟ سألته.

- «كنت أتعاطى مع تاجر في بعلبك، يشتري بالة كبيرة، من وين؟ ما بعرف، وأنا إشتري منو اللي بلاقيه مناسب».

- ما زلت أذكر كيف كانت النساء يتراكضن إلى بيتك حين كنت تعود من إحدى سفراتك، كل واحدة منهن تريد أن تكون أوّل من يختار الأفضل. قلت له.

- «وأنا ما كنت حمار، ما كنت جيب قطعتين متل بعضن. اليوم انقطعت رزقتنا، ما لاحظتِ الجخّ عند نسوان هالضيعة؟».

- أولًا تغيّرت الأيام وثانيًا أنت بت عجوزًا مثلي ولا قدرة لك حتى على المشي. أجابه «بيتي». وأردف: ورزقك انقطع من عجزك وليس من أي أمر آخر أم أنك تريد أن تأخذ دورك ودور غيرك؟

- «شيلني من هالموضوع»، أجابه مطانس ثم توجّه إلي وسألني: «كيفا هوْلا؟ بعدا قويّة؟ صحّتا منيحة؟

- الحمد لله، لكنّها تشكو من السكّري وبعض الآلام في الساقين. أجبته.

- «الله الله يا دنيا! كانت الأرض تهتز تحت إجريها. سلّمي لي عليها». قال ذلك، ووقف بصعوبة وتوجّه نحو باب الدار يهمّ بالانصراف. وحين سألته: «إلى أين تذهب الآن؟» أجابني: «عجهنّم الحمرا، عا وين بدّي روح؟ عالبيت اللي صاير متل الفطيسه بوجّي».

ذهب مطانس وسارعت إلى السؤال عن رفيقه الذي كان يداوم معه في بيت جدي فارس:

- أين أصبح مخاييل الشريف؟ لم أعد أراه في الضيعة منذ زمن طويل.

- الله يساعده حالته بالويل بعد ما أصابه من فقدان وليديه. لكنّ الله كبير ويعاقب من يستأهل العقاب.

- لا أفهمك جيدًا. ماذا تقصد؟

- ألا تذكرين قصة «نادرة»؟

- أذكرها. إنها أشنع ما سمعته في حياتي. وعلمت أنها، بعد قتلها، عُرضت على الطبيب الشرعي الذي قال إنها لم تعرف رجلًا منذ سنين. هل يعقل، في عصرنا هذا أن تقتل فتاة لمجرّد رؤيتها تسير على الطريق برفقة شاب؟

- تركها زوجها منذ زمن بعيد وهاجر إلى البرازيل وأهملها وأهمل أولاده والبعض يقول إنه تزوج هناك ونسي عائلته هنا. ونادرة هي ابنة مطانس نادر هذا الرجل الطيّب الخلوق وقد أمضت حياتها بين بيت عمّها، أهل زوجها، وبيت أبيها.

- لكن أذكر أن أقاربها قتلوها لأن الشاب الذي شاهدوها معه كان مسلمًا.

- كان ذلك سببًا إضافيًّا وليس رئيسيًّا على ما أظنّ.

- وقد حاول والدي المستحيل كي يستلمها ويدخلها أحد الأديرة كي ينجّيها من القتل، لكنّه فشل وقتلوها رميًا بالرصاص بعد أن حاولوا إرغامها على تناول كمية كبيرة من الأسبرين كي يقولوا إنها انتحرت.

- وهل تعلمين من كان المحرّضون الشرسون على قتلها؟

- لا، وكل ما أعلمه أنهم سلّموا المسدّس لأخيها القاصر، كي لا يحاكم، وهو الذي أطلق عليها النار.

- هذا ما حدث، لكن أسألكِ عن المحرّضين الذين لم يقتنعوا بأي علاج آخر غير القتل. من بين هؤلاء المحرّضين كانت السيدة «ناهدة» زوجة مخاييل الشريف وعمّة نادرة. لكن كما قلت لك اللّه كبير، وعاقب الست «ناهدة» التي كان لديها ولدان، بأن أستردّهما منها وهما في عزّ شبابهما. لقد ماتا قتلًا. ولهذا السبب هجرت، مع زوجها مخاييل، الضيعة، ولا أدري هل لا يزالان على قيد الحياة. لكن ما لنا ولهما سامح اللّه الجميع.

- تقول إنّ المحرّضين كانوا كثرًا، فلماذا عاقب اللّه، كما تدّعي، ناهدة فقط؟ هل أحكامه عشوائيّة كما أحكام بعض محاكمنا الحاليّة؟

ضحك «بيتي» من ملاحظتي، وقال:

- أعرف أنك لا تؤمنين بكلّ هذه الخرافات، لكن هذا ما سمعته من زوّاري.

- على كلّ حال قصة نادرة، لا أذكر مثيلًا لها في تاريخ الضيعة.

- بلى يا ابنتي، سمعت من بعض كبار السن وأنا كنت لا أزال شابًّا أن صبيّة من الضيعة هربت مع أحد السوريين المسلمين وتزوجت منه وسكنت في بلدته في سوريا. لكن أهلها هنا لم يهدأوا إلا حين تمكّنوا من دخول بيتها، في غياب زوجها، وخطفها مع ابنتها التي كانت دون السنة من عمرها، إلى الجرد العالي في طرف الضيعة حيث فسخوا ابنتها أمام عينيها قبل أن يعدموها رميًا بالرصاص. طلبوا

من أبيها أن يطلق عليها الرصاص، لكنه لم يستطع إذ إن يده كانت ترتجف. فما كان من أحد الأقارب الشباب إلا أن نتش المسدّس من يده وصوّبه، عن قرب، على رأس الإنسى وأرداها. ثم دفنوها مع ابنتها في الجرد وعادوا ليتباهوا بما فعلوا. ويروى أن والد جدّك استاء جدًّا مما حدث وأنّب الفاعلين. لكن الفعل كان قد وقع وما عاد من إمكان لإصلاحه.

– وهل يعقل أن تبقى حتى الآن أسباب تخفيفيّة لما يُسمّى جرائم الشرف!

– هذه هي الهمجية بكل معانيها، وندّعي أننا متمدّنون. لكن هنا لا بد من ملاحظة مهمّة قد تغيّر كل المعطيات وهي أنني سمعت هذه الرواية من «فضغم» وأنت تعلمين من هو «فضغم»؟ تعرفين أنه «يجعل من الحبّة قبّة» وهو يضخّم الأحداث بشكل خيالي وربّما كان يشير إلى أنه هو من قتل تلك المرأة.

– إن كان صاحب هذه الخبرية هو «فضغم» فهناك شكّ كبير في صحّتها، فهذا الرجل ذو خيالٍ رهيب، لكنّه أفضل من روى عن «العنتريات». أذكر أننا سمعنا منه العديد من الروايات وأذكر أننا أيضًا كنا نخفي ضحكنا كي نجعله يعتقد أننا نصدّقه و«نقبضه جدّ». أين هو الآن ولماذا لم يزرنا بعد؟

– لقد شاخ وعجز عن السير وهو يلازم بيته.

– وهل لسانه عجز أيضًا؟

– لا أدري فما عدت أراه.

- فلنقفل الموضوع. وإن صحّت رواية فضغم أم لم تصحّ فما علينا إلّا الدعوة إلى الأخذ بيد كل من يرفع الصوت اليوم ضد هذه الجرائم الوحشية. والآن ما رأيك في انتقالنا إلى الحديقة؟ أنا متأكدة أننا سنجد فيها بعض الزوّار.

نزلنا السلّم وقبل أن نصل إلى الحديقة سمعنا صوت «بو طوني» وهو يقول: «بعدها نايمة، ارجعي بعدين، لأني عمبسقي المرجة».

- مع من تتكلّم سألته بصوت عالٍ قبل أن أراه؟

- «مع بنت خالك حياة» أجابني.

ناديت عليها من جديد وجلسنا على المصطبة المبلّطة أمام البهو الكبير الذي يستقبل فيه أخي ألبير زواره حين يأتي إلى الضيعة وبخاصة في فترة الانتخابات النيابية. على طرف المصطبة رأيت كيسًا كبيرًا من «الخيش»، ومن دون أن أفتحه لأرى ما في داخله، قال بو طوني: «الليلة ستأكلين أطيب عرانيس». جلست مع حياة وقُدّمت إلينا القهوة المرّة و«دردشنا» بكل ما خطر ببالنا حول الضيعة وأهلها وأخبرتني عن عملها في التعليم الذي ساعدها على الحصول عليه أخي ألبير وأنهت كلامها بالدعاء له: «اللّٰه يوفقو قديش وظّف من أهالي الضيعة والمنطقة! اللي وظّفهن وحدن بيطلّعوا أكتر من نايب، اللّٰه لا يسامح من كان السبب بخسارته».

- يقول دائمًا ألبير إن الشخص هو الذي يصنع المركز وليس العكس وها هو كما كان ولم يتغيّر.

- «رجالو قلال». أجابني بو طوني من بعيد، قبل أن أنتقل مع حياة إلى مواضيع أخرى.

وقبل أن تغادر، طلبتُ منها أن تعود العصر مع ابنة خالتي، رفيقتها يولا كي نشوي العرانيس. وهذا ما حدث. عادت مع يولا وشقيقتيها، شهرزاد وعفاف، والتهمنا العرانيس التي شواها لنا بو طوني قبل أن يغادروا جميعًا لأعود إلى خلوتي المسائية مع حبيب قلبي.

- سأقفل بابي باكرًا هذا المساء، اشتقت إليكِ.

- وأنا كلّي شوق إلى أخبارك.

- بعد رحيل يوسف، انهار جدّك خليل الذي لم يبقَ له من حبيبته مريم سوى والدك سامي، فتعلّق به جدًّا، الأمر الذي أغاظ الست تفاحة التي ازدادت مناكفتها لأمك.

- أخبرتني أمي عن «فصول» تفاحة معها؛ كانت فعلًا سيّدة نكدة.

- لكن سيّدتي هولا لم تكن سهلة وكانت تكيل لها الكيل كيلين، وتفعل ما تشاء غير آبهة بها وبتصرفاتها التي «لا تركب على قوس قزح» أحيانًا. وما آلمني، في حينه، أنها كانت تلفّق الأخبار لتبعد سيّدي خليل عن ابنه وعنكم وهو كان يُدار بعض الأحيان، وأنا أتألّم كيف لسيّدة مثل تفاحة أن تؤثّر في رجلٍ كان مرجعًا لكل أهل الضيعة بسبب حكمته ورجاحة عقله. لكن ابنتها مريم كانت دائمًا تصلح الأمور بحسن تدبيرها وبخاصة بمحبّتها الفائضة.

- لا أذكرها أبدًا مع أن ذاكرتي تحفظ صورة لها على فراش موتها، لكنّ هذه الصورة ضبابية جدًّا.

- كنتِ في السنة الثانية من عمرك حين رحلت مريم ومن الطبيعي أن لا تذكريها.

- لكن من أين أتت هذه الصورة التي في ذاكرتي؟

- ربما كان خيالك الذي بنى مما سمعْتِه هو الذي شكّل ذاكرتك هذه.

أدهشني جوابه فصمتُّ، لكنّه تابع: «حبيبتي مريم حملت للمرّة الثالثة والكل يتمنى لها أن يكون المولود ذكرًا بعد جمال وجوليا الجميلتين جدًّا. استجاب اللّه لدعاء الست تفاحة وكل الأقارب وأنجبت مريم صبيًّا «متل الوردة».

هنا صمت رفيق دربنا وكرجت على خدّه دمعة، مسحها بيده وتابع:

- «شو جبْلها الصبي؟» أتى إلى الحياة وعلت الزغاريد التي سرعان ما تحوّلت إلى ندب على مريم التي من كثرة النزف فارقت الحياة ولم يتمكّن حبيب قلبي سامي من إنقاذها. واستكملت الفاجعة بأن فارق المولود الجديد الحياة بعد أقلّ من ساعة على وفاة أمّه. فجيعة مزدوجة أتى بها ذلك النهار المشؤوم من بداية شهر نيسان من السنة ١٩٤٥.

- كان عمري سنة واحدة إذًا؟

- أتممت السنة في الخامس والعشرين من ذلك الشهر وبالتالي كان من المستحيل أن تذكري ما حدث في ذلك اليوم. صحيح أنك مشيت باكرًا جدًّا واصطحبَتك هؤلا معها إلى بيت مريم. أجزم أنك كنتِ هناك، لكن أجزم أيضًا أنك كنت تلعبين في الخارج ولا تعلمين بشيء.

- كما تريد، لكن الصورة عالقة حتى الآن في رأسي.

- ربما هي صورة لأمر آخر.

- أيضًا كما تريد، لكن رواية وفاة عمّتي مريم فوّتت علينا تسلسل الحكاية التي أتيت إليك لأسمعها. تعلم أنني لم آتِ من ذاتي بل لأنني سمعت نداءك لي.

- أنت لمّاحة، أكتفي بذلك. وأعود إلى مريم لأقول لك إن رحيلها هو من صلب الحكاية.

- أعرف ذلك وما قصدته هو أننا استبقنا الأحداث.

- وما الضير في ذلك؟ التسلسل التاريخي المنتظم يكون أحيانًا مملًّا. والآن نعود إلى السيّدة تفاحة وسيّدتي هؤلا اللتين لم تتّفقا يومًا، وديب لعب دورًا مهمًّا في ذلك إذ إنه، بتحريض من تفاحة، كان دائمًا يعاكس والدتك ولا ينفّذ لها طلبًا ولا يطيعها وبخاصة حين كانت والدتك حاملًا بك ووضعها النفسي والصحّي على غير ما يرام.

- هل مرضت أمي خلال حملها بي؟

- لا، لكنها كحالتها في كل حمل تتعذّب لمدّة ثلاثة أشهر أو أربعة، وتكون سريعة الانفعال. لكن ولادتك أتت سهلة وشعرت حين وضعوك بين ذراعيّ أنك ستكونين صديقتي ومخبأ سرّي. أما المضحك في الأمر فكان جدّك خليل الذي، حين أخبروه أن المولود هو بنت، «ضرب كفًّا بكفّ»، وقال: «مش معقول». ضحكتُ يومها من ذلك التعليق، وحين أخبرتُ أمّك به ضحكت هي أيضًا وقالت: «تعوّد عمّي على الصبيان». وأنت كنت طفلة ذهبية بشعرك الأشقر الفاتح ولون عينيك الأخضر وكنت طفلة هنيّة، نَمَوْتِ بسرعة ومشيت باكرًا ونطقت باكرًا أيضًا مثل أخيك ألبير وعلى عكس إدوار الذي تأخر مشيه قليلًا لأنه كان «كربوجًا» ونطقه تأخّر أيضًا. أقول تأخر نسبة إليك وإلى ألبير لكنّه كان ضمن الحال الطبيعية. لم تُتعبي سيّدتي هوْلا التي استمرّت في إرضاعك من حليبها لأكثر من سنتين وحتى بعد حملها بشقيقتك أمال.

- إذا استغرب جدي خليل أن يكون المولود الثالث لوالدي أنثى، فما كان موقفه حين ولدت شقيقتي أمال؟

- في حينه كان جدّك في آخر أيامه، بعد أن هدّه فراق يوسف ومريم وغربة نخله وفؤاد وجوليا ويأسه من رؤيتهم من جديد وبعد انحسار عمله بالتجارة. بعد كل ذلك بات مستسلمًا وشبه غائب عما يدور حوله. حالته تلك أحزنتني جدًّا بعد أن كان يصول ويجول ويأمر وينهى والكل يطلب رضاه. لكن يا حبيبتي لكل أمر نهاية.

توقف صديقي فجأة عن الكلام، صمت وغرق في ذاته ثم تمتم بصوت خفيض: «نعم لكل أمر نهاية». لم أتركه يغوص أكثر في تلك الحالة وسألته:

- إذًا لم يتأثّر جدي بولادة أنثى ثانية لابنه سامي؟

- هو لم يعلّق بأي كلمة، من علّق كانت الداية التي حين أخرجتها من رحم أمك أنّبتها لأن الولادة كانت صعبة. أما والدك فقد حضنها كما حضنك قبل سنتين ونظّف جسدها وفحصها جيّدًا قبل أن أستلمها منه لأعيدها بعد ساعات قليلة إلى السرير بجانب أمها. كان ذلك في السابع عشر من شهر حزيران سنة ١٩٤٦.

- هل ما زلت حافظًا لكل تواريخ ولادتنا؟

- وهل هي تواريخ تُنسى؟ أجابني على الفور.

- لكنّك لم تذكر تاريخ ولادة أبي. بالكاد تذكرت السنة.

- صحيح، لا أذكر من تاريخ ولادة والدك سوى الثلج الذي كان يغطي كل الضيعة ولهذا السبب قدّرت في ما بعد أن هذا التاريخ هو في عزّ فصل الشتاء.

- ولهذا السبب أيضًا حدّدنا له عيد ميلاد على مزاجنا إذ كنا نقيم له العيد في تاريخ ميلاد أحد أحفاده وهو هبى ابنة أخي ألبير الصغرى التي كانت تحب جدها كثيرًا.

- لكن هبى ليست أصغر الأحفاد.

- هي أصغر حفيد بين من هم مقيمون في لبنان.

- لعن اللّه الغربة. ليس لديّ تعليق آخر.

- لكنّها أرحم من الموت وبخاصة اليوم مع تطور سبل الاتصال وسرعة الانتقال.

- ومع كل ذلك لا أحبها، فأنا أسمع الكثير عن شقاء بعض المهاجرين حيث لا حياة اجتماعية ولا حرارة إنسانية ولا أحد يشعر مع أحد. هنا نحن بألف خير، يكفينا هذا الدفء الإنساني الذي يُشعر المرء أنه بأمان.

- حتى هنا الحياة تغيّرت وعزلة الأفراد إلى ازدياد. وسائل الاتصال سهّلت أمورًا كثيرة، لكنها كلّها افتراضية. اللقاءات الحيّة تنقرض وبات كل واحد منا معزولًا حتى عن جاره. والأصدقاء الذين كنا معهم نملأ الدنيا صخبًا، غربلهم الزمن ولم يصمد منهم إلا القليلون. وحتى مع هؤلاء الصامدين تحوّل الاتصال بواسطة التكنولوجيا وبخاصة الهاتف الجوّال. باختصار بتنا نعيش مع الآلة أكثر مما نعيش مع أمثالنا من البشر.

- هذه الموجة من التقدّم وبكل أسف، قد وصلت إلى هنا أيضًا. أما الآن فسأقبّل جبهتك وأنتقل إلى غرفتي لأراك غدًا.

- ١٥ -

صبيحة اليوم التالي وعلى غير عادة لم يزرنا أحد فاختليت به وقلت كأننا لم نوقف حديث البارحة:

- ردّني إلى الماضي أرجوك، أنا هربت من المدينة إليك كي أجلس في حضنك الذي ما نسيت دفأه يومًا، جئت لأتنشّق عطرك الآتي من بعيد والذي يشعرني بالخدر والارتياح وينشلني من مزبلة الأيام الراهنة.

بكى رفيقي وضمّني إلى صدره وقال:

- أنتم دائمًا في حضني وفي قلبي حتى ولو هجرتموني. أنا أعيش بكم وكلّما أطلّ عليّ واحد منكم شعرت أنني أستردّ الروح ويعود كل الماضي حاضرًا أمامي وأتمنى أن يتوقّف الزمن. والآن أراك طفلة صغيرة تركضين تحت العريشة التي ما عادت موجودة وأرى أمال تلحق بك بينما إدوار وألبير هما فوق العريشة وأمّك هولا تصرخ من أعلى الدرج: «يلّا يا ولاد طلعو عالبيت، خلص اللعب». كنتِ تلبّين الدعوة بينما تتباطأ أمال ولا تتبعك إلا حين تنهرها

هؤلا من جديد. أما ألبير وإدوار فكانا ينزلان عن العريشة وبعد أن يصعدا إلى البيت بقليل، يعودان أدراجهما وهما ممسكان بأيديهما، يودّعانني ويتوجّهان نحو بيت جدّك فارس حيث يبيتان ويعودان إلينا في الصباح، ليخبرني ألبير عن الفطور الشهي الذي تناولاه مع جدّتهما التي كانت تحضّر لهما «المغطوط» و«المعيكة» وعرائس السمنة الحموية والسكّر وغيرها الكثير.

- وماذا عن تفاحة وجدّي وأولادهما بعد رحيل مريم وذهاب حنا إلى الدير في حريصا؟

- بعد وفاة مريم باتت أختها جانيت هي التي تهتمّ بالصغيرتين جمال وجوليا؛ تذهب كل صباح إلى بيت أختها، تدبّر أمور البيت وتأتي بالطفلتين إلى هنا حيث تمضيان كل النهار مع الجدّ والجدّة ويلعبان معكم في أرض الدار، وفي المساء كانت جانيت تصحبهما إلى بيت أبيهما لترتيب أمورهما، وبعد أن تأويا إلى فراشهما تعود إلى حضني لتخبرني عما فعلت. وفي أحد الأيام، بعد مضي سنة تقريبًا على رحيل مريم اختليتُ بها، بعد عودتها من بيت المرحومة أختها وفاتحتها بما كان يجول في خاطري بعد أن سمعت أن مخاييل، زوج المرحومة، يرغب في السفر مع بنتيه إلى أستراليا حيث سبقه إلى هناك أخوه منذ سنوات. لم أراوغ وسألتها عن مدى تعلّقها بابنتَي أختها، وحين أجابتني أنها تموت إن ابتعدت عنهما، قلت لها مباشرة: «لماذا لا تذهبين معهما إلى أستراليا؟» فهمت قصدي واحمرّ وجهها خجلًا وسألت: «كيف؟» ومن دون تردّد أجبتها:

«تتزوجين مخاييل وتسافرين معهم. أليس ذلك أفضل من أي اختيار آخر؟ هل تظنّين أن مخاييل سيظلّ عازبًا وهو ما زال شابًا؟ أليس من الأفضل أن تكون خالة البنتين هي خالتهما الحقيقية؟». صمتت جانيت للحظة ثمّ سألت بخجل: «وماذا لو رفض؟» وسارعتُ إلى إجابتها: «اتركي الأمر لي». وأنا متأكد مما أقول لأنني سبق أن سمعت مخاييل يبحث في الموضوع مع الست تفاحة. وهكذا تزوجت جانيت وسافرتْ مع عائلتها الجديدة لتزيد رقمًا إضافيًّا إلى الذين لا أمل لي برؤيتهم من جديد. بعد سفر جانيت تدهورت صحة جدّك خليل وحاول والدك مداواته، لكنّه ما لبث أن فارق الحياة وأشعرني باليتم. فقدت به أبي وسيدي، لكن عزائي كان بحبيبي سامي الذي بدأت أشعر بأبوته لي منذ أن تزوّج وباشر حياته الجديدة، بات هو سيدي وملجأي وقد قام بالواجب بكلّ دقة وأقام لجدّك المأتم الذي يليق بتاريخه وبمركز وشهرة والدك الذي كان قد جاب المنطقة كلّها وتعرّف إلى جميع أبنائها الذين باتوا يثقون به وبعلمه أيما ثقة. بعد الدفن وأيام التعازي، بعدما أمّت هذه الدار وفودٌ عديدة ولمدّة أكثر من أسبوع، اختلت بي الست تفاحة وطلبت أن أبدي رأيي بما ستعرضه أمامي. قالت: «فكّرت جيّدًا وقرّرت مع ولديّ حبيب وجان ما يلي: سنترك الضيعة ونسكن في حريصا بجوار حبيبي جان الذي سيصبح كاهنًا عمّا قريب. بعد رحيل زوجي ما عدت أتحمّل العيش هنا تحت سيطرة هوْلا وسطوتها وقوّة شخصيّتها. هذا من جهة ومن جهة ثانية سئمت «حرنات» ديب ومزاجيّته التي لا تحتمل. فما

رأيك في هذا القرار؟». صمتُّ قليلًا وسألتها: «وماذا سيفعل حبيب هناك فهو ما زال يعمل هنا ويحاول في مجال التجارة وإن استمرّ، فسوف ينجح لأنه جدّي ومثابر وعاقل». لكنها سارعت إلى القول: «نسيت أن أخبرك أن جان قد دبّر عملًا لأخيه في مطبعة الدير». هنا فهمت أن قرارهم قد اتّخذ وما استشارة السيدة تفاحة لي إلا من باب رفع العتب، وأجبتها: «كما تريدين، جرّبوا وإن لم تنجح التجربة فبابي مشرّع لكم في أي لحظة تقرّرون فيها العودة. لكن هل أخبرتِ سيّدي سامي؟». وأتى جوابها سريعًا: «هل تريدني أن أطلب إذنه؟ سأنفّذ ما قرّرناه أنا وأولادي، رضي سامي أم لم يرضَ». قالت ذلك، انتفضت وانصرفت إلى الداخل. في المساء أخبرت سيّدي سامي عن قرار الست تفاحة. استمع إليّ ولم يجب.

– في أي سنة حدث ذلك؟

– نهاية سنة ١٩٤٧. لماذا تسألينني؟

– لكي أفهم لماذا لم يعلّق والدي على قرار تفّاحة.

– ماذا تقصدين؟

– أعتقد أن والدي كان بدأ يفكّر في انتقالنا إلى جونيه، ولهذا السبب لاذ بالصمت ولم يعلّق على ما سمعه منك.

– لكنّه كلّمني لاحقًا وقال إن قرار خالته تفاحة هو جيّد لأنه يفسح المجال أمام حبيب أن يتسلّم عملًا محترمًا لأن لا مستقبل له هنا وبخاصة أنه لم يتابع دراسته مثله ومثل يوسف.

- كان ذلك تحضيرًا لكَ لتقبل قراره انتقالَنا إلى جونيه ودخول المدارس هناك.

- لم أكن بحاجة إلى تحضير لأنني كنت واثقًا أن والدك سيعلّمكم في أحسن المدارس وهو أمر غير متوافر في الضيعة.

- ومن غادرك أولًا؟ نحن أو تفاحة وأولادها؟

- غادروا قبلكم بسنة لأنهم كانوا قد جهّزوا كل الأمور حين أخبرتني السيدة تفاحة بقرارهم. تركونا واستقرّوا في حريصا ووصلت إلينا أخبار سارة عنهم؛ استأجروا منزلًا قرب الدير وبدأ حبيب عمله وعاشوا باستقرار. وهنا فرغ الجو نهائيًّا لسيدتي هوْلا واهتمّت بي جيدًا وأمضينا شتاءً ممتعًا، إذ كانت السهرات عامرة قرب «الصوبيا» التي كنا نوقد فيها الحطب ونشوي على سطحها البطاطا والبلّوط ونأكل المكسّرات اللذيذة. وهنا لا بد من أن أخبرك ماذا حدث في إحدى الليالي، ولكن ليس في تلك السنة؛ كنا مجتمعين حول «الصوبيا» نأكل البلّوط المشوي وكان إدوار الذي لم يكن قد تجاوز السنتين من عمره يحبو على الأرض. إدوار في طفولته، كان مكتنزًا وجميلًا جدًّا. نظر إليه أحد الزوار وكان غريبًا عن الضيعة، وقال: «نحن لا نترك طفلًا بهذا الجمال يظهر أمام الناس». وما إن أكمل جملته تلك، حتى بدأ إدوار بالسعال وكاد يختنق وازرقّ لونه. والدك شُلّت يداه ولم يعد يدري ماذا يفعل، فما كان من سيدتي هوْلا إلا أن رفعت الطفل وأدخلت إصبعها في فمه حتى «زلعومه» وأخرجت

منه قشرة بلّوط كانت عالقة في مجرى الهواء وكادت تخنقه. تنفّس إدوار بارتياح ورويدًا رويدًا عاد لونه الطبيعي، فما كان من ذلك الضيف إلّا أن اقتربَ من والدتك وقبّل يدها وقال: «يحيا البطن اللي حملك، خلّصتِ ابنك وخلّصتيني من الإحراج مع أنني لا أصيب بالعين، صدّقيني».

- وأخبرتني بأمر آخر يتعلّق بإدوار ويدلّ على كرمه.

- نعم. كان إدوار في حوالى الرابعة من عمره ويحب «الدروبس» ويحمل بيده بعض الحبات منها وطلب منه أحد الزوار أن يقدّم إليهم مما يأكل، فما كان منه إلا أن وزّع ما في يده على الموجودين وبقي واحد منهم من دون ضيافة لأن عددهم كان أكبر من عدد «الدروبسات» مع إدوار. قال له الزائر «وفلان؟» مشيرًا بيده نحو الشخص الذي لم يصل إليه الدور، فما كان من إدوار إلا أن مدّ يده إلى فمه وأخرج منه «الدروبسة» وقدّمها إلى ذلك الشخص. صفّق له الجميع وعلّق أحدهم قائلًا: «لم أرَ في حياتي أكرم من هذا الطفل، اللّٰه يقدّم له مال الدنيا ويوفّقه في حياته».

- أظنّ أن أمي فرحت به جدًّا لأنها ما زالت تذكّرنا بهذه الحادثة كلّما لاحظت أن أحدًا منا يتباخل.

- فرحتْ بإدوار جدًّا، قبّلته وأعطته بعض المال وقالت لألبير أن يرافقه كي يشتري له ما يرغب من «دروبس» وغيره.

- وألبير؟ ما كانت ميزاته وهو طفل؟

- ألبير كان مميّزًا بكلّ شيء؛ لقد مشى باكرًا وهو لا يزال في الشهر التاسع من عمره وتكلّم قبل السنة، أما ما أذهلنا جميعًا فهو ما حدث في يوم أحد أثناء القدّاس في مار ليان؛ كان ألبير لا يتجاوز الخامسة من عمره، اعتلى درج المذبح وفتح له أحدهم كتاب الرسائل وعلا صوت ألبير وهو يقرأ الرسالة أمام ذهول الجميع في الكنيسة. وما إن أنهى القراءة حتى صفّق له الجميع على الرغم من أن التصفيق كان ممنوعًا أثناء القدّاس.

- وماذا فعلت أم ألبير أمام هذا المشهد؟

- كانت هي المشهد إذ إنّها كادت «تأكل ابنها بعينيها»، وما إن انهى المهمّة حتى حضنته وهي تشمخ برأسها، كأنها تقول للجميع: «هل رأيتم؟».

- وهذه القصّة هي التي تنهي بها دائمًا حكاياتها عن ألبير المميّز وتقول: «ولك قري الرسالة وهوِّ ما عمرو خمس سنين!».

- على كل حال، وكما تعلمين، ألبير كان الأول دائمًا في المدرسة.

- حتى إن والدتي كانت تقول، بعد ان انتقلنا إلى جونيه: «بات أهالي جونيه يعرفوننا بفضل ألبير وما عادوا يسألون «من طلع الأول، بل من هو التاني». ولكن سنعود إلى ذلك ودعنا نتابع الحكاية؛ غادرت الست تفاحة مع ابنها حبيب وبقينا نحن معك و...

قاطعني وقال:

- بقيتم أنتم وديب الذي ساءت حالته أكثر من السابق وبات شرسًا بعض الشيء مما دفع سيّدتي هوْلا إلى إبعادكم عنه قدر المستطاع. لكن المشكلة وقعت حين قرّر والداك الانتقال إلى جونيه لتوفير المدارس وبخاصة مدرسة لأبير الذي ما عاد له صف في مدرسة الضيعة وقد بلغ الثامنة من عمره. حدّثني سيدي سامي بالأمر وطلبت منه أن يبقي ديب معي في الضيعة. اعترض على طلبي مبرّرًا رفضه بعدم قدرتي على رعايته وقد يحتاج أحيانًا إلى بعض الأدوية وبخاصة المهدّئات. كان والدك مربكًا ولا يدري ماذا يفعل؛ لا يستطيع نقله معكم إلى جونيه حيث ستسكنون في شقّة ضمن بناية يقطنها غيركم أيضًا ووجود ديب معكم سيشكّل لكم وللجيران المتاعب. أمام إرباكه هذا تشجّعت وعرضت عليه فكرة المأوى. صمت قليلًا ثمّ قال: «وماذا سيقولون عنّي في الضيعة؟». أدركت، من جوابه، أنه فكّر في الموضوع وما استشارته لي إلا لكي يسمع منّي ما سمعه. لم أدعه ينتظر طويلًا وأتى جوابي: «إفعل ما يريّحك ويريّح ضميرك واترك الناس يقولون ما يشاءون. مهما فعلنا فهناك من يعترض وينتقد. والموضوع سينسى بعد فترة». ارتاح والدك إلى رأيي وأسهب في تبرير ما سيقوم به وكأنه يقنع نفسه بصوابية ما كان، بالأصل، رغبة سيدتي هوْلا.

- أظن أن رغبتها كانت ابنة تفكير صحيح، ماذا كان يمكن أن يُفعل غير ذلك؟ هل من خيار آخر؟ أن يوضع ديب في مكان خاص لمثل حالته كان الأفضل لكَ ولنا جميعًا.

- كأنك الآن تبرّرين ما قام به والداك منذ أكثر من خمسين سنة. لكن والدك لم يتركه؛ كان يزوره باستمرار ويوصي بالاعتناء به، وكلّما زارني بعد انتقالكم إلى جونيه كان يبلّغني سلام ديب.

- لكنّه في آخر سنوات حياته بات هادئًا ولم أعرفه إلا هكذا.

- حين تحسّن وضعه وبات هادئًا كما تقولين، نقله والدك إلى دار للعجزة حيث كان معزّزًا ومكرّمًا ويسمح له بزيارة أقاربه كلّما رغب في ذلك.

- رحمه اللّه كان يزورنا ويزور بيت عمّي حبيب وكنت أعطف عليه وأشعر به بركة كلّما أتى به والدي إلى بيتنا.

- ذلك اليوم الذي أخبرني والدك فيه أنه سينقل ديب إلى المأوى غصصت، لكني تمالكت أعصابي وساعدت سامي على إقناع ديب بالموضوع، وقد قلنا له إننا ننقله إلى مدرسة. أخذه بسيارته الجيب التي سلّمته إياها الدولة بعد أن عُيّن طبيبًا للقضاء، أدخله المأوى وعاد في المساء وهو حزين جدًّا. وقبل خلوده إلى النوم جالسني في غرفة الحديقة وباح لي بما يفكر؛ قال: «هذه السنة مفصلية في حياتنا، سأذهب إلى جونيه لأسجّل الأولاد في المدارس ولأستأجر شقّة، وفي نهاية شهر أيلول سأنقل العائلة إليه. سأختار بيتًا قريبًا من المدارس وقد وكّلت سمسارًا لهذه الغاية». وقع كلامه عليّ كالصاعقة على الرغم من أنني كنت مهيأً لمثل هذا الخبر، وأجبته باقتضاب: «اللّه يوفّق». فما كان منه إلّا أن واساني

قائلًا: «العائلة وحدها ستنتقل إلى جونيه، أما أنا فسأستمر هنا معك وأزورهم من وقت إلى آخر. تعلم أن عملي هنا ولا أستطيع أن أتركه». فرحت بكلامه، لكنني شعرت بالمسؤولية التي ستتحمّلها سيّدتي هوْلا وحدها مع الأولاد، وعبّرت عن ذلك أمام حبيبي سامي، لكنّه انتفض وقال: «هوْلا أخت الرجال وستتحمّل المسؤولية، أنا واثق من ذلك، هل تشكّ أنت؟». ابتسمت ولم أجب، فربَّت على كتفي وقال: «لقد تأخّر الوقت، تصبح على خير». وأجبته «اللَّه يجعل كل أيامك خير». رحمه اللَّه كان نقطة ضعفي.

- ونقطة ضعفي أيضًا مع أنه كان صارمًا جدًّا وكنا، جميعًا، نهابه مع أنه لم يضرب أحدًا منّا يومًا، كان يكفيه أن ينظر إلينا تلك النظرة الحادة المؤنبة حتى نرتعد ونتوقّف عمّا رآه سيئًا.

- بينما هوْلا كانت تضربكم وتشتمكم أحيانًا.

- ومع ذلك كنا نهابه أكثر منها.

- على الرغم من صغر قامته كان ماردًا في فرض شخصيته. وهنا أذكر قول إحدى النسوة من أقارب والدك حين عيّره أحدهم، أمامها بقصر قامته، قالت: «أنت مع طولك ما بتوصال لتحت زنّارو». بالفعل ما أنجزه أبوك للعائلة وللضيعة لم ينجزه أحد غيره حتى جدّك خليل في أيّام عزّه.

- لكل زمن إنجازات مختلفة. أتى تعليقي السريع لأعيده إلى تسلسل الأحداث الذي يخرج منه باستمرار. فهم قصدي وقال:

– كان يومًا رهيبًا ذلك الخامس والعشرون من شهر أيلول سنة
١٩٤٨. رحلتم جميعًا وللمرّة الأولى في حياتي شعرت بالوحدة.
أقفلت أبوابي وبكيت، كانت نكبتي تساوي نكبة فلسطين التي هُجّر
منها أهلها في تلك السنة المشؤومة. جلست في «ليوان» الطبقة
العلوية، أسندت رأسي إلى يدي وأخذت أحدّق في الفراغ إلى
أن وقع نظري على الصور المعلّقة على الحائط قبالتي؛ صور نخله
وفؤاد وجوليا ويوسف ومعلّمي خليل. أخذتني الأفكار إلى حيث
هم؛ يوسف ومعلّمي باتا في عالم مجهول حيث لا عودة، لكن هل
من عودة لأحبابي الآخرين؟ عادت جوليا وحدها لتغادرنا إلى دنيا
الآخرة بينما نخله وفؤاد رحلا إلى الآخرة هناك وجميعهم باتوا صورًا
معلّقة على الحائط. كدت أجن وأنا جالس وحدي قبالة الصور.
انتفضت وبدأت أمشي ذهابًا وإيابًا في «الليوان» إلى أن بزغ الفجر
فركضت إلى الحديقة، غسلت وجهي بمياه بحرتها المنعشة وحاولت
إشغال نفسي بتفقُّد شجرة التين وأشجار اللوز والدراقن والمشمش
وشجرتي الرمان، ثم انتقلت إلى الوردة الجورية، قطعت البعض من
أغصانها ووردها وانتظرت أمام الباب كي أبعث بها إلى السيدة. لم
أنتظر طويلًا إذ أتى حبيب، ابن عم والدك الذي أوكله بي أبوك قبل
سفركم. أتى حبيب وانقشعت عتمة وحدتي الموحشة، أتى حبيب
لينقذني من الجنون الذي كدت أدخله. سلّمته الورود وطلبت منه
إن يوصلها إلى كنيسة السيدة وأن يعود بسرعة. عاد وتمسّكت به
وطلبت منه المبيت عندي إلى أن يعود سيّدي. وافق وهكذا تمكّنت

١٧٤

من إمرار الأيام الخمسة عشر وعودة الروح إليّ مع عودة حبيب قلبي وسيّدي سامي.

- لا أذكر شيئًا من تلك المرحلة لكني ما زلت أذكر البيت الذي سكناه في جونيه.

- حين انتقلتم إلى جونيه كنتِ صغيرة جدًّا أما البيت هناك فقد أمضيتم فيه أكثر من عشر سنوات.

- بالكاد أذكر بعض صور مبعثرة عن المرحلة الأولى من طفولتي هنا بينما ذلك البيت في جونيه وحياتنا فيه موجودة بكل تفاصيلها في ذاكرتي وأكثر ما أذكره هو الخوف.

- ممَّ كنت تخافين؟

- الشقة التي سكناها كانت أرضية وأمامها حديقة، أما من الجهة الثانية فكانت على مستوى الطريق العامة وباب المطبخ يطلّ مباشرة على الخارج، وكان بابًا صغيرًا ولا يشعرني بالأمان إذ كنت أتوقّع أن يدخل علينا أحد ما في كل لحظة وبخاصة في الليل. والطريق العامة لم تكن للسيارات بل للقطار الذي كان يمرُّ أمام بيتنا مباشرة. وقد تطلّب الأمر وقتًا طويلًا كي نتعوّد على هديره وارتجاج نوافذ البيت عند مروره مسرعًا. والذي أضاف إلى خوفي هذا خوفًا آخر هو وجود شخصين محدّدين في ذلك الحي؛ أحدهما سيّدة طاعنة في السن وشعرها دائمًا منكوش وكنا نسميها «مريم كِشّه» وكانت مجنونة وتتسوّل وأحيانًا كثيرة تجلس تحت إحدى نوافذ البيت. أمّا الشخص

الآخر فهو رجل مبتور إحدى الساقين وله لحية طويلة حمراء وعيناه زرقاوان ويسير متكئًا على عكازتين يضعهما تحت إبطيه ويتكلّم عربية مكسّرة. قيل لنا إنه كان جنديًّا إنكليزيًّا لم يعد إلى بلاده بعد الحرب وهو يعمل الآن جاسوسًا. نظرات هذا الرجل الذي سمّيناه «الأحمر» كانت ترعبني، وهو كان يقف باستمرار قبالة بيتنا ويمضي وقته في إدخال بعض القطع النقدية المعدنية التي يكون شحذها من المارة، في خشب السكّة، سكّة القطار. لم يكن طبيعيًّا وما زلت حتى الآن أذكر، وأخاف نظراته إليّ. هذا الخوف الذي كنت أشعر به في ذلك البيت لم أبح به لأحد، أنت أول من يسمعه. وأبوح لك أيضًا أن تلك المرحلة تعاودني حتى الآن في الحلم على شكل كوابيس؛ أرى «مريم كِشّه» والرجل الأحمر يقتحمان باب المطبخ وأنا في الداخل أحاول إقفاله وتدعيمه بشتى السبل وأستيقظ وهما على وشك خلع الباب، أستيقظ ونبضات قلبي سريعة وأشكر لربّي أن ما عشته للحظات كان حلمًا وليس حقيقة.

ضمّني إلى صدره وقال: «حبيبتي لم أعرف ذلك قط. اطمئني أنت هنا بأمان ولن يقتحم بابي إلا المحبّون. أرقدي في حضني وارتاحي وانسي كلّ هذه الكوابيس التي لن تعاودك بعد الآن وغدًا نتابع».

- وكيف تعرف أنها لن تعاودني؟

- لأنك بحت بها والبوح خير علاج.

- ومن أين تعرف ذلك؟

- من قراءتي لرواياتك يا سيدتي الجميلة.

طوّقت رأسه بذراعي وغفوت في حضنه.

- ١٦ -

اليوم التالي استيقظت حوالى الساعة العاشرة وما إن فتحت عيني حتى قال: «غفوتِ كـ «الخروف»، لم تتحركي طوال الليل وكنتِ تبتسمين كأنك ترين أحلامًاورديّة».

- حلمت أنني في قارب وسط بحر هادئ وأنت كنت المجذّف. قمنا بنزهة جميلة ووصلنا إلى جزيرة صغيرة يتراكض عليها سرب من الأرانب البيض والبُرْش، وفجأة فتحت عيني لأرى نفسي في حضنك.

- غريب هذا الحلم، فأنا لم أرَ البحر إطلاقًا، حدود نظري هي هذه الجبال التي تسيّج الضيعة.

- هذا يعني أنني أرغب في أن تكون معنا في جونيه على شاطئ البحر.

- هل تحوّل الكابوس إلى رغبة مستحيلة؟

- للأحلام تفاسير عديدة ولست متخصّصة في الموضوع، فدعنا منها وقل لي ما هو برنامج هذا اليوم؟

- برنامج النهار يحدّده الزوار وأخبارهم التي لا تنضب، أما في المساء فالبرنامج واضح.

- حين نغلق الباب في المساء سأعود إلى حضنك لأعب من ذاكرتك الواسعة بعضًا من تلاوينها.

- هل نسيت أن اليوم هو عشيّة عيد السيدة؟

- صحيح، اليوم هو الرابع عشر من شهر آب. هل العيد ما زال كما في السابق؟

- سترين بعينيك وتخبرينني وسترافقك حياة إلى الكنيسة، لقد بعثت من يبلغها بذلك.

- وهذا يعني أننا نستفيد من النهار كي نتابع حكايتنا.

- لست متأكدًا فبابي مفتوح ولا ندري متى سيدخله أحدهم.

وما إن أتمّ جملته حتى دخل علينا سرب من النسوة الأقارب، صبايا وكبيرات في السنّ. رحّبنا بهن وجلسنا في الحديقة نتبادل الأحاديث وهو منهمك بتحضير القهوة التي ما إن شربناها حتى قالت لي إحداهن: «طبّي فنجانك بدّي بصّرلك». وصحن كلّهن: «تبصير أم شحاده كلّو بيصدق بس هيّ بخيلة وما بتبصّرلنا إلّا ما نترجاها».

شربنا القهوة و«بصّرنا» وتداولنا أحاديث منوّعة وهو غائب، ولم أره إلا حين هممن بالانصراف، حين ظهر ليدعوهن إلى مشاركتنا الغداء. وكما في العادة شكرنه وأوصينه بالاهتمام بي وغادرن. وما

إن خرجن من الباب حتى توجّه إليّ قائلًا: «أحضرت لك «الكبة الحيلة» وحشوتها بالقاورما وقليتها وستأكلين أصابعك معها».

بعد الغداء الدسم هذا استأذنته كي أستريح فانسحب ودخلت غرفتي للقيلولة التي هي عندي شبه مقدّسة، حتى ولو غفوت لدقائق فقط، لكن هذا اليوم غفوت طويلًا ولم أستيقظ إلا حين سمعت طرقات يده على الباب وصوته الذي يقول: «يلّا رح يبلّش العيد وحياة ناطرتك». نهضت مسرعة من سريري وارتديت الجينز وتيشرت يناسبه واخترت حذاءً مريحًا وخرجت إلى الصالون لأجد حياة وهي في أحسن حلّة من ملبس وتسريحة شعر وماكياج و... نظرت إليّ بدهشة وقالت: «هل عدلت عن الذهاب إلى السيدة؟» وحين أجبتها بالنفي صمتت وهي تحدّق بملابسي وفي عينيها سؤال لم تفصح عنه. فهمت قصدها وقلت: «أنت أنيقة جدًّا، هيّا بنا أنا مستعدّة للمشي لكن أنت كيف ستمشين بهذا الكعب العالي؟» استغربت سؤالي وسألت بدورها: «بدّك تطلعي عالسيدة مشي؟ كل الناس صارت تطلع بالسيارات، وسيارتي جاهزة، صفيتها قدام الباب».

- وهل ستتّسع ساحة الدير لكلّ السيّارات؟ سألتها.

- لا، أجابتني، السيارات تُركن في السيل وفقًا لطلب البلدية والساحة باتت للاحتفال بالعيد حيث الفرق الموسيقية و«الكرمس» والألعاب النارية و«ستاندات» باعة الحلوى وغيرها، سترين وتتفاجئين بالترتيب والتنظيم وحسن التدبير. منذ سنوات ونحن نحتفل بالعيد هكذا وسيتغيّر عليك الأمر كثيرًا.

لم أعلّق على ما سمعته منها إلا بجملة مقتضبة، قلت: «ومع ذلك لن أبدّل ملابسي». وما كان منها إلّا أن قالت، كأنها تعتذر عن نظراتها السابقة إليّ: «أنتِ بتجنّني شو ما لبستِ». نظرتُ إليه، كان يبتسم ويهزّ برأسه.

ركبنا سيارة حياة وتوجّهنا نحو دير السيدة الذي لا يبعد أكثر من كيلومتر واحد عن بيتنا. وما كدنا نقطع أقلّ من مئة متر كي نصل إلى طريق السيل حتى امتدّ أمامنا شريط من السيارات على امتداد الطريق حتى الدير. نظرت إلى حياة وقلت: «أما كان من الأفضل لنا أن نزور السيدة سيرًا؟ لو فعلنا لوصلنا قبل كل هذه السيارات شبه المتوقّفة والتي تسير ببطء كبير». أجابتني بكل اقتناع: «نحن نمشي وكل الناس طالعة بسياراتها؟». صمتُّ مستسلمة لمنطقها وأمضينا ما يقارب الساعة قبل أن نقطع الطريق وتجد مكانًا لركن السيارة التي بعد أن ترجّلنا منها قطعنا أكثر من مئتي متر كي نصل إلى ساحة الدير الذي كانت مسيّجة بـ «الكيوسكات» الصغيرة وتعجّ بالناس من كلّ الأعمار. قطعنا بين الجموع ووصلنا إلى الكنيسة فوجدناها شبه فارغة إلا من بعض النساء المسنات الراكعات أمام صورة مريم العذراء. صلّينا وأضأنا الشموع وانتقلنا إلى الكنيسة القديمة حيث توجد الصورة العجائبيّة. المشهد لم يتغيّر؛ فهذا المكان الذي كان الزوار يفترشون أرضه لتمضية الليلة مع أم يسوع، كان شبه فارغٍ كما الكنيسة الكبيرة الجديدة. كل الناس في الساحة البرّانية حيثُ الموسيقى والغناء وحلقات الدبكة وبيع الحلويات وغيرها. هرج

ومرج لم أتحمّله، بينما كانت حياة منسجمة جدًّا معه وهي تحادث الجميع وتشارك ببعض الأغاني. وحين لقطت على الأول في حلقة الدبكة استغللت الفرصة، وعدت سيرًا إلى البيت.

كان ينتظرني وحين رآني ضحك وقال: «كنت متأكدًا أنك ستعودين بسرعة. تعالي إلى حضني، لم يبقَ في هذه الضيعة أمر على حاله سواي. كل ما كان تحوّل إلى ذاكرة، ضيعتنا باتت مدينة صغيرة، حتى مناخها تغيّر، منذ متى كنا نشعر بالرطوبة؟ الأمر مستجد ويعود إلى البحيرة الكبيرة التي أنشأتها سوريا لريّ بعض أراضيها، وهي، كما علمت، ليست بعيدة عن حدودنا. هذه الليلة مندّاة جدًّا وأعرف أنك لا تحبين الرطوبة ولهذا السبب سنجلس في الداخل وسنكون وحدنا». أمسكني من يدي وصعدنا الدرج إلى الطبقة العلوية، تناولنا العشاء وبدأت سهرتنا. تكلّمنا قليلًا عن العيد وتغيّر عادات أهالي الضيعة ثمّ عدنا إلى الحكاية، فبادرني بالقول:

- لا أنسى يوم العاشر من شهر تشرين الأوّل سنة ١٩٤٨ حين هلّ عليّ كالبدر، ترككم برعاية سيّدتي هوْلا وعاد إلى عمله، عاد إلى أحضاني، عاد ليردّ الروح إلى كياني، عاد لتزهر ورودي وينضج عنبي وتسطع شمسي.

- ألهذا الحد كنت تحبّه؟ سألته.

- كان أغلى من روحي عليّ وشعرت بعد فقدانه باليتم أكثر من شعوري به يوم فارقنا جدّك خليل، والدي الفعلي. هو الذي حوّر

في شكلي وجدّد ما ترهّل من جسدي مع مرور السنين؛ فبعد أن حوّلت بعض غرف الضيوف المطلّة على السوق إلى محالّ تجارية، هدم والدك الخان وبنى منزلًا كاملًا واقتطع منه غرفة جانبية ولها مدخل من أرض الدار وجهّزها كي تتحوّل إلى عيادة يستقبل فيها المرضى. وأهم من كلّ ذلك هو أنه أدخل بيت الخلاء من الخارج وجعل له حيزًا خاصًّا وحفر في الحديقة جورة تصل إليها كل مياه الصرف، وكان أول من قام بهذا التدبير في الضيعة، ثمّ تبعه آخرون في بيوتهم. وهذا التدبير ما زال قائمًا حتى الآن وعمّ كل البيوتَ. والأمر الآخر الذي قام به هو طريقة إيصال الماء إلى داخل البيت من دون اللجوء إلى غرف المياه من البحرة ونقلها بالصفائح والسطول. استعان ببعض العارفين بالموضوع وركّب «طلمبة» في المطبخ وبتنا نتناوب على الضخ فيها كي نملأ الخزّان الذي بناه من «الباطون» ووضعه على سطح المطبخ ساحبًا منه القساطل الحديدية إلى المجلى والحمّام وبيت الخلاء.

- أذكر أننا كنا نتسابق على الضخ بـ«الطلمبة» ونعيّر الساعة لكي نرى من منا الأقوى. وأذكر أننا أمضينا مرّة فرصة عيد الميلاد وفرصة الصيف في تلك الشقّة الجديدة التي بناها والدي محلّ الخان، لكن ما عدت أذكر التاريخ.

- كنتِ في حوالى الثانية عشرة من عمرك. أذكر ذلك جيدًا لأنك كنت بدأت تجذبين انتباه الشبان وقد عبّر أحدهم أمامي عن إعجابه بك وكنت ألاحظ أنّك تستلطفينه.

- دعنا من هذه القصة التي تعرف نهايتها وخيبة أملي منها، وعد بي إلى فرحك برجوع والدي من جونيه.

- بعد وصوله بقليل جلسنا معًا وأخبرني أنه وفّق بشقة قريبة جدًّا من مدرستيكما وهي في مبنى صغير يملكها شخص اسمه براهيم وهو أرمل ويبحث عن عروس وهو يسكن الشقة الملاصقة لشقتكم ناحية الشرق، وأخوه المتزوّج الذي لديه عائلة كبيرة يسكن شقّة أخرى لجهة الغرب بحيث أنكم كنتم بأمان بين الشقّتين. وللدعابة سألت والدك: «ألا تخاف على هوْلا من ذلك الأرمل؟» ضحك والدك وقال إنه كبير في السن وسمعه ضعيف، ثمّ إنك تعرف هوْلا جيدًا وتعرف كيف صفعت ذلك النذل الذي حاول مرّة أن يغازلها». للتوّ تذكرت إحدى الليالي حيث كانت ثلّة من الرجال، بينهم جدّك فارس، يلعبون بورق الشدّة. كانوا يلعبون «الطرونب» وكانت والدتك تشاركهم. وفي أحد الأدوار، خلطت أمك الورق وطلبت ممن يجلس على شمالها أن يقطعه كما تقتضي اللعبة. قطع ذلك الرجل الورق وشدّ على يد هولا، فما كان منها إلا أن رمت الورق في وجهه وهي تشتمه. وانتفض جدّك فارس، وكال له الشتائم وسحبه من كتفه ورماه إلى الخارج. لكن ذلك الرجل الذي كان ظريفًا جدًّا عاد في اليوم التالي واعتذر من والدتك ووالدك وبات من أعز أصدقائهما.

- كل حياتي لاحظت أن مفهوم الشرف كان مقدّسًا عند والدتي.

- ثقتها بنفسها واعتزازها بأصولها وزوجها جعلا منها إنسى

فخورة بنفسها إلى حد أنها كانت أحيانًا تبالغ في الأمر ولا يعجبها العجب.

- كانت تستعمل تعبيرًا خاصًّا بها لازدراء الآخر حين يتطاول، كانت تقول: «مين هوّ هالجْلالة».

- كل من لا يعجبها كان «جْلالة» بنظرها.

- شاخت الآن وعزّة النفس لم تفارقها.

- ولن تفارقها حتى مماتها، إنها مجبولة بها منذ ولادتها وأعترف بأنها تمتلك كلّ الصفات التي تغذّي هذا الشعور لديها. لكن المهم هو أن والدك لم يطل المكوث في ربوعي، وبعد أسبوع حزم أمتعته وملأ السيارة بالمونة التي كانت والدتك قد أحضرتها خلال كل شهر أيلول، ودّعني وهو يقول: «لن أطيل الغياب، سأوصل الأغراض إلى العائلة، أطمئنّ إلى حالهم وأعود». رافقت السيارة بنظري حتى اختفت وغرقت في حالة من الكآبة المريرة؛ للمرّة الأولى شعرت أن حياتي ستتبدّل. دخلت إلى ذاتي واستعرضت تاريخي؛ لقد أصبحت في منتصف العمر وأحبائي بعيدون عنّي؛ منهم إلى غير رجعة ومنهم لا أمل لديّ برجوعهم وأنتم أملي الوحيد بألا تتركوني ولو بتقطّع. حزنت لحالي، أطفأت السراج لأنام، لكنّ النوم جافاني؛ الوحدة ليست رفيقًا، إنها قاتلة ومقلقة. لكنّ عزائي كان أن سامي سيعود بأقرب وقت، كما وعدني، وأنتم ستعودون في الصيف لتضخوا الحياة في أرجائي من جديد. هذا الأمل بعودة

سامي السريعة وعودتكم المؤكدة ولو بعد شهور، كان كحبّة المنوّم التي جعلتني أنعم بساعات قليلة من الراحة قبل أن أستيقظ مع الفجر منتظرًا زيارة الأقارب الذين لم يتركوني وحدي خلال النهار. أمضيت لياليَ قاسية ومعتمة قبل أن يهلّ قمري من جديد. عاد سامي وبشّرني بأنه سيبقى معي شهرًا كاملًا. فرحت به وبأخباره عنكم، إذ إنكم دخلتم المدارس؛ أنت عند الراهبات اليسوعيّات وألبير وإدوار عند «الفرير ماريست» وأمال ابنة السنتين ظلّت في البيت مع أمها. أخبرني أن ألبير دخل صفًّا أدنى مما كان يجب بسبب ضعفه باللغة الفرنسية وقد وعدوا والدك بأنهم سينقلونه إلى الصف الأعلى بعد عيد الميلاد إذا تحسّنت لغته الفرنسية. أخبرني ذلك وهو مطمئن إلى أنه يثق بألبير وقدراته وطموحاته. بالفعل حين أمضى معكم عطلة الميلاد وعاد إليّ أخبرني أن ألبير انتقل إلى الصف الأعلى، وفي آخر السنة حين عدتم جميعًا لتمضية الصيف علمت أن ألبير «طلع الأوّل»، وكان والداك فخورَين جدًّا به. بينما كان إدوار بين الخمسة الأول وأنت أيضًا.

- لا أذكر جيدًا تلك السنة في المدرسة بينما أذكر جيّدًا السنة التي تلتها، إذ كانت المعلّمة تطلب منّي أن أذهب إلى اللوح وأقوم بعمليات الجمع والطرح أمام كل التلميذات والمعلّمة تمسّد على شعري وتقول: «هل رأيتنّ كيف تحلّ إلهام المسائل بسرعة؟». بعد ذلك كانت تربّت على كتفي وتقول: «برافو يا شاطرة».

- أنت أيضًا كنت مميّزة لكنّك لم تكوني الأولى دائمًا كما ألبير.

- صحيح، فألبير ظاهرة من هذه الناحية.

- المهمّ أنكم عدتم تلك السنة، نهاية شهر حزيران وضُخّ الدم في عروقي وبتّ مملوءًا بالحركة التي لا تنقطع إلا في آخر الليل، حين كنت أنام ملء جفوني على أمل أن ألقاكم في الغد. كلّ صباح كانت سيّدتي هوْلا تستيقظ باكرًا وتنزل إلى الحديقة وتتفقّد المزروعات التي أكون قد زرعتها قبل مجيئكم وتهتمّ بها وتقطف منها ما يكون قد نضج وتجالسني لبعض الوقت قبل أن تصعد إلى البيت حيث تحضّر القهوة لتشربها مع سيّدي سامي قبل أن يغادرنا إلى الهرمل وغيرها من أنحاء المنطقة حيث ذاعت الأخبار عنه كطبيب ماهر «يخلّص المريض من الموت». بعد ذلك تنتقل إلى غرف نومكم كي توقظكم ويقوم كل واحد منكم بما كان مطلوبًا منه؛ إدوار وألبير يضخّان الماء إلى الخزّان وأنت تساعدين أمّك في ترتيب البيت وتنظيفه، بينما الصغيرة أمال كانت تعاند أمها ولا تترك فرشتها إلّا «شحطًا». بعد ذلك كنتم تنتقلون إلى إنجاز ما كان مطلوبًا منكم خلال العطلة وتسمونه «دفوار دي فكانس». حوالى الساعة العاشرة كانت هوْلا تدخل المطبخ لتحضير الغداء وكنتِ دائمًا إلى جانبها في ذلك حتى بتِّ طبّاخة ماهرة على الرغم من صغر سنّك والوجود الدائم لفتاة أو فتى إلى جانب أمك ليقوم أو تقوم بكل الأعمال المتعلّقة بالتنظيف.

- كانت والدتي تفضّل الفتيان على الفتيات لهذه المهمّة.

١٨٧

- أعرف، وكانت تقول أمامي إن الفتى أفضل لأنه لا يحيض. وقد شغّلت وبدّلت الكثير منهم مثل حسين الذي كان يحب الكبّة بالصينيّة إلى علي صاحب الوجه الجميل إلى نزيه «الطبّوش» إلى...

- أما أسوأ من اشتغل عندنا فكانت فاطمة العرسالية التي رافقتنا إلى جونيه.

- وأفضلهنّ كمال، من دار بعشتار، التي كانت تحب إدوار جدًّا وهو كان يناديها «كال» وتألّم جدًّا حين غادرت.

- هل أخبرتك أمي عما فعلته بنا فاطمة؟

- أخبرتني أنها كادت تقتلكم إذ بدلًا من أن تمزج الطحين بالماء، مزجته بالمازوت وحين نقلته إلى الفرن لخبزه فاحت الرائحة منه مما دفع بالفرّان إلى أن يزور والدتك ويسألها عن الأمر. نادت أمك فاطمة وسألتها عن الأمر فتجاهلت كل شيء، ولكن حين صفعتها والدتك وهدّدتها بالسجن، اعترفت.

- ألم تخبرك ما فعلت بها بعد ذلك؟

- من دون أن تخبرني أعرف ماذا حلّ بها. لكن فاطمة لم ترتدع وسرقت مفتاح البيت وطمرته في الحديقة.

- أخفت المفتاح وأنكرت أن تكون رأته فما كان من جارنا «قزحيّا»، شقيق صاحب البيت، الذي أخبرته أمي بالأمر، إلّا أن دعا فاطمة إلى بيته ووضع أمامه على الطاولة زجاجة فيها ماء، وسكّينًا

طويلًا وقال لها: «لقد قتلت حتى الآن تسع بنات وستكونين أنت العاشرة إن كذبت، وكذبك سينكشف حالًا إذ إن لون الماء في الزجاجة سيصبح أحمر وهو ماء سحري». انهارت فاطمة واعترفت. وبعد ذلك الحادث طردناها وأتانا والدي بفتاة من القصيْر وقد أحببناها جدًّا لأنها كانت مثالًا في الترتيب والتنظيف وبخاصة في الأخلاق الرضيّة.

- بدّلت أمّك الكثير من الخدم.

- لكن أحيانًا كنا من دون خدم وهذه الفترات هي التي علّمتني الكثير إذ كنت أساعد أمّي في كل أمور البيت وقد علّمتني، وأنا ما زلت طفلة، كلّ ما تتطلّبه الحياة من سيّدة البيت؛ تعلّمت الطبخ وصنع الحلوى على أنواعها، وتعلّمت الأشغال اليدوية من خياطة وتطريز وغيرهما.

- أمّك سيّدة بكلّ معنى الكلمة وهي من السيّدات اللواتي يعمّرن البيوت، وكما كان يقول والدك دائمًا، الإنسى هي التي تعمّر وهي التي تهدم.

- أعترف بأن مثيلاتها قليلات وهي حتى الآن تشرف على كلّ أمور البيت الذي تشاركها فيه الفيليبينيّة التي تشغّلها بكلّ ما يتعلّق بتنظيف البيت وتبعدها عن كل ما يتعلّق بالطبخ والأكل. وكما تعرفها فهي «مقريفة» جدًّا ولا تأكل ولا تستطيب إلا ما طبخت يداها. أما الآن وبعد أن عجزت قليلًا، فباتت تأكل من طبخي فقط

لأنه يشبه طبخها. لكن دعنا من الحاضر وعد بي إلى أيام شبابها حين كانت في عزّ قوّتها ونشاطها وكان والدي في عزّ عمله ومداواته للمرضى وبخاصة الفقراء منهم.

- لقد تأخر الوقت وسنتابع غدًا.

- يمرّ الوقت معك من دون أن نشعر به؛ لقد انتصف الليل. أراك غدًا.

- ١٧ -

في الغد باشر الكلام كأنه لم يتوقّف مساء البارحة، قال:

- كانت تراقب أعمالكم المدرسية وبعدها تجبركم على القراءة ولا تسمح لكم باللعب إلا بعد تناول الغداء الذي لم يكن والدك يشارككم فيه في أغلب الأيام بسبب تأخرّه في العمل خارج الضيعة. كان يعود منهكًا من التعب، يتناول الغداء ويدخل مباشرة إلى غرفته كي يستمتع بالقيلولة التي كان لا بدّ منها إطلاقًا. وأنت ورثت ذلك عنه. أما المشكلة فكانت تقع حين كان يفاجئنا أحد المرضى بطلب أبيك في تلك الفترة. ما كان أحد منكم يجسر على دخول غرفته لإيقاظه، وكثيرًا ما كانت سيّدتي هوْلا هي الفدائيّة التي تقوم بذلك ويستيقظ والدك وهو يشتم ويتأفّف ويقول: «ألا يحق لي أن أستريح ولو لساعة». لكنّه كان يستقبل المريض ويعالجه كما ينبغي. أمّا أنتم، وبعد أن تقوموا بكل الواجبات المدرسية فكان يسمح لكم باللعب في أرض الدار حيث يتجمّع سرب من الأطفال، أولاد الجيران والأقارب، وتدبّ الفوضى في كلّ أرجائي

حتى غروب الشمس. في تلك الأثناء تكون والدتك مع ثلّة من نساء الضيعة وبخاصة نساء العائلة اللواتي كن يزرنها يوميًا، جالسات إمّا في الدار في البيت العلوي وإما في زاوية من الحديقة حيث كنّ يتبادلنَ الأخبار و«استغياب» بعض الناس بحيث تتجمّع في تلك الزاوية كل أخبار الضيعة بنسائها ورجالها وأطفالها. أما والدك فكان يتجمّع حوله في زاوية ثانية، رجال العائلة وشبابها وغيرهم من وجهاء القوم، فتدور الأحاديث على السياسة وأمور البلد وما هو أبعد من البلد. بعض الأحيان، كان والدك يلعب النرد مع أحدهم وبخاصة مع ابن عمّته، يوسف هيكل، الذي كان يدّعي أنّه لا يُغلب. أحيانًا كان الرجال ينتقلون إلى المقهى فيسيرون وراء والدك كتظاهرة ويتوجّهون نحو مقهى البلديّة أو المقهى المقابل الذي كانت تظلّله أشجار الحور ويسمى «مقهى بيت دعيبس». كانت أيامًا عامرة وكنت في عزّ رجولتي وشبابي، أما اليوم!...

- سنصل إلى اليوم، أخبرني ماذا كانت تفعل أمّي عند مغيب الشمس ونحن مع أولاد الجيران والأقارب نملأ المكان ضجيجًا وصخبًا؟

ضحك «بيتي» وقال وهو يضرب يدًا بيد:

- كم كانوا يخافونها! تقف في أعلى الدرج وتصرخ بأعلى صوتها: «يلّا يا ولاد عبيوتكن، ما عندكن أهل يسألو عنكن؟». حين يسمعها الأولاد يهرعون نحو باب الدار ويتسابقون على الانصراف

وتصعدون أنتم إلى فوق حيث تتناولون العشاء مع والديكما على ضوء القنديل ثمّ تنتقلون إلى الليوان الطويل المضاء بـ «اللوكس» الذي كان يشتغل على الكاز وله محقنة يظلّ والدك يحقن فيها حتى، فجأة، يسطع نور قوي يضيء كل الدار. وبعد أقلّ من ساعتين يعود بعض الأقارب لتمضية السهرة معكم وكثيرًا ما كانوا يأتونكم بعرانيس الذرة فنعمّر المنقل ونبدأ بشَيّها وأنتم تأكلون، وتنتهي السهرة بمغادرة الزوار فأغلق الباب الخارجي إلى الفجر حتى أفتحه من جديد لتعاوَد الكرّة يومًا بعد يوم حتى نهاية الصيف وتعودوا إلى المدارس في جونيه.

لم أجبه بأي كلمة وتركت ما يجول في خاطري يختمر ببطء. وبعد بضع دقائق من الصمت سألته:

- ألم تفوّت عليّ، في حديثك السابق، أمورًا مهمّة أنا لن أنساها أبدًا.

- نعم، لكن تركت الموضوع لأفرد له صفحة خاصة وهو شهر أيلول، شهر المونة، وكنت متأكّدًا أنك ستسألينني عنه، وأعرف أنه الأغلى على قلبك.

- حتى الآن أحب هذا الشهر، شرط أن أمضيه هنا في أحضانك حتى ولو تغيّرتْ كل العادات التي كانت ترافقه والتي لن أنساها أبدًا.

فرحَ بكلامي واستشفّ منه أنني، ربّما، سأمضي شهر أيلول معه وقال:

١٩٣

- عرفت غلاوة هذا الشهر لديك حين قرأت باكورة أعمالك الروائية «إلى هبى» السيرة الأولى، حيث أفردت لهذا الشهر فصلًا كاملًا ولهذا السبب لن أطيل وسأذكّرك ببعض الأمور الأساسية.

- ما كتبته في «إلى هبى» كان وجهة نظري، أما الآن فأسمعني وجهة نظرك أنت وسنرى هل هما تتطابقان.

- حسنًا سأروي أحداث ذلك الشهر بالتسلسل.

- بدأ الاختلاف بيننا؛ أنا في روايتي الأولى لم أتبع أي منهج، كتبت ما تذكّرته من دون أن أعير أي اهتمام للتسلسل.

- أفهم من كلامك هذا أنني أكثر منهجية منك؟

- بالتأكيد، مع أن منهجيتك هي أيضًا فوضوية.

- هل تعتقدين أن الفوضوية عيبٌ؟ لا يا حبيبتي، الكون كلّه قائم على الفوضى، ومن يتمكّن من رصد هذه الفوضى والسير بهديها يكون هو المنهجي الفعلي. أما من يركّب الأمور بحسب مسطرة، ويحسبها منطقية، لأنه اكتسبها في المدرسة، فهو مخطئ، لأنه يفقد الواقع واقعيته وبالتالي حياته.

- هذا أهمّ درس تلقّيته في حياتي، ويسرّني أنه أتى منك أنت يا سيّدي وحبيبي، يا «بيتي».

- ضمّني إليه وقال:

- خرجنا عن الموضوع، هيا بنا نعود إلى شهرك المفضّل. أنت

أطلقت عليه في روايتك اسم «شهر المونة». إنها تسمية صحيحة لكنّها غير وافية؛ إنه شهر الغصّة، شهر التهيؤ للوداع ولغياب الأحبّة ولو لمدّة تسعة أشهر. إنه الشهر الأخير من تمتّعي بالحياة قبل أن يأتي الشتاء وأصبح وحيدًا لا أعيش إلّا على أمل عودة حبيب قلبي سامي إلى أحضاني بعد كل زيارة لكم. هو شهر مفعم بالحياة والحركة، كما وصفته، لكنّ حركته تلك ليست سوى الارتعاشة الأخيرة قبل الموت الذي سيمتدّ لأشهر، قبل أن تتبعه القيامة، نهاية شهر حزيران من كلّ سنة. «بس يا ما أحلى هداك الزمن قدّام الزمن الحالي!»

شعرت أنه سيدخل في حالة اكتئاب وسارعت إلى جرّه إلى مواضيع أخرى، لكنّه عاد إلى شهر أيلول وقال:

- شهر أيلول لم يكن كلّ سنة كما تصفينه، شهر الحركة والانهماك بتحضير كلّ ما كنتم تحتاجون إليه في فصل الشتاء من مؤونة وغيرها. فعلى مرّ سنتين كان حزينًا جدًّا وبخاصة أيلول سنة ١٩٥٨ وأقلّ منه بقليل سنة ١٩٥٩؛ في الثماني والخمسين، سنة اندلاع الثورة وانقسام الناس بين مؤيّد لكميل شمعون ومؤّيد لصائب سلام كنّا نحن هنا بأمان لأننا سرنا مع محيطنا ليس خوفًا بل اقتناعًا بصوابية خيارنا الذي حاضر فيه والدك مرّات عديدة أمام أهل الضيعة وأهالي المنطقة. لكنّ هذا الموقف لم ينجّ الضيعة من وقوع تلك الجريمة البشعة الذي ذهب ضحيّتها خالك كنج غدرًا في آخر البساتين من دون أن يُعرف الجاني، ذلك الجبان الذي لم يجسر على مواجهته وأطلق عليه الرصاص من الخلف. ذلك اليوم من

شهر أيلول كان يومًا حزينًا جدًّا في الضيعة التي فقدت بكنج أشجع شبانها وأقواهم، وكان يهابه الجميع. وأنكى من ذلك هو أن جدّك فارس الذي لا يقلّ شجاعة عن ابنه، كان ملازمًا الفراش بسبب مرضه العضال وأولاد كنج كانوا لا يزالون صغارًا وزوجته حاملًا بحياة التي لم تعرف والدها. مسكينة حياة، حين ولدتها أمها أبعدتها عنها بحجّة أن وجهها نحس، تسلّمتها جدّتك وربّتها وهي تقول: «إنها من رائحة ابني».

– وهل ما زال القاتل مجهولًا؟

– سمعت تحليلات كثيرة لكنّ الأمر لم يحسم حتى ولو أن الشبهة تحوم حول جهة معيّنة من دون أن يُعرف من هو مطلق النار.

– أمّا سنة ١٩٥٩ فكنتُ أنا الحدث.

– المهم في الأمر أنك أصبت بتلك الرصاصة في التاريخ نفسه الذي قتل فيه خالك وكان ذلك في التاسع من أيلول. مصادفة أقلقت الجميع ودفعت بجدّتك لأمّك أن تقوى على «الروماتيزم» القوي الذي يقعدها، وإلى المجيء هرولةً إلى هنا، وهي تصرخ وتولول. أما أمّك ففقدت عقلها وركضت إلى الخزانة، سحبت منها المسدّس وهي تصرخ: «سأقتله ابن الكلب». ولم يتمكّن الرجال من سحب المسدّس من يدها إلا بعد جهد كبير. لكنّها لم ترتدع وحملت لبنة باطون كبيرة كانت مرميّة على السطح وتوجهت نحو الحافة تريد رميها على رأس الجندي الذي أطلق النار وهو كان قد أطلقها في

الهواء لتفريق مهاجمي المخفر ولم يكن يقصدك إطلاقًا. تمكّن الرجال من ثنيها عن القيام بما كانت تنوي القيام به وبخاصة أن الجندي قد أصبح في داخل المخفر ولم يجسر على الخروج منه. أما أنتِ فقد نقلوك إلى عيادة والدك الذي دخلها راكضًا وهو في ثياب النوم لأنه كان يستريح بعد ظهر ذلك اليوم كعادته بعد الغداء. تفقّد الجرح في أعلى جبهتك ولم يبدُ عليه بعض الارتياح إلّا حين وجد جرحًا آخر غير بعيد عن الأول فقال: «الحمد للّه الرصاصة لم تدخل إلى الدماغ». لكنّه لم يطمئن نهائيًّا وقرّر نقلك إلى مستشفى تل شيحا في زحلة ليخضعك للصور الشعاعية للتأكد من سلامة الدماغ.

- وهل كنت أنا فاقدة الوعي؟

- لا، وهذا ما كان يطمئن والدك كما أخبرني لاحقًا. قاد والدك السيارة نحو زحلة ومعه ألبير وسيّدتي هولا. أما هنا فكان كل أهالي الضيعة قد تجمّعوا على جاري عادتهم عند أي مصاب. وما إن غادرتم إلى المستشفى حتى جمع إدوار الذي كان في السابعة عشرة من عمره، شباب العائلة وطلب منهم أن يذهبوا إلى بيوتهم ويعودوا ومعهم أسلحتهم كي يطوّقوا المخفر. والمخفر، كما تعلمين كان في الطبقة السفلية التي كانت قسمًا من الخان القديم. جمعهم إدوار وقال: «إن أصاب إلهام أي مكروه، فلن يخرج هذا «العكروت» حيًّا». طوّق المخفر بالرجال من العائلة وغيرها وهم ينتظرون خبرًا من والدك الذي ما كان يعلم بما يحدث هنا. في هذه الأثناء دخلت علينا «بدّور» عمّة أمك وصاحبة القول الشعري الذي لا يضاهيها

فيه أحد، دخلت وهي تصرخ: «يا باطل يا باطل». وما إن وصلت إلى أسفل الدرج حتى بانت أمال في أعلاه وهنا حدث ما أغضب شقيقتك ودفعها إلى كره بدّور لاحقًا. حين رأت بدّور شقيقتك أمال في أعلى الدرج، لطمت وجهها وهي تصرخ: «هيّ إلهام!» وأجابتها أمال: «شو كنت فرحتِ لو كنت أنا؟» فما كان من بدّور إلا أن صعدت الدرج وضمّت أمال إلى صدرها وهي تقول: «سمعت أنّو بنت الحكيم انصابت بالرصاص في رأسها، ولم يقولوا لي من منكما هو المنصاب. ولمّا شفتك عرفت إنها ألهام، هادا كل شي».

ـ أخبرتني أمال، حين عدنا، بهذه الحادثة وكانت حاقدة على بدّور، ولكن مع مرور الوقت باتت تروي الحادثة وهي تضحك.

ـ كلّ أهالي الضيعة كانوا مستنفرين ينتظرون خبرًا منكم كي يحدّدوا ماذا سيفعلون. استمرّ الغليان والمخفر مطوّق لأكثر من ثلاث ساعات قبل أن يصل إلينا الخبر المطمئن، إذ سمع إدوار من والدك، عبر الهاتف: «إلهام بحالة جيّدة والإصابة برّانيّة». فحاول إدوار أن يفرّق الشبان ويطلب منهم أن يعودوا إلى بيوتهم ويخفوا السلاح. امتثلوا إلى طلبه وما إن بدأوا بالانسحاب حتى دخلت الضيعة فرقة من الجيش بقيادة ذلك الشاب الوسيم الذي كان قد زارنا من قبل مرّات عدّة والذي تناقل أخباره أهل الضيعة وهم يقولون: «الملازم أوّل بطرس «يلفي» عبنت الحكيم». وهو أمر صحيح إذ كنت ألاحظ استلطافك له وأراقب نظراته إليك، تلك النظرات التي لا تخفى معانيها على واحدٍ مثلي. أتى ذلك الشاب

الوسيم بعد أن اتصل به رئيس المخفر وأخبره أنهم مطوّقون. اتصل به لأن الملازم أوّل كان هو المسؤول عن الأمن في منطقتنا ومركز قيادته في بلدة الهرمل التي تبعد عن ضيعتنا حوالى ثلاثين كيلومترًا. أتى بطرس ودهم المنازل محاولًا ألّا يجد سلاحًا وأنهى الموضوع وعاد إلى هنا لينتظر عودتكم ويطمئّن إليك. وعدتِ معصوبة الجبين، لكنك مبتسمة وألبير ووالداك فرحون. هنّأكم الملازم أول بالسلامة وغادر. لكنه لم يغادر.

- لم يغادر لفترة، لكنه في النهاية غادر إلى غير رجعة.

- أنت والزواج نقيضان، هذه أنت وأقبلك كما أنت ولو أنني كنت أرغب في احتضان أطفالك وأضمّهم إلى صدري كما احتضنتك طفلة ثمّ صبيّة ثمّ إنسى ودكتورة وأستاذة جامعة وروائيّة.

- أنت لا ترى إلا الوجه الحسن منّا.

- لا، أرى كل وجوهكم، لكنني أنظر إليها كلّها بحبّ هو طبيعتي.

- أدام اللّٰه لنا هذا الحب الذي لم أجد مثله أينما توجّهت.

- حبّي لكم سيدوم حتى بعد غيابي.

كنت سأقول له إن حبّي له سيدوم حتى بعد غيابه، لكنّني صمتُّ كي لا ندخل في سياق حزين وبخاصة أنّني كنت ألمس أنه يفرغ ذاكرته كأنه يتخفّف ليكون رحيله مبرّرًا، وقلت كي أعيده إلى طفولتنا:

- هل ما زلت تذكر الخبر المفرح الذي تلقّيته مع والدي مساء الخامس عشر من شهر كانون الأول سنة ١٩٤٩؟

- كيف أنسى وما زالت صورة والدك أمامي وهو يمسك بسماعة الهاتف ويقول: «غدًا صباحًا سأكون عندكم الحمد للّه على سلامة أمّك، إلى الغد». ثمّ استدار نحوي وهو يقول: «لقد عاد يوسف، سأسميه جوزيف، غدًا ستكون بين ذراعي يا حبيبي». بعد وفاة عمّك يوسف لم تنجب والدتك إلا البنات؛ أنت وأمال، ووالدك ينتظر الصبي كي يعيد الاسم إلى العائلة، واستجيب دعاؤه؛ أتى زوزو كما بتنا نناديه، ولكن على عكس يوسف. أتى زوزو أشقر البشرة وأخضر العينين. حين عدتم أول صيف تلك السنة كان زوزو في الشهر السابع من عمره. حملته بين ذراعي ورفعته إلى الأعلى وقبّلته. سبحان اللّه كم كان جميلًا! وهكذا به اكتملت عائلة سامي. آخر العنقود لم يختلف عن أوّله ذكاءً وهيبة وشطارة في المدرسة، لكنّه كان أكثر «تلبسة وشيطنة». ومن هذه الناحية كان يشبه إدوار أكثر مما كان يشبه ألبير الذي منذ صغره كان أكثر هدوءًا ورصانة. أنت وألبير كنتما أهدأ من إدوار وأمال وجوزيف.

صمت قليلًا وهو ينظر إلى البعيد كأنه يسترجع صورًا من الماضي. والأمر كان كذلك، إذ إنه بعد ذلك الصمت الذي لم يستغرق سوى دقائق، قال:

- أراهم الآن أمامي؛ إدوار يحلّ رباط البغل المركون أمام بابي والذي كان يحمل صفائح الحليب لسيّدتي هوْلا كي تصنع

منه الجبنة واللبنة. ربطه صاحبه «طيفور» وأنزل عن ظهره صفيحتي الحليب وتوّجه بهما نحو الدرج. وما كاد يصعد بضع درجات حتى ظهر إدوار، الذي كان مختبئًا يراقب «طيفور»، ظهر قرب البغل، فكّ رباطه، ركبه وانطلق في السوق صعودًا ولم يعد إلّا بعد أكثر من ربع ساعة و«طيفور» ينتظر ويقول لأمّك التي نزلت إلى أرض الدار: «البغل شنوص، ان شاللّه ما يوقّع الصبي». وحين عاد إدوار نال نصيبه من التأنيب، لكنّه عاود الأمر مرّة ثانية وثالثة، حتى إنه في إحدى المرّات شدّ بذنب جمل كان يمرّ أمام الدار، ولكن هذه المرّة نال نصيبه، إذ لبطه الجمل فارتمى بعيدًا وجُرحت جبهته. لكنّه لم يتُب وظلّ على تلبسته إلى أن شبّ وتحوّلت شيطناته إلى أماكن أخرى. والصورة التي لا أنساها أبدًا عنه هي تورّم وجهه حتى إغماض عينيه من أثر لسع الدبابير التي كان يصرّ دائمًا على ملاحقتها حتى أوكارها التي كانت تهرب إليها وتكون، غالبًا في زاوية عالية من أحد الجدران. كان إدوار يلقي السلّم الخشبي على الحائط، يمسك بيده غصنًا يابسًا، يتسلّق السلّم ويغرز الغصن في وكر الدبابير، فتفوع وتتجمّع على وجهه ويديه و... وتلسعه أينما تمكّنت، فيهرول نزولًا وهو يصرخ من الألم. وما هي إلّا دقائق حتى يتورّم وجهه ويداه وينال نصيبه من تأنيب الست هوْلا. لكنّه لم يتب ولا مرّة وكان يعاود الكرّة كلّما «وزّ» أمامه دبّور. وكثيرًا ما كان يعود معكم إلى جونيه، آخر الصيف، وهو منتفخ الوجه. أمّا زوزو فهو أيضًا كان يلاحق الحمير أينما كانت، فيذهب إلى بيوت الناس ويطلب منهم أن يركب

الحمار أو... والطريف في الأمر أنّه حين كان لا يجد أصحاب الحمار لا يتعطّل، يأخذ الحيوان ويكتب على باب الاسطبل: «زوزو أخذ الحمار». وفي يوم، اتفق مع رفاق له أن يسرقوا بغلًا. أخذوه من بيت أحد الأقارب وركبوه من دون أن يثبّتوا الجلال. وما إن وصلوا إلى الساحة هنا حتى تعثّر البغل ووقع الصبيان الأربعة عن ظهره وانقلب هو فوقهم، وسمعت صراخهم وسمعت حبيب قلبي زوزو يصيح: «يا هو يا ناس ارفعوا البغل عنا، أنا زوزو ابن الحكيم». تراكض بعض الشبان وأنقذوا الصبية. وعاد زوزو إلى أحضاني وهو يتلوّى من الضحك. حين سألته «هل تعلّمت؟» لم يجبني ولم يتّعظ وفي كل صيفية كان يقوم بـ «شيطنات» عديدة لا تحصى.

- لم تقتصر «شيطناته» على فصل الصيف، ففي جونيه أيضًا كان مميزًا بحيويته ومقالبه. هو وأمال «كعًّيا» المعلّمين الذين كانوا يشكونهما إلى الوالدة التي، وعلى الرغم من قوّتها، لم تتمكّن من الحدّ من «طيشناتهما».

- أخبرتني سيّدتي هوْلا عن «فصول» أمال وزوزو. كانت تخبرني وتضحك وبخاصة حين أخبرتني عن ذلك الأستاذ المسن الذي كانت أمال تركّضه وراءها في الصف وهي تقفز على الطاولات. أما عن زوزو، فأخبارها لم تنضب؛ كل يوم خبريّة. ولا تنسي إدوار، فهو أيضًا لم يكن سهلًا بينما أنت وألبير كنتما مشغولين بالدرس فقط.

- ومع ذلك نلت نصيبي من تلك المعلّمة التي صفعتني من دون ذنب وجرحت بياض عيني.

- سمعت هذه القصة من سيّدتي، لكنّها أخبرتني كيف تصرّفت وأرغمت المعلّمة على زيارتكم في البيت وتقديم الاعتذار. أم ألبير «ما بيمِتْلها ميّت».

- ولكن عن حقّ.

- ميزة أم ألبير، الدكتورة هوْلا، هو هذا الحضور الطاغي وتلك الشخصيّة المشبعة بحالها والفارضة نفسها في كل المجالس.

- إلى حدّ أنها، أحيانًا، كانت تزعج والدي.

- حبيب قلبي سامي كان يشكو لي أحيانًا زوجته، لكنّه كان فخورًا بها وبقدراتها وبحسن إدارتها لكلّ ما يتعلّق بكم وبشؤون البيت. وكان يردّد دائمًا: «الإنسى هي التي تعمّر البيوت وهي التي تهدّمها، وهوْلا هي خير من عمّر». وقوله هذا كان صحيحًا إذ إنّكم، كلّكم كنتم مميّزين، في المدرسة وفي العمل وفي الحياة إجمالًا.

صمت قليلًا ثم قال: «أنا أيضًا فخور بها، لقد أعادت إلي المجد بعد أن خبا قليلًا لكن ذلك لم يمرّ من دون معارك سأخبرك عنها في الغد».

- ١٨ -

من دون مقدّمات قال:

- سنعود قليلًا إلى الوراء لنلقي نظرة على الست تفاحة وأولادها الذين هجروني نهائيًّا. علمت أن حنا كان من أفضل التلامذة في الدير وأن حبيب نجح في عمله. وحين غادرتم الضيعة وانتقلتم إلى جونيه أتاني حبيب وأمه ليقولا لي إن حبيب قرّر الزواج وقد اختارت له أمّه الشابة الجميلة «وداد» ابنة عمّة الست هوْلا التي كانت يتيمة الأم وتربّت مع أختها سعاد برعاية خالتهما التي تزوّجها والدها بعد وفاة أمّها. كنت أعرف وداد جيّدًا وهي بالفعل سيّدة جميلة، لكنَّ والدها كان ينتمي إلى عائلة تخاصم عائلتنا في السياسة وقد ذكرت ذلك أمام الست تفاحة، لكنّها تجاهلت قولي وتابعت: «إنها أفضل الموجود في الضيعة ولديها أملاك كثيرة».

- بالفعل كانت وداد سيّدة جميلة وأنيقة، أذكرها جيّدًا.

- لكنّها متعجرفة وطمّاعة و«حاطه راسها براس أمّك»، وأكثر من ذلك كانت تطمح إلى احتلالي وإخراجكم من أحضاني. وبعد

زواجها بقليل، وبعد أن سكنت في حريصا لمدّة قصيرة عادت إلى هنا، في فترة كان والدك يزوركم في جونيه، وصعدت إلى الطبقة العلوية ورمت أغراضكم إلى الخارج واحتلّت البيت. علم الجميع بما فعلت ووصل الخبر إلى والديك. وفي اليوم التالي كانا هنا، وسيّدتي هولا تتشظى غضبًا. صعدت فورًا إلى حيث وداد وتعاركا معًا ورمتها أمّك أرضًا وحاولت خنقها، لكن والدك تدخّل بسرعة وأنقذ وداد من بين يدي هوْلا التي بدأت بحمل أغراض وداد ورميها إلى أرض الدار. فما كان من وداد التي كانت لا تزال في قميص النوم إلا أن توجّهت إلى المخفر وأتت بالدرك إلى هنا. لكنّ هولا التي تعلم جيّدًا أن البيت مسجّل باسم سامي، رفضت أي حوار مع رجال الدرك الذين عادوا أدراجهم. وتجمّع أهل الضيعة وأقنعوا وداد بالانسحاب. لكنّها خرجت وهي تهدّد والديك بالمحاكم، ووالدتك تقول لها: «اللي بيطلع بإيدك يطلع بإجرك». وأتت العجوز عطرش التي كانت تحب والدك جدًّا وهي تغنّي بأعلى صوتها: «يا جراد يا بو زبله، أجاك سمرمر من إبله».

- سمرمر هو الطير الذي يأكل الجراد؟

- طبعًا. لكن الجراد لم يكتفِ بما فعل، بل لجأ إلى عائلته وجيّشها وضجّت الضيعة بخبر أن آل روفايل، أي شبان عائلة السيّدة وداد، سيهاجموننا ويحتلّون البيت بالقوّة. ولكن وبأقل من ساعتين بتّ محاطًا بشبان العائلة المسلّحين وبقيادة يوسف هيكل ابن عمّة والدك الذي تمترس على الشرفة المطلّة على السوق. أما

جدّك فارس فوقف في باب الدار وإلى جانبه ابنه كنج وأرسل من يقول لآل روفايل: «نحن بانتظاركم». هذا الكلام من قبل الشيخ فارس كان له وقعه على الطرف الآخر الذي تهيّب الوضع وأدرك أن المسألة باتت جديّة، فلم يحرّك ساكنًا ومضت تلك الليلة من دون أي مواجهة. لكن الشبّان ظلّوا يحرسونني لمدّة أسبوع من دون أي اشتباك ورحّلت القضية إلى المحكمة. لكنّ الحكم كان سريعًا إذ إن والدك كان يملك «حجّة الملكيّة» وانتهى الموضوع بأن خرج حبيب وعائلته من البيت نهائيًّا بدلًا من أن يسكن الطبقة السفلية كما كان والدك قد عرض عليه قبل كل تلك القصّة. لكنّ تعنّت الست وداد ورفضها إلا احتلال الطبقة العلوية جعلاها تفقد كلّ شيء. ومن شدّة عنفوانها أبت أن تنكسر وأرغمت حبيب على شراء قطعة الأرض الملاصقة لحدودي، على أمل أن تبني فيها دارًا تنافس دار سيّدي سامي مساحة وفخامة. لكنّ المسكينة رحلت باكرًا بعد أن أنجبت بنتين وصبيًّا. رحلت بحادث سيارة مؤسف وهي في عزّ شبابها. بعد رحيلها بات حبيب يعيش مع والدته وأولاده في حريصا وباتت زياراته للضيعة قليلة جدًّا.

- هل رحلت وداد وهي على خصام معنا؟

- لا، لقد سوّيت الأمور بينكم وبين بيت عمّك حبيب وأخبرتني سيّدتي هولا أن وداد قبل رحيلها كانت محبّة جدًّا وكأنها تبدّلت نهائيًّا. هل، بلا وعيها كانت تشعر أن نهايتها قد دنت؟

- رحمها اللّه، أنا لا أذكر إلا طلّتها البهية حين كانت تزورنا في جونيه. كانت تأتي باكرًا قبل أن نذهب إلى المدرسة.

- المهم هو أن موضوع النزاع انتهى وبات حبيب قلبي سامي هو سيّدي الوحيد وباتت سيّدتي هوْلا هي الحاكمة المطلقة، وساهما معًا في تحسين وضعي وتجديده؛ هذّا الخان القديم الذي لم يعد له حاجة وبنيا في قسم منه بيتًا حديثًا وتركا ساحة كبيرة حوّلاها إلى قاعة وأجّراها كمقهى وغيّرا الطبقة السفلية، إذ حوّلاها إلى قاعة كبيرة وأجّراها كمقهى أيضًا وباتت كل الواجهة المطلّة على السوق مجموعة من المحال وقاعتي مقهى. أمّا في الطبقة العلوية فلم يغيّرا إلا المطبخ، وقد أضافا غرفة مطلّة على الحديقة.

- لكنّ صورتك القديمة ما زالت في ذاكرتي على الرغم من ضبابيتها.

- في البداية كان سيّدي هو الشيخ خليل وكنت طوع حاجاته وإرادته ومع سيّدي سامي انصعت لرغباته ومتطلبات حاجاته وفقًا لمركزه وعمله. أنا عبدكم المطيع.

- أنت لست عبدًا، أنت رفيق دربنا وحبيبنا، أنت «بيتي» كما أحب أن أناديك دائمًا.

- وأنت هبى ابنتي التي آنس لوجودها في حضني على الرغم من عتبي عليها لقلّة زياراتها لي، لكن حبّي لك ولكم جميعًا يجعلني أعذر غيابكم وأتفهّمه وأمضي الوقت في انتظار أحد منكم يبثّ

الحياة في كل جوارحي. حبيبتي هبى، اعذريني، لكني أتحسّر على كل يوم مضى، حين كنت أضجّ بالحياة وبكم. أما اليوم فأشعر أن الحياة تنسحب رويدًا رويدًا من كل جسدي، وأن روحي باتت تتوق إلى الرحيل لألحق بأحبائي الذين سبقوني. الوحدة قاتلة وهي أهم من أي مرض عضال ولا أتمناها حتى لعدوّ.

- أنت لست وحيدًا، أنت في بالنا أينما توجّهنا ونزورك كلّما سمحت لنا الظروف.

- الظروف! كم لهذه الكلمة من وجوه! حبيبتي هبى الحكمة تقول بأن نتقبّل الواقع كما هو. لم أعد كما في السابق وهذا واقع لا يمكن نكرانه. الانسلاخ يا هبى، انسلاخ الأحبة، مؤلم وسأخبرك عن هذا الشعور لاحقًا، إنه ميزان الحياة.

فهمت ماذا يقصد، لكني تجاهلت الموضوع وأعدته إلى الماضي قائلة: «لكن الذكريات الجميلة تنعش الروح وتبثّ الحياة في الجسد. وفاجأني بجوابه وهو شبه مغمض العينين:

- أما الحنين فهو قتّال، هو كالمبرد الذي يفتّت العظام.

أدركت حجم مأساته واحترت في كيفيّة التعامل معه لأخرجه من هذه الحالة ولم أجد حلًّا إلا بإشغاله بأمر ما فقلت له: «أنا أتضوّر جوعًا، هيّا بنا نحضّر التبّولة ونشرب كأسًا من العرق معها».

- أنا بأمر حبيبتي، سأحضّر التبولة ويا ما حضّرتها في السابق للسيّدة هولا وزائراتها في عصرية كلّ يوم من أشهر الصيف. كنتم،

في تلك الأشهر تملأون روحي حياة وحيويّة، وهما زوّادتي لأيام الشتاء، أيّام غيابكم عنّي. هل ما زالت هوْلا تحب التبّولة؟

- كلّ يوم مساءً تطلب منّي صحن تبّولة وما زالت تأكلها بكلّ شهيّة؟

- والكبّة النيّة؟

- تعرف أنها أكلتها المفضّلة.

- لكنّ الكبّة لم تعد كما في السابق؛ كانت والدتك تجلس قرب الجرن وتنهال ضربًا على اللحم الضاني حتى تحوّله إلى ما يشبه المرهم، ثمّ تضيف إليه البرغل والنعناع والبصل وتفوح الرائحة الزكيّة في كل أرجائي، وتتجمّعون حول الجرن وتناولكم أمك، لكلّ واحد «لهمة» قبل أن تنقل الخليط إلى «جاط» تنقله إلى الطاولة وإلى جانبه البصل الأخضر والنعناع. ولا تمرّ دقائق إلا ونكون قد التهمنا كل «الجاط». وهو أمر كان يتكرّر عدّة مرات في الأسبوع حتى سمعت البعض يسألني: «ألا تتعب الدكتورة أم ألبير من دقّ الكبّة؟» كنت أضحك ولا أجيبهم وأقول في سرّي: «اللّه يحميها من عيونكم». أما اليوم فقد بات الجرن نوعًا من «الديكور» وحلّت محلّه «المولينكس» التي تطحن اللحم بكبسة زر. لم يعد للحاضر طعم زكيّ كما للماضي، تبدّلت الأيام حتى إننا لم نعد نرى رجالًا يرتدون الغنباز والعقال، بتُّ بين القلائل الذين يحافظون على هذا الزيّ، وهو الزيّ الذي ألبسني إياه سيّدي الأول الشيخ خليل ولن

أتخلّى عنه أبدًا. حتى الطربوش الأحمر الذي أصبح مهلهلًا ورثًّا لن أرفعه عن رأسي وسيدفن معي.

- هذا هو التطوّر ولا نستطيع إيقافه، يجرفنا من دون استئذان وننصاع له بحكم الضرورة ولا يمكننا إلا مجاراته لكي لا يسبقنا الزمن ونصبح متخلّفين.

- اتبعوه كما تريدون واتركوني أعاند وحدي «راسي براس هالزمن الماكر».

- دعنا من الزمن، هذا اللغز الكبير ولنعد إلى تحضير التبّولة، أم أنك عدلت عن الفكرة؟

- وهل أنسى رغبة حبيبتي هبى؟ قليل من الوقت وتكون جاهزة. سأشتري الخضار وأعود وأنت اتصلي بمن تشاءين ليشاركنا أكل التبّولة واحتساء العرق.

قال ذلك ولم يذهب بل راح ينظر إلى الحديقة التي هي مرجة خضراء. وحين سألته ماذا يفعل؟ أجابني:

- يعزّ عليّ شراء الخضار بعد أن كنا نقطفها طازجة من الحديقة؛ كنت أزرع الحديقة بكل أنواع الخضار وكانت سيّدتي هولا تهتمّ بها وتتابع نموّ كل نبتة. أطال اللّه عمرها كم كانت تحبّ الأرض. كانت أيام خير تنعشها تلك المياه الجارية التي كانت تروينا وتروي الأرض. أين غارت تلك المياه وكيف جفّت؟ أليس من الغريب أن تجفّ بعد رحيل والدك؟ تلك المصادفة ليست مجّانية بل لها

مدلولات كثيرة، على الأقل بالنسبة إلي. كانت إنذارًا لم أفهمه إلّا مع مرور الأيام.

- سأعفيك من تحضير التبولة لأستمع منك عن والدي، ابنك المفضّل.

- صحيح هو ابني المفضّل ولهذا السبب لن أختصر الكلام عنه. سأنفّذ برنامجنا الآن وفي الخلوة المسائية «يحلَوّ» الكلام وسيكون عن حبيب قلبي سامي كما ترغبين.

بأسرع مما كنت أتوقّع حضرت التبولة وجهّزت الطاولة في الحديقة وملأها من حواضر البيت والبيض المقلي وسواه، ولبّت حياة ويولا وغيرهما دعوتي وجلسنا معًا نأكل ونشرب حتى أظلمت الدنيا، فانصرفتا واستفردت بـ «بيتي»، أدرت التلفاز، استمعت إلى الأخبار ثم أطفأته وصمتُّ. غمرني بين ذراعيه وقال: «حان وقت الكلام».

- ١٩ -

- لا أدري لماذا تذكّرت الآن «الراديو» الذي كان يعمل على «البطاريّة»، وتذكّري له هو دائمًا مصحوب بصوت ذلك العملاق، جمال عبد الناصر، ذلك الصوت الذي طالما تردّد في أرجائي وهو يلقي خطبه الحماسيّة الرنّانة التي كنتم جميعًا تصغون إليها وتنحازون إلى مضمونها.

- رحمه اللّه كنّا من عشّاقه.

- كان أمل هذه الأمّة ولهذا السبب قتلوه، وأنا متأكّد أنه لم يمت بحادث صحّي عادي. رحمه اللّه ألف رحمة مع الأمل أن يأتينا قائد جديد يعيد إلى أمّتنا المجد الذي تستحقّه. لكنّ الحديث في هذا الموضوع يبعدنا عمّا كنّا في صدده، وكلّ رغبتي هي أن أتكلّم عنكم أنتم.

صمت لدقائق وهو مغمض العينين. وحين فتحهما قال:

- بعد أن دخلتم المدارس وبات استقراركم في جونيه شبه نهائي، وبعد ولادة زوزو واستكمال العائلة، شعر سيّدي بأن حياته

يجب أن تكون إلى جانب عائلته واستشارني في الموضوع وقال إنّه يرغب في الالتحاق بوزارة الصحّة في بيروت كي يظلّ قريبًا منكم. حزنت لقراره هذا الذي يعني أنني سأصبح وحدي طوال شهور المدارس، لكن حبّي لكم، وله بشكل خاص، دفعني إلى التضحية بمصلحتي وشجّعته على تنفيذ قراره. شكرني وبدأ مسعاه الذي تكلّل بالنجاح وانتقل حبيبي إلى جونيه لمواكبتكم ومساعدة سيّدتي هوْلا في تربيتكم. لكنّه كان يستفيد من أي فرصة كي يأتي إلى الضيعة والمكوث في أحضاني ولو ليلة واحدة. دام هذا الوضع حتى سنة ١٩٥٦ حين تسلّم أحد وجهاء منطقتنا، وكان من أتباع كميل شمعون، وزارة الصحة وأبعد والدك، بقرار سياسي، وردّه إلى ما كان عليه، أي طبيبًا للقضاء. استاء والدك جدًّا من هذا القرار، بينما أنا فرحت به، وهكذا عاد حبيبي سامي إليّ، واستعاد نمط حياته السابقة بحيث بات يزوركم في فترات العطل فقط. لكنّ سيّدتي هوْلا كانت ترافقه أحيانًا إلى الضيعة وتمكث معه لفترة أسبوع أو أسبوعين بعد أن تكون قد أمّنت أمها أو جدّتها لتكون معكم. لا أخفيك أن هذا الوضع أفرحني وبث في جوارحي الحياة من جديد على الرغم من استياء والدك منه.

– حادثة إعفاء والدي من عمله في وزارة الصحة في فترة حكم شمعون تكرّرت معي أيضًا سنة ١٩٧٦ حين تولّى شمعون وزارة الخارجية حيث كنت أعمل في مركز البحوث التابع لها. كنت متعاقدة مع المركز الذي كان يرأسه أنطوان فتّال منذ أربع سنوات

وحين عيّن كميل شمعون وزيرًا للخارجية صرفني مع عدد من الزملاء من العمل ولم يجدّد لنا العقد.

- علمت بذلك القرار في حينه، لكنّي كنت مطمئنًا إليك لأنك كنت قد نلت شهادة الدكتوراه التي فتحت لك أبواب الجامعة. أما الآن فلنعد إلى الفترة السابقة، فترة نشاط والدك وتخطيطه للمستقبل.

- لم أعلم بنشاطه ذاك إلّا لاحقًا، لكنّي أذكر جيّدًا تلك الفترة وكنا نفرح جدًّا بوجود جدّة والدتي معنا. كانت كالنسمة الرقيقة، وحضورها مؤنس جدًّا ورائحتها كالبخور وكانت تردّد دائمًا: «النظافة من الأيمان». ولكن لا أخفيك أننا كنا نحزن جدًّا لغياب والدي عنا لفترات كانت تطول أحيانًا أكثر من أسبوعين. أما حين كانت ترافقه والدتي فكنت أشعر بالحزن العميق، بحزن يشبه اليتم. ويوم عودتهما إلينا كان كعودة الروح إلى جسدي.

- كنت أسأل أمك عنكم وكانت فخورة بك جدًّا إذ كانت تجيبني: «إلهام باتت تعرف وتحسن القيام بكل متطلّبات البيت وأنا أتّكل عليها جدًّا».

- صحيح لقد علّمتني باكرًا كل أنواع الطبخ ودرّبتي على كل وسائل التنظيف والجلي وغيره من احتياجات البيت كي يظلّ «مهفهفًا» كما كانت تقول. وأنا الآن أدين لها بكل ما أعرف في هذا الخصوص وقد حافظت حتى الآن على طريقتها في تحضير الطعام ولم أنجرّ وراء ما أتت به الحداثة في هذا المضمار. وأمّي

٢١٤

الآن لا «تستطيب» إلا طبخي أنا وتفضّله على طبخ شقيقتي أمال التي ترغب في التجديد وتجريب كل الوصفات الحديثة التي لم نُربَّ على طعمها في صغرنا. ألم تلاحظ أننا خرجنا عن الموضوع؟ أعدني أرجوك إلى والدي.

- أنا لا أحب سير الكلام في خط مستقيم واحد وأفرح بكل التشعبات التي تدخلين فيها حتى ولو كنت أعرفها. أما عن والدك فقد استمرّ وضعه على ما هو عليه حتى سنة ١٩٦٠. وخلال هذه السنوات نشط والدك بشكل ملحوظ وبات معروفًا في كل المنطقة وصارت له شعبيّة تصغي إلى آرائه وتتبعه في كل اختياراته وبخاصة السياسيّة منها، وهو كان يحاضر في الضيع ويحثّ الناس على التمرّد على طغيان بعض الإقطاعيين الذين يستعبدونهم ويطالب بحقوق الأقليّات في الأمور الانتخابيّة وبخاصة حقوق الطائفة الكاثوليكيّة، طائفته، التي كان يمثّلها دائمًا الأغراب عن المنطقة. وكان دائمًا يقول لي: «سترى، سيأتي يوم يكون ممثّلنا في البرلمان من ضيعتنا». وكنت أسأله: «هل تهيّئ الطريق لألبير؟» كان يضحك ويقول «صاحب الحق سلطان وإرادة الناس لن تُهزم مهما طال الزمن». كان فخورًا جدًّا بابنه البكر ويخبرني دائمًا عن حيازته المرتبة الأولى في كل الصفوف. وحين دخل ألبير معهد الحقوق كانت فرحة والدك لا توصف. وهذه الفرحة عزّزها ابنه في آخر السنة حين تبوّأ المرتبة الأولى بين زملائه ونال جائزة كانت كناية عن منحة تعفيه من دفع قسط الجامعة في السنة التالية. ووالدك كان يتباهى ويقول: «لم

أدفع إلا مرّة واحدة على ألبير لأنه في نهاية كلّ سنة كان يُعفى من أقساط السنة التالية». أما إدوار فقد دخل المدرسة الحربيّة وكان يزورني أحيانًا متقلّدًا القلبق الأبيض ويختال في أرض الدار وبين الأهل والأقارب كأنّه أمبراطور. وهنا تحضرني تلك الزيارة للضابط أنطوان سعد لأبيك هنا في أرجائي. في تلك الليلة كان والدك قد دعاه إلى العشاء وهو كان يتفقّد أوضاع الجيش في منطقتنا. حين رأى ذلك الضابط المحنّك كلًّا من إدوار وألبير وكانا لا يزالان في طور المراهقة، قال لوالدك: «ألبير للسياسة وإدوار للعسكر». كم كان حكمه صحيحًا!

- ألا تذكر حين كان يفترش إدوار الأرض لينام وهو ما زال طفلًا؟ وماذا كان يجيب والدتي حين كانت تؤنّبه؟

- كيف لا أذكر؟ كان يقول لها: «أنا أتمرّن على حياة الجيش». منذ صغره كان يشكّل مع رفاقه فرقًا ويقلّدون العسكر في السير والمعارك والحرب وما إلى ذلك. ودخل المدرسة الحربية والتحق بالبحريّة ونال شهادة الهندسة وطاف حول العالم في الباخرة الفرنسية «جاندارك» وتخّرج ضابطًا وكان الضابط الوحيد في الضيعة بعد أن كان من سبقه إلى السّلك، وهو شفيق سلّوم، قد شارف التقاعد.

- إدوار اختار ما يحب ونجح في مهنته على الرغم من بعض المضايقات له والتي تلاشت حين أتى صديقه إميل لحود إلى رئاسة الجمهورية.

- تلاشت المضايقات، لكن لحّود وعلى الرغم من صداقته مع حبيب قلبي إدوار، لم ينصفه كما يجب وكما يستحق.

- لا تنسَ تلك المرحلة وسطوة الإخوان وتأثيرهم على كلّ القرارات في البلد، وبخاصة تأثير عبد الحليم خدّام وغازي كنعان. لكن أعدني إلى والدي ونضالاته في سبيلنا وفي سبيل الضيعة والمنطقة.

- أنت شيطانة، تخرجينني دائمًا عن السياق ثمّ تعيدينني إليه وفقًا لرغبتك وشطحاتك. لكن، لا بأس وسأجاريك أينما توجّهتِ.

صمت قليلًا كأنه يتذكر أين انقطع الحديث عن أبي، تنحنح وقال:

- حين تسلّم فؤاد شهاب رئاسة الجمهوريّة بدأ بالإصلاحات واستحداث بعض المؤسّسات الرقابية ومنها التفتيش المركزي الذي شمل كل القطاعات. ففي سنة ١٩٦٠ على ما أذكر، أعلن عن مباراة للتفتيش الصحي وأتاني والدك ليبلغني أنه سيشارك في تلك المباراة كي يعود إلى وزارة الصحّة التي أخرجوه منها ظلمًا في عهد كميل شمعون. أتى بكل الكتب والوثائق وغيرها وتحضّر وشارك في تلك المباراة وعند إعلان النتائج بلّغني أنه صنّف أوَّلَ وكان فرحًا جدًّا لأنه، وبالإضافة إلى استرداد حقّه، كان يودّ أن يكون قريبًا منكم في جونيه. فرحت لفرحه لكنّني في داخلي كنت حزينًا، لأن هذا الوضع الجديد سيحرمني إياه لفترات طويلة. لكني لم أبدِ امتعاضي أمامه

وباركت له بالوظيفة الجديدة وسمعته يقول: «سأساعد أبناء ضيعتي ومنطقتي بكل الوسائل القانونيّة وسأعمل على تحصيل حقوقهم المهدورة وبخاصة في مجال الطبابة والصحة العامة». لم يفاجئني كلامه، فهو أمضى حياته في محاولة إعلاء شأن أبناء هذه المنطقة وهو مع صديقه توفيق رزق الذي تعرفينه جيّدًا من أدخل الفكر الشيوعي إلى الضيعة، ذلك الفكر الذي، كما فهمت من والدك، يقول بالعدالة وبتوزيع الثروات وبتحصيل حقوق المظلومين من أيدي المستغلّين و... وكان يلقي المحاضرات بهذا المعنى ويحثّ الشباب على التمرّد على الظلم وعلى المطالبة بحقوقهم من الدولة وكل المستغلّين، وكانت لكلماته أصداء إيجابيّة، لكنّه لم ينشئ حزبًا أو تجمعًا منظّمًا واكتفى بمحاولة نشر أفكاره التنويريّة التي، كما كان يقول لي: «لا بدّ من أن تثمر وبخاصة أنّني أدفع الشبان والشابات إلى التعلّم وهم بدأوا يتجاوبون».

- هل تعلم أنني وجدت بعض هذه المحاضرات في حقيبة والدي بعد وفاته وقرأتها وقدّرت عاليًا ما كان يقوم به من توجيه للشباب. رحمه الله، حتى آخر أيّامه لم يتزحزح عن مبادئه.

- وأورثكم هذا الثبات على الانحياز دائمًا إلى الحق والعدل والمنطق وأورثكم عزّة النفس والتمسّك بالكرامة. أقول ذلك لأنني أسمع الآن الكثير عن الذين يبيعون مواقفهم وكرامتهم وربّما أعراضهم من أجل الوصول إلى منصب أو غيره.

- ما يحدث اليوم لا يصدّق، إغراء المال بات لا يقاوم.

- لا يقاوم عند من هو رخيص ووصولي وعند الذي يزحف زحفًا تحت أقدام من يراه نافذًا في الدولة أو أي مؤسّسة. هؤلاء لا يعرفون معنى الكرامة التي هي أغلى من الحياة نفسها. ولكن دعيني من هؤلاء الصغار واتركيني مع والدك الذي غادرني في بداية الستينات وانتقل إلى عمله في بيروت. قبل أن يغادر طلب من ابن عمّه حبيب أن يهتمّ بي ويلبي كلّ احتياجاتي. كان حريصًا على ألا ينقصني شيء في غيابه.

- أنت خسرته في تلك المرحلة لكن نحن ربحناه وبتنا ننعم بوجوده كلّ يوم معنا في البيت.

- هذا ما كان يعزّيني ويعطيني القوة والصبر حتى يأتي فصل الصيف وأراكم من جديد وأفخر بكم وبإنجازاتكم في تحصيل العلم ولا أنسى صيف سنة ١٩٥٩ حيث زارنا كل الأقرباء ليهنئونا بنجاحك بشهادة «البريفه» وكنت أول فتاة في الضيعة تصل إلى هذا المستوى. في ذلك الصيف سمعت الجميع يقولون إن إصابتك بتلك الرصاصة في جبهتك كانت «صيبة عين». وأكثر من ذلك لقد حسدتك الفتيات حين علمن أن ذلك الضابط الوسيم «يلفي عليك» ويريد الزواج منك.

- الامتعاض من ذلك الضابط لم يقتصر على الفتيات فقط. ألا تذكر كل المضايقات له التي قام بها بعض شبان الضيعة حتى وصل

الأمر بأحدهم أن يرمينا بالحجارة حين رآه يسهر معنا على السطيحة وتوصّلوا إلى قطع الطريق كي يفهموه أنه غير مرغوب فيه؟

- أذكر، لكن إغلاق الطريق كان في اتجاه عودته من الضيعة وهذا ما دفع به إلى القول وعن طريق المزاح: «هذا يعني أن أهالي الضيعة يرحبون بي ولا يريدونني أن أخرج من عندهم». حين عاد إلى هنا وأخبرنا، استاء والدك جدًّا وعلى الفور أرسل من يفتح له الطريق وكل وجهاء الضيعة أجمعوا على استنكار تلك الحادثة الغريبة عن تقاليدنا.

- وحين عدنا إلى جونيه ظلّ بطرس يزورنا وكان والدي يرحّب به. في تلك المرحلة كان الجميع يقدّرون الجيش وهو كان له دور مهمّ في حفظ الأمن وفرض هيبته. لكنّ أخي ألبير لم يكن مطمئنًّا إلى زيارات بطرس وكان يتمنى لي إتمام دراستي ودخول الجامعة كما فعل هو.

- في تلك الفترة كان ألبير قد دخل كلية الحقوق وذاع صيته فيها، وإدوار كان في المرحلة الثانوية ويتهيّأ لدخول المدرسة الحربيّة، وأمال كانت لا تزال في المرحلة التكميليّة وتتعارك مع الأساتذة وتنصب لهم الأفخاخ ومع ذلك كانت تنجح في الدراسة. أما زوزو فكان لا يزال صغيرًا ويحتال على أمّك والمعلّمين كي يهرب من المدرسة. أخبرتني أمّك أنه اختبأ مرّة عند الجيران وحين كانت تنتظر عودته من المدرسة ولم يعد، انشغل بالها وأخذت تبحث عنه وتسأل

الجيران هل يعلمون شيئًا عنه، وقالت لها الجارة التي خبّأت زوزو: «ابنك عندي، لكن عديني أنك لن تعاقبيه». وخرج زوزو من مخبئه ونال نصيبه من والدتك التي لم تتمكّن من تلبية رغبة الجارة.

- تلك الحادثة وقعت قبل أن ينتقل والدي إلى العيش معنا. وبوجوده انتظم الوضع وما عاد أحد منا يجسر على الخروج عن الطاعة. كان صارمًا في تربيتنا مع أنه لم يصفع أحدًا منا ولو مرّة واحدة.

- بعد تسلّمه الوظيفة الجديدة في التفتيش، أخبرني والدك أنّكم انتقلتم إلى بيت جديد له شرفة واسعة جدًّا ومطلّة على البحر، أذكر أنه قال: «لقد كبر الأولاد وإلهام صارت صبيّة وبتنا نستقبل الكثير من الشبان، رفاق إدوار وألبير، وبات من الضروري أن يكون بيتنا يليق بنا وبضيوفنا». وتابع: «في كلّ حال هذه رغبة هؤلا التي أقنعتني بأن بيتنا قرب المدارس بات ضيّقًا وغير لائق لاستقبال من يزورنا بنيّة طلب يد إلهام». وسألته، يومها، عن الضابط بطرس الذي كثر اللّغط حوله في الضيعة وأجابني أنّه يزوركم باستمرار وقد لمّح إلى رغبته في التقرّب منكم. وفي نهاية سنة ١٩٦١ زارني في فترة عيد الميلاد وأخبرني أنك خُطبت إلى الضابط. فرحت بالخبر وسجّلت ملاحظة إذ قلت له: «ألا تظنّ أن إلهام ما زالت صغيرة؟». هزّ برأسه وقال: «وهذا هو أيضًا رأي ألبير الموجود حاليًا في باريس ممنوحًا من الجامعة لمتابعة دراسته».

- ألبير لم يحضر حفلة خطوبتي التي ما إن انتهت حتى كتبت إليه رسالة شاركني فيها خطيبي بطرس وعبّرنا فيها عن مشاعرنا وأملنا بالمستقبل، وبأقل من عشرة أيام أتانا جوابه حيث قرأنا رأيه الذي عبّر عنه بتعليق هو التالي: «كتابة بطرس ناضجة، أما إلهام فتجيد استعمال الفواصل والنقاط».

- وأنا أوافقه الرأي مع تعديل مهم وهو أنّك تجيدين بشكل خاص استعمال «النقطة على أوّل السطر». تطوين الصفحة وتنهين الموضوع في الصداقة كما في الزواج كما في غيرهما.

- إلى ماذا تلمّح أيها المحتال؟

- الأمر ليس بحاجة إلى توضيح؛ فمن يتابع كيف أنهيت زواجك الأول والثاني وبعض الصداقات يدرك أنّك «مايسترو» في طي الصفحة.

- تعرف جيّدًا طباعي، أتحمّل الكثير إلى أن يطفح الكيل، ولكن حين يطفح يأتي القرار الحاسم.

- بت أعرفك جيدًا وأنت في ذلك ابنة هذا البيت الذي لا يعرف المراوغة ولا التزلّف ولا الانسياق وراء أي أمر لا يكون مقتنعًا به. هذا كان مبدأ والدك وقد ناضل طوال حياته في سبيله ونجح في تحقيق قسط كبير ممّا كان يصبو إليه على الرغم من محاربة المتنفّذين له؛ كان يطمح إلى تعزيز ضيعته ومنطقته بأن يمثّلهما أبناؤها لا الأغراب عنها وبخاصة تمثيل الأقليات التي كانت حقوقهم مهدورة ويتحكّم بها إقطاعيّو السياسة الكبار.

- ألاحظ، ويا للأسف، أنّنا عدنا إلى ما كنّا عليه وفهمك كفاية.

- دعكِ من هذا الموضوع الآن واتركيني أخبرك عن جهاد والدك في هذا المضمار؛ في ربيع سنة ١٩٦٤ حان وقت الانتخابات النيابيّة وكان ألبير تحت السن لخوض تلك المعركة، لكن والدك كان قد خطّط لهذا الموضوع وطلب تصحيح سن ألبير قبل سنتين من موعد الانتخابات بشكل مكّنه من الترشّح عن المقعد الكاثوليكي في منطقة بعلبك الهرمل. شكّلت اللائحة برئاسة المرحوم رياض طه وخاضوا الانتخابات، وكل ما يسبقها من مهرجانات واستقبالات، وبتُّ في حركة، ولا أفرغ من الزوّار والمؤيّدين لمدّة أكثر من شهر. لكنّ النتائج أتت كما كان يتوقّعها والدك لمصلحة مرشّحي المال والإقطاع وهو يردّد: «إنّها البداية ونتائجها مشجّعة جدًّا والمستقبل لنا وسينتصر الحق على سالبيه». في تلك الفترة كنت أنت قد تزوّجت من ذلك الضابط، ولكن كما علمت من والدك كنت تمضين أغلب أوقاتك عند أهلك وأنت تتابعين دروسك في الجامعة. تألّمت جدًّا لأنّني لم أحضر عرسك الذي أقيم في بيروت على طريقة أهل المدن، لكنّك واسيتني وجلبت معك «فيديو» العرس وهكذا تمكّن كل أهالي الضيعة وبخاصة النساء من رؤيته، وأنا شعرت بنوع من العزاء حين رأيت تألّقك في ذلك اليوم. وشقيقتك أمال أيضًا تزوجت بعدك بسنتين وعلى الرغم من أنها تزوجت من أحد أقربائنا إلا أنها هي أيضًا تزوّجت في المدينة ولم أحضر عرسها إلا عبر «الفيديو». لكنّها كانت أنشط منك وأنجبت طفلها الأول زياد الذي بات حبيب

٢٢٣

جدّته و«لعّوبة» البيت بأكمله. في ذلك النهار كنتم كلّكم هنا في أحضاني، جئتم للاحتفال بعيد «سيّدة الراس». في نهاية ذلك اليوم المبارك بدأت أمال تشعر بالطلق ونقلتموها فورًا إلى مستشفى رزق في بيروت حيث ولد زياد أوّل حفيد لحبيبي سامي. فرحنا جدًّا بقدوم هذا الطفل ووزّعنا الحلوى، لكنّي لم أره إلا بعد مرور سنة على ولادته حين أتت به أمال لتمضية فصل الصيف في الضيعة. تلك «الصيفيّة» أمضاها هنا عند جدّته هؤلا التي صادرته من أمّه واهتمّت هي به. لكن ذلك الطفل كان كثير الحركة ويكره النوم حتى في الليل الذي يمضيه وهو يصرخ ويبكي ممّا دفع بعض الجيران إلى القول: «هذا الطفل لا ينام ولا يترك أحدًا ينام». والمستغرب أن والدتك لم تتذمّر يومًا منه وكانت تلبّي له كل رغباته على عكس ما كانت تتعامل معكم وأنتم صغار.

- من المعروف أن الأم حين تصبح جدّة تكون متسامحة مع أحفادها أكثر ممّا كانت عليه مع أولادها، ولهذا السبب الأولاد يحبون الإقامة في بيت الجدّ عادةً.

- في نهاية ذلك الصيف حدث ما يتذكّره أهالي الضيعة حتى اليوم وهو المهرجان الذي أقامه والدك، لمناسبة زواج ابنه البكر ألبير الذي كان في حينه مدير الضمان الصحّي واختار زوجة له إحدى زميلاته في العمل. تمّ الإكليل في بيروت مرفقًا بحفلة في أحد الفنادق. وما إن تمّ الزواج حتى عاد والداك إلى الضيعة ووجّها دعوات إلى كل وجهاء الضيع في المنطقة إلى غداء يقام على شرف

العروسين في بيتهما في رأس بعلبك. ولتحضير تلك الحفلة، كان لوالدتك دور أساسيّ، إذ نظّمت كل العمل ووزّعت المهمات على المساعدين وقد اشترك كل أهالي الضيعة فيها، وقد تحوّلت إلى مهرجان سياسي بامتياز نظرًا إلى نوعيّة الحضور، وقد ساهم كل الشبان في إنجاحه من خلال خطّة تنظيميّة باتت مضرب مثلٍ في الضيعة. وهنا لا بدّ من تسجيل ملاحظة وهي أن كل أهالي الضيعة، ومهما كان بينهم من خصومات سياسيّة أو غيرها، يشاركون في إنجاح أي حدث يقوم به أحد أبنائها وهو أمر عايشتُه منذ أن وُجدت في هذه الضيعة؛ الفرح هو فرح الجميع والحزن هو حزن الجميع. لكن والدك كان يخطّط لأبعد من إقامة حفلة زفاف لابنه، كان يحضّر الجو للانتخابات النيابية التي كان موعدها في ربيع سنة ١٩٦٨ أي بعد أقلّ من سنة على إقامة الحفلة. وفي تلك الانتخابات قدّم ألبير ترشّحه وشكّل مع رفاقه لائحة في وجه لائحة السلطة وتحالف المال والإقطاع السياسي ونشط مع والدك وحلفائهما من أهالي الضيعة لمحاولة الفوز، لكن سلطة المكتب الثاني في تلك المرحلة وقدرته على تحويل النتائج كما يريد وكما كان مخططًا له مكّنته من إنجاح من يريد وإسقاط من يريد، وهكذا لم يُوفّق ألبير ورفاقه في تلك الانتخابات التي وسمها والدك بالتزوير من دون أن ييأس وهو يقول: «سنصل على الرغم من أنوف كلّ المتسلّطين». قال ذلك مرتكزًا على ما حصل عليه ألبير من أصوات المسيحيين في المنطقة وكانت نسبتها عالية جدًّا ممّا كان يعني أن أبناء المنطقة المسيحيّين يريدون

ألبير ممثّلًا لهم. وتأييد أبناء الطائفتين، السنيّة والشيعيّة بخاصة كان مشجّعًا بعد العلاقة الطيّبة التي أقامها ألبير مع السيّد موسى الصدر وإطلاق مقولته الشهيرة حين قال في أحد المهرجانات وهو برفقة السيّد: «كلّنا في الحرمان شيعة». هذا ما عوّل عليه والدك وباشر تحضير دورة سنة ١٩٧٢ من دون كَلالٍ ولا إحباط. وقبل ذلك التاريخ كانت قد ولدت لألبير ابنته الأولى ليلى التي لم تفرح أمّك بمجيئها لأنّها تحب الصبيان كما تعلمين، وحين ولدت ابنته الثانية لم تصدّق وسألت ألبير، حين أخبرها: «هلّق إجت خلص؟». كانت تنتظر ولادة الصبي الذي سيحمل اسم جدّه. وفي هذه الفترة أيضًا أنجبت أمال ابنتها غادة، وظلّ زياد هو الذكر الوحيد بين أحفاد الست هؤلا وهو الوحيد الذي كان يرافقها إلى الضيعة ويمضي الصيف فيها حتى بات معروفًا من كل الأهالي. وفي تلك الفترة أيضًا كانت أمال تتابع دراستها في معهد التمريض وحصلت على الشهادة مع ولادة ابنتها غادة التي تربّت في بيت جدّها لأن أمال بدأت عملها في وزارة الصحّة وباتت ترافق والدك كل صباح إلى بيروت. أما أنت فكنت شبه مقيمة في بيت أبيك وتتابعين دراستك في علم النفس في بيروت ووضعك الزوجي لم يكن على ما يرام كما أخبرتني والدتك، وبالها مشغول من عدم إنجابك الأولاد. أما إدوار فقد تخرّج في المدرسة الحربيّة وبات ضابطًا في سلاح البحريّة، ودخل زوزو كليّة الطب الفرنسية. أذكر كلّ ذلك بفرح مشوب بالحزن، لأنني لم أعد أتمتّع بوجودكم جميعًا هنا في الصيف كما في السابق. باتت زياراتكم لي

تتقلّص وتندر، وهنا بدأت أشعر ببوادر النهاية إذ لا طعم للحياة من دون وجود الأحبّة، وهكذا تحوّلت حياتي إلى فترات انتظار طويلة وموحشة يتخلّلها بعض الانفراجات حين يزورني أحد منكم.

- ولكن ثابرنا على تمضية الصيف في ربوعك كما في السابق.

- لا، السابق لن يعود. من ثابر على المجيء بشكل منتظم هو حبيب قلبي سامي ووالدتك يرافقهما زياد وأحيانًا أنت. أما الباقون فقد بخلوا علي كثيرًا وبخاصة الأحفاد الذين بالكاد تعرّفت إليهم.

- كان كل واحدٍ منا يناضل لتحقيق ما يصبو إليه لتأمين حياته بشكل يليق بنا وبك أيها العزيز.

- أنا لا أنكر ذلك، لا بل أنا فخور بكم جميعًا وهذا ما كان يعزّيني في فترات غيابكم عنّي. لكن وعلى الرغم من فرحي بكم وبطموحاتكم كان هنا في زاوية من كياني مسحة حزن وألم وشعور بالإهمال ولو غير المقصود من قبلكم.

- أنت تظلّ في القلب مهما ابتعدنا عنك وانشغلنا بأمورنا الخاصة.

- أعرف ولهذا السبب سأعيدك إلى زمن الفرح والعزّ. سأعود بكِ إلى بداية السبعينات من القرن الماضي.

لقد نعستُ وتعبتُ وأنت أيضًا بحاجة إلى الراحة كي تتابع غدًا.

- صدقتِ، لكن الكلام عن حبيبي سامي لا يتعبني. وكما تريدين أتابع غدًا.

صبيحة اليوم التالي استفقت باكرًا ولم أجده والصمت يخيّم على كل أرجاء الداخل. توجّهت إلى المطبخ علّني أفاجئه وهو يحضّر الفطور لكني منيت بالفشل، وسارعت إلى الهرولة على السلّم لأبحث عنه في الحديقة. لم يخب أملي هذه المرّة ورأيته تحت شجرة التين التي كان قد زرعها خصّيصًا لي وهي من نوعيّة التينة التي كنا نتسلّق أغصانها في بيت جدي لأمي حين كنا صغارًا. كان، إلى جانبه، على الأرض، صحن كبير طافح بأكواز التين البقراطي الشهيّ. حين رآني رمى «الباكورة» التي كان يحملها والتي استعان بها ليطال الأغصان العالية، حمل صحن التين وقال: «اتبعيني». وصعدنا معًا إلى الطبقة العلوية حيث أجلسني على الشرفة وأمامي صحن التين وقال: «بينما أحضّر القهوة تلذّذي أنت بهذه «الطيبان» المعسّلة، هذا هو فطورك اليوم، إيّاكِ أن تطلبي غيره». لم ينتظر تعليقي أو جوابي، أدار لي ظهره وتوجّه نحو الداخل.

عاد بالقهوة، جلس إلى جانبي وباشر كلامه من دون مقدّمات:

- في بداية السبعينات كان والدك لا يزال في وظيفته في التفتيش المركزي، تلك الوظيفة التي برع في تلبيتها والتي بسبب تطبيقه للقوانين من دون أي تمييز منحته سمعة طيّبة وبات الجميع يهابه. باختصار، فرض وجوده ومع ذلك ساعد كل المحتاجين من أبناء المنطقة في الوصول إلى حقوقهم المشروعة في الطبابة والمساعدات الاجتماعية وغيرها. هذا من ناحية، أما من ناحية ثانية فألبير كان قد عيّن مديرًا للضمان الصحّي بناءً على شهاداته ومعلوماته في هذا المجال، ونجح نجاحًا كبيرًا في هيكلة هذا القطاع وتنظيمه، وكان كأبيه مطبقًا صارمًا وشرسًا للقوانين من دون أي تمييز بين مواطن وآخر إلى أي جهة انتمى طائفيًّا أو اجتماعيًّا أو غيرهما. ووضعه هذا مكّنه من توفير وظائف لعدد لا يحصى من أبناء الضيعة والمنطقة على السواء، بحيث أنك الآن لا تجدين بيتًا في الضيعة ليس فيه موظّف أو أكثر يدرّ على عائلته، ما يسمح لها بالعيش الكريم. إلى جانب أبيك وألبير كان أيضًا إدوار الذي كان قد عاد من جولته حول العالم، في إطار تخصّصه بالسلاح البحري، وتسلّم مركزه الذي كان بين صور وجونيه و...

هنا قاطعته لأقول: «وفي هذه الفترة شبعنا من ثمار البحر التي كان إدوار يأتينا بها وبخاصة من بحر صور. لم أذق، في حياتي ألذّ من تلك الثمار.

- ولكن، كما أعلم، أنت لا تحبين ثمار البحر.

- صحيح، لكن في تلك الفترة تعودت على طعمها وأحببته، ربما لأنها كانت دائمًا طازجة وليس كالتي نبتاعها من سوق السمك. على كل حال بعد تلك المرحلة ما عدت أستطيب أكل السمك. أما الآن فأعدني إلى ما كنا عليه.

- تسعين دائمًا إلى تشتيت فكري، ولكن لن تنجحي، وسأتابع كأنّي لم أسمع تعليقك. إدوار الذي ذكّرك بالسمك الشهيّ كان له دور كبير في مساعدة أمور كل شاب أراد الالتحاق بالجيش أو الدرك أو أي سلك من الأمن، وتسهيلها. أدخل العديد الى الجيش اللبناني كجنود وساعد كل من تعلّم ورغب في الالتحاق بالمدرسة الحربيّة لكي ينال مبتغاه، ولدينا الآن عدد كبير من الجنود وعدد لا بأس به من الضباط وكلّهم «يبيّضون الوجه» بمسلكيّاتهم وانضباطهم وتفانيهم في خدمة الوطن. وكلّهم يحبّون إدوار وهو، على كلّ حال كان نموذج الضابط الحقيقي من حيث الخدمة والأخلاق والنزاهة والجرأة بشكل أن لا أحد يستطيع أن «يغبّر على سرمايته».

صمت قليلًا ثم قال: هل تعلمين أنّني لم أصدّق ما رأيته حين رفعوا صور رؤساء الأجهزة الأمنيّة في تظاهرات فريق ما يسمى بالرابع عشر من آذار وكانت صورة إدوار بينها. كيف تجرّأ هؤلاء الجهلة على أن يفعلوا ذلك؟ لكن «اللّه كبير» لم يوقفوا إدوار والمحكمة أنصفت الآخرين ولو بعد أن دفعوا الثمن غاليًا من حياتهم. لعن اللّه السياسة حين يديرها أناس جهلة لا يحرّكهم سوى الحقد والانفعال.

- فوجئت مثلك في ذلك اليوم لكنّ قلبي كان مطمئنًّا لأنّني أعرف إدوار جيّدًا وأعرف أن من المستحيل أن يتورّط بعمليّة قتل أو إجرام من أي نوع كان. ولكن دعنا من هذا الموضوع الذي يدخلنا في تحليلات كبيرة وربما خطرة. أعدني إلى السبعينات من هذا القرن. لن أسمح لك مرّة أخرى بأن تستبق الأمور.

- أمرك سيّدتي فأنا أكثر منك رغبة في العودة إلى ذلك الزمن. ففي بداية السبعينات كانت أمال قد أنهت دراستها في مجال التمريض وسلموها رئاسة قسم الممرّضات في مستشفى الكرنتينا، المستشفى الحكومي ومأوى كل المرضى الفقراء والمحتاجين. وهنا كان لأمال دور كبير جدًّا في مساعدة كل أهالي منطقتنا وشكّلت مع والدك ومع ألبير وإدوار «سيبة» مربّعة الزوايا حملت كل هموم المنطقة بشبابها وشيبها. أمال نجحت جدًّا في عملها واكتسبت خبرة تفوق أحيانًا خبرة الأطباء أنفسهم، ومع ذلك ثابرت على تحصيل المعرفة وحقّقت طموحها في نيل شهادة الدكتوراه وأنشأت نقابة للممرّضين ودخلت مجال التعليم في الجامعة على الرغم ممّا مرّت به من صعوبات.

- أترك هذا الموضوع إلى حينه وتابع السياق، أرجوك.

- ذاكرتي مملوءة بالأحداث وتفيض بشكل لا إرادي، ولكن سأحاول ضبطها.

- قلت إن أمال ووالدي وألبير وإدوار ساهموا جدًّا في مساعدة أهالي هذه المنطقة و...

- أعرف إلى أين تودّين الوصول أيتها النرجسيّة. لا لم أنسَكِ لكنّك أنت في تلك الفترة كنت مثابرة على تحصيل العلم وغارقة في تساؤلاتك حول زواجك وعدم إمكان استمراره و...

- تقصد أنّني كنتُ بعيدة عن الشأن العام.

- لا أقصد ذلك إطلاقًا لأن ما قمت به في كتابة رسالتك حول تحرير المرأة في لبنان شكّل إنجازًا ضخمًا ما زال حتى اليوم كل من يبحث في شؤون المرأة يعبّ من أفكارك تلك، حتى ولو لم يذكر مرجعيّته. كل ما أسمعه اليوم في هذا الموضوع سبق لي أن سمعته منك في بداية السبعينات. أسمع صدى لصوتك الذي صدح عاليًا دفاعًا عن حقوق المرأة وضرورة تسوية حقوقها بحقوق الرجل على الرغم من أنك كنت لا تزالين تسمين الأنثى «امرأة» قبل أن تنحتي مصطلحك الجديد «إنسى».

- هل قرأت رسالتي تلك؟

- تعرفين أنني لا أقرأ جيّدًا ولا أكتب بسهولة، لكنّ سمعي ودقّة ملاحظتي وحبّي للمعرفة هي الأدوات التي تساعدني على متابعة كتاباتك، وقد سمعت من والدك الذي قرأ رسالتك تلك في حينه، أنها جريئة جدًّا وأنه متخوّف من إمكان رفض اللجنة الفاحصة لها.

- كاد يحدث ذلك لولا تدخّل أحد أعضاء اللجنة وهو كمال الحاج، رحمه اللّه، الذي أقنع الآخرين بقبولها على أمل أن أكتشف بنفسي حنكة تدوير الزوايا، تلك الحنكة التي نكتسبها من تجارب الحياة.

- أظن أن أمله قد خاب وذلك واضح في كتاباتك وحتى في سيرة حياتك الواقعية. لا تسايرين على حساب اقتناعاتك وهذه سمة تجمع في ما بينكم جميعًا أنت وكل أشقائك وشقيقتك.

- ودفعنا غاليًا ثمن هذه السمة، ولكن من دون أي ندم، ونحن مستمرّون في خطّنا الذي ربّينا عليه.

- «مين خلّف ما مات» رحم اللّه والدك وأطال عمر أمّك التي اشتقت إليها وإلى طلّتها الأبهى من طلّة القمر البدر.

- ما تقوله صحيح، فهي على الرغم من التقدّم في العمر وعلى الرغم من إصابتها بداء السكري منذ أكثر من عشرين سنة وبعض الضغط، ما زالت بشرتها أنقى وأصفى وأكثر إشراقًا من بشرات الصبايا، لكن همتها ضعفت قليلًا وهي تتلافى المجيء إلى هنا لأن كلّما أتت شكت من عينيها وقالت: «أشعر كأن عيني مملوءتان بالرمل». ربما جفاف الطقس هنا ما عاد يناسبها على الرغم من رغبتها الدائمة في أن تكون بين ذراعيك.

- بلّغيها محبّتي وشوقي إليها، كل أملي أن أراها ولو مرّة واحدة قبل...

قال ذلك وصمت وأنقذ الوضع دخول أحد الأقارب الذي صاح من أول الدار: «شو هالجلسة الحميمة!».

رحّبنا به وانتقلنا إلى أجواء أخرى وسمعنا منه كل أخبار الضيعة قبل أن يغادر تاركًا لنا المجال لتحضير وجبة الغداء التي أصرّ «بيتي»

على أن يفاجئني بها. تركني ودخل المطبخ ودخلت غرفتي لأحضّر نفسي لفترة بعد الظهر واستقبال الزوار في الحديقة. بالفعل كان الزوّار كثرًا ولم يغادروا إلا في ساعة متقدمة بحيث تعذّر علينا متابعة الكلام وتأجيله إلى الغد.

- ٢١ -

مساء اليوم التالي أطفأنا النور باكرًا ودخلنا إلى غرفتي حيث استلقيت على السرير وجلس هو على حافته، وبعد أن استعرضنا ما حدث معنا في ذلك اليوم، صمت وغرق في ذاته فأدركت أن وقت الجدّ قد حان، وصمتُّ بدوري وطال صمتنا لأكثر من خمس دقائق قبل أن يسند ظهره إلى الحائط إلى جانب السرير ويأخذ إحدى يدي بين يديه ويقول:

- دعيني أرسم لوحة كاملة عن وضعكم ووضعي في بداية السبعينات قبل أن أتابع.

- ومن يمنعك من ذلك، أنت سيّد القول وأنا متلقّية فقط.

ضحك من جوابي وقال باستغراب بيّن: «أنت متلقّية فقط! أنت مدوّنة ولاحقًا ناشرة وبك سأحيا بعد رحيلي. أما الآن فاصمتي واتركيني أتجوّل كما أشاء في تعاريج ذاكرتي».

لذت بالصمت كي لا أستدرجه إلى تعليق آخر، فباشر كلامه قائلًا:

- سأرسم اللوحة باختصار شديد وذلك فقط لكي تدركي مدى غبطتي وافتخاري بتلك المرحلة اللذين كان سببهما ما كنتم عليه من نجاح وتقدّم أعادا إليّ دبيب الدم في عروقي ولقيا صدى وتعاطفًا في كل المنطقة ومهّدا الطريق أمامكم وأمامي لنجاحات أكبر وأكبر. أبدأ بحبيب قلبي سامي الذي فرض نفسه وشخصيته في مجال عمله وبات له صيت مشرّف بالنزاهة والصرامة في تنفيذ القانون على الكل من دون استثناء حتى ولو توسّطت لديه أعلى المراجع. لم يكن عنيدًا بل مؤمن بإمكان إصلاح الإدارة وإخراجها من سطوة المتنفّذين ومغتصبي السلطة كما كان يسمّيهم. أما ألبير فهو أيضًا كان قد نظّم قطاع الضمان وبات مرجعًا في ذلك المجال وهو على خطى والده في شخصيّته وفي ضرورة تطبيق القوانين التي مكّنته من توظيف العديد من أبناء الضيعة والمنطقة على السواء، وهذا ساهم في تنمية شعبيّته وخصوصًا بين الشباب. وإدوار لم يشذّ عن القاعدة وبات ضابطًا مميّزًا في الأخلاق والنزاهة وحبّه لمؤسّسته التي وهبها حياته وساهم في مساعدة كل من طرق بابه، من الطبقة الفقيرة، طالبًا الالتحاق بالجيش. لكنّه في تلك الفترة كان لا يزال عازبًا والصبايا يحمن حوله وبخاصة أنّه كان يعشق اقتناء السيارات «السبور» الفخمة ويقودها ببعض التهوّر، كما أخبرتني أمك وهي قلقة عليه.

- على سيرة السيارات تلك، سأخبرك حادثة مضحكة حدثت معي؛ في تلك الفترة كنت أسكن في منطقة الأشرفية في بيروت وطالبة في الجامعة اللبنانية وكان إدوار يزورني باستمرار وينام أحيانًا

في بيتي، وكان يملك سيارة «موستنغ» سبور حمراء اللون. وفي فترات غيابه لمدّة أسبوع أو أكثر في القاعدة البحريّة في صور، كنت أقود سيارته تلك للذهاب إلى الجامعة. وفي أحد الأيام كانت المحاضرة الأخيرة للأب جبر الذي كان يسكن أيضًا في دير للرهبان في الأشرفيّة. حين انتهت المحاضرة عرضت عليه أن أوصله إلى الدير كما كنت أفعل عادة. وافق ورافقني على الرصيف الذي كنت أركن سيارتي إلى جانبه. ولكن حين دعوته إلى الصعود إلى سيارة «الموستنغ» الحمراء، ارتبك ولم يدخلها إلا بعد أن نادى أحد الطلاب من رفاقي وطلب منه أن يجلس إلى جانبي وجلس هو على المقعد الخلفي على الرغم من ضيق ذلك المقعد وصعوبة الصعود إليه لأن ليس من أبواب خلفيّة للسيارة. بعد تلك الحادثة بات يتجنّبني ويهرول على السلّم قبل أن نغادر القاعة ممّا شكّل لدينا، نحن الطلاب، موضوعًا للتندّر والتسلية.

ضحك «بيتي» وقال: «أتفهّمه، لقد خاف أن «تشمسيه»، خاف على صورته وصيته وهو أب ناذر نفسه للّه».

ـ هذه الكلمة سمعتها مرّة من أحد أعزّ أصدقائي موسى الذي كان محاطًا بثلّة كبيرة من الصبايا طالبات الود. ففي فترة من زمالتنا في التعليم الجامعي بتنا أكثر من أصدقاء ونكون معًا في أغلب الأحيان. وفي إحدى جلسات سألته عن تحويم الصبايا حوله، وأجابني مازحًا: لعنك اللّه «شمسْتيني».

- أعتقد أن الكثيرين كانوا يوّدون أن «ينشمسوا» هكذا من قبل سيّدة مثلك.

- وتتهمني بالنرجسيّة وها أنت تغذّيها.

- أجمل ما فيك نرجسيّتك حتى ولو أخرجتني بها عن السياق. ولكن لم أنصَعْ لرغبتك وسأتابع.

- تعلم أن كل رغبتي الآن هي أن أصغي إلى حكايتك. كنت تخبرني عن إدوار و...

- هل تعتقدين أنني نسيت؟ أما الآن فسأنتقل إلى حبيبتي أمال، هذه المناضلة الشرسة في تحقيق كل ما تصبو إليه. في تلك المرحلة كانت رئيسة قطاع التمريض في المستشفى الحكومي الكرنتينا وقد برعت في القيام بدورها الذي بات رياديًّا. إلى ذلك تحوّلت إلى ملجأ لكل المرضى الفقراء الذين كانوا بحاجة إما إلى الدواء وإما إلى الاستشفاء. ساعدت الكثيرين وشكّلت مع والدها وأخويها شبه مؤسّسة مساعدات يقصدها كل من احتاج إلى خدمة في مجالات عديدة. أما جوزيف فقد كان لا يزال طالبًا في كلّية الطب حيث تميّز وكان دائمًا يحتلّ أحد المراكز الثلاثة الأولى في الامتحانات على الرغم من «شيطناته» و«الضروب» المضحكة الذي كان يقوم بها مع بعض أصدقائه. باختصار شديد يمكنني القول إن هذه الوضعية للعائلة بأكملها ساهمت مساهمة فاعلة في نتائج الانتخابات النيابيّة سنة ١٩٧٢ وحصد حبيبي سامي ما كان يحلم بتحقيقه، وفاز ألبير عن

المقعد الكاثوليكي في المنطقة ونال أكبر نسبة تصويت فاقت ما ناله رئيس اللائحة في حينه. وهنا بدأت مرحلة جديدة في حياتي، لكنّها مرحلة تخلّلها الكثير من الأحداث على الصعيدين العام والخاص منها المفرح ومنها المقلق.

قال ذلك ونهض من مكانه وهو يقول «لقد جفّ ريقي سأحضر بعض الفاكهة لنتناولها قبل أن أتابع. يبدو أن النعاس يجافينا هذه الليلة».

بعد أن تناولنا الفاكهة عاد إلى جلسته السابقة وقال:

- في ربيع تلك السنة ظلّت أبوابي مشرّعة لأكثر من شهرين لاستقبال الوفود الآتية من كل أنحاء المنطقة تأييدًا لألبير. لن أنسى تلك الحقبة التي أعادت إلي شبابي وحيويّتي واندفاعي، وكل أرجائي تعمل كخليّة نحل حيث كان لكل فرد أو مجموعة دور محدّد. أما قاعة الاستقبال هنا في الطبقة العلوية فكانت غرفة القيادة والتنظيم بإدارة العم نقولا والد زوج أمال ومعه الشيخ فارس رئيس البلدية في تلك المرحلة رحمهما اللّه. كنتم جميعًا هنا، في أحضاني، ما عدا إدوار، تعلمين لماذا. أما يوم الانتخاب فكان يومًا تاريخيًّا من حيث الحركة، فكل منتخب كان يمرّ بنا قبل توّجهه إلى صناديق الاقتراع ثمّ يعود بعد الإدلاء بصوته ويلازمنا بانتظار النتائج. حويت في ذلك النهار كلّ أبناء الضيعة المؤّيدين لوالدك ولألبير ولم يشذّ منهم إلا خصوم والدك وجدّيك من قبله، وهم كانوا يشكّلون ربع الأصوات

تقريبًا. مضى ذلك اليوم الطويل وأقفلت صناديق الاقتراع ولم يغادر أحد من الأهالي ربوعي، ظلّوا هنا موزّعين في كلّ أرجائي ينتظرون معكم النتائج التي ما إن حلّت الساعة الثامنة مساءً حتى بدأت ترد على والدك عبر الهاتف الذي لم يتوقّف رنينه في تلك الليلة. كان والدك يستمع ولم يظهر عليه أي انفعال. كان فقط يسرّ لألبير بما سمعه. وحوالى الساعة العاشرة ركب ألبير سيّارته وتوجّه إلى مدينة بعلبك حيث الفرز النهائي وقد تبعه الكثيرون من أبناء العائلة وأهالي الضيعة ومعهم جوزيف الذي أبى إلا أن يتابع النتائج بنفسه وعن قرب. مرّت الساعات وأنا أراقب والدك كلّما تلقّى مخابرة وأحاول أن أقرأ على وجهه ما يبشّرني بالخير، لكن وجهه ظلّ مغلقًا ولم يبدِ أي انفعال. ولكن حوالى الساعة الثانية بعد منتصف الليل وبعد تلقّيه إحدى المخابرات، أعاد سمّاعة الهاتف إلى مكانها وقال: «انتهى الأمر لقد فاز شحادة المعلوف» وهو كان المرشّح الكاثوليكي المنافس لألبير. قال ذلك وتوجّه إلى غرفته. أصاب الجميع نوع من الخيبة وبدأوا بالانسحاب إلى أن فرغت من الجميع ولم يستمرّ في أحضاني إلا أنتم وبعض الأقارب وعمّ الصمت بعد ذلك النهار الصاخب.

ـ أذكر تلك الليلة التي أويت فيها مع شقيقتي أمال خائبتين ليس إلى أسرّتنا بل إلى غرفة واحدة ومعنا أمّي، فاستلقينا على سرير واحد من دون أي كلام. فقط والدتي كانت تتنهّد من وقت إلى آخر وتقول بصوت خفيض: «مش معقول».

٢٤٠

- تلك اللحظات كانت صعبة جدًّا، لكنّها سرعان ما تبدّدت وقبيل الفجر بدأنا نسمع رشقات رصاص في مختلف أنحاء الضيعة، كانت رشقات فرح مما دفع والدتك إلى القول: «ولاد الكلب عميشمتو فينا». ظننّا في حينه أن خصومنا في الضيعة هم الذين يطلقون النار ابتهاجًا بخسارتنا، لكن الوضع لم يستمرّ طويلًا إذ دخل علينا جوزيف برفقة بعض الشبان ليزفّونا الخبر اليقين. دخل علينا وهو يصيح بأعلى صوته: «كل اللايحة نجحت وألبير في الطليعة، أخد صوات أكتر من رئيس اللايحة نفسو». هنا انقلبت الأجواء على الرغم من حذر والدك الذي كان ينتظر قدوم ألبير ليعطيه الخبر اليقين وطلب من الجميع عدم القيام بأي عمل ابتهاجي قبل التأكد. هنا تدخّل جوزيف وقال: «ألبير هو الذي أخبرني وطلب منّي العودة إلى الضيعة لأزفّكم إيّاه وهو لن يتأخّر في الوصول». هاج الشبّان من جديد وتوزّعوا في كل أنحاء الضيعة ليعمّموا الخبر وما هي إلا دقائق حتى اشتعلت أجواء الضيعة بالألعاب النارية والرصاص، وبلحظة غصَّتْ بالوافدين لمشاركتنا النصر الذي كان نصرهم هم، كما قال لهم والدك إذ قال: «لقد حقّقنا أمنيتنا جميعًا وبات لنا في المجلس النيابي واحد منا يعرف معاناتنا وكل ما تحتاج إليه هذه المنطقة المحرومة من أدنى احتياجاتها ونأمل جميعًا أن يكون ألبير عند حسن ظنّنا به وأن يولي أهالي منطقتنا ما يستحقونه من اهتمام». وصاح الجميع: «هو خير ممثّل لنا وكلّنا خرطوشة فردو». شكر لهم والدك اندفاعهم قبل أن يختلي ببعض أعيان الضيعة لتنظيم توزيع

العمل على الشبان والشابات في فترة استقبال الوفود التي ستزور الضيعة للتهنئة.

- كل ما أذكره من تلك اللحظات هو ابتسامة والدي التي افتقدتها طَوال فترة الحملة الانتخابية. تلك الابتسامة التي أنارت وجهه تنسّمتُ منها أملًا كبيرًا لمستقبل مشرق لهذه الضيعة وللمنطقة كلّها. كانت ابتسامة من حقّق ما كان يطمح إليه ولو بعد تعب كبير.

- تحقيق ما نصبو إليه ينسينا ما عانينا في سبيله من أتعاب. رميتُ ثقل الماضي عن منكبيّ وعدت شابًّا من جديد، وحين أطلّ علينا ألبير محمولًا على راحات الشبان الذين ملأوا الفضاء كلّه بـ «الحوربة» والأغاني الحماسيّة، لم أتمالك نفسي وصدح صوتي بزغردة خرجت من أفواه كلّ السيّدات الموجودات في ربوعي. أما ما استرعى انتباهي بشكل خاص فهو ابتسامتك المعبّرة والساخرة حين أطلّ علينا من باب الدار حبيبي إدوار وزوجك بيار مرفوعين أيضًا على راحات الشبّان. أذكر تمامًا نظرتك إلى بيار كأنك تقولين له: «لا تعرف ماذا ينتظرك».

- أنت لمّاح أيها العزيز وهذا ما يميّزك ويدفعني إلى البوح أمامك بكل أفكاري ومشاعري حتى ولو كنتَ تسبقني أحيانًا إلى اكتشافها. ولكن أخبرني كيف عرفت، أنت، ما ينتظر بيار ولم أعلمك، في حينه، ما كنتُ أخطّط له؟

- أنت أعلمتِ والدك وهو الذي أخبرني أنّك على أبواب طلب

الطلاق وأنه اتفق معك على تأجيل الأمر ومعالجة الموضوع بعد الانتخابات.

- غريبًا كان أمر تعلّق والدي بك!

- كان ابني ورفيقي وسيّدي وأعزّ مخلوق على قلبي. تعلمين أنّني أحبّكم جميعًا، لكنّ سامي، ربّما بسبب يتمه المبكّر، كان وسيظلّ رفيق دربي وابني الذي لن أنساه مهما طالت بي السنون من بعد رحيله.

- الكلام عن ابنك سامي ينسيك كل شيء وتتجمّد ذاكرتك حوله وحده ويغيب عنك ما كنت في صدده ويعميك عن متابعة التسلسل الزمني للأحداث.

- لكني ما زلت قادرًا على المتابعة ولم تغب عنّي ابتسامتك تلك. جميعكم كنتم هنا، في ذلك اليوم وهل من فرحة لدي أكبر منها. ضممتكم في حضني وضممت معكم كلّ الوفود التي زارتنا للتهنئة ودام الأمر حوالى الشهر. ألبير غادر في اليوم الثالث وظلّ يتردّد إلى هنا كلّ نهاية أسبوع، بينما إدوار غادر في اليوم الثاني ليلتحق بعمله وأمال أيضًا غادرت مثله بينما أنت ووالدك ووالدتك بقيتم هنا كلّ ذلك الوقت وأخبرني والدك أنه سيستقيل من عمله في التفتيش ليتفرّغ لمتابعة مطالب أهالي الضيعة والمنطقة ونقلها إلى ألبير لمساعدتهم في تحقيقها. فرحت بقراره هذا واستبشرت خيرًا لأنه سيكون معي دائمًا وسيعيد إليّ الحياة التي مرّت بمرحلة تقطّع دامت سنوات.

- المهم من كلّ ما سردته أمامي هو النتيجة التي توصّلتَ إليها وهي احتضانك لابنك الغالي سامي أطول وقت ممكن.

- لو علمت أنه سيرحل قبلي لما تركته يفارقني ولو ليوم واحد، ولكن سـ ...

- لا تكمل وعد بي إلى تلك الحقبة.

- خلال تلك الحقبة، قبل نيسان سنة ١٩٧٥ كانت من أجمل أيام حياتي؛ كان ألبير يتألّق ويبدع في أداء دوره الذي أوكله إليه شعبنا وأهلنا في هذه المنطقة العزيزة، وكان إدوار يترقى في السلك الذي اختاره، وجوزيف يشارف الانتهاء من دراسة الطب، وأمال تتألّق وتتنقّل من نجاح إلى نجاح في مهنتها، وأنت كنت قد شارفت على الحصول على شهادة الدكتوراه بعد أن انفصلت عن زوجك وساعدك ألبير على الحصول على وظيفة في مركز التوثيق والبحوث التابع لوزارة الخارجية، ووالدك ووالدتك فخوران وسعيدان بكم وبنجاحاتكم.

- وأنت؟

- وتسألينني؟! كنت في قمّة النشوة لأنّني كنت باستمرار أحتضن أحدًا منكم وأحيانًا، وفي بعض المناسبات، أحتضنكم جميعًا. تعلمين أنّني أحيا بكم وموتي هو انقطاعكم عنّي.

قال ذلك وتنهّد ثمّ تابع والحسرة بادية على وجهه: «أمّا هذه الأيام!...»

- ها أنا بين ذراعيك وكما وعدتك سابقًا، سأمضي كلّ وقتي معك بعد تقاعدي من الجامعة.

ضمّني إلى صدره ووشوش في إذني: «إن شاء اللّه». كان صوته يرتجف وحين نظرت إلى وجهه رأيت دمعتين تكرجان على وجنتيه. تأمّلته ولم أجد كلمة واحدة لمواساته. ضمّني، من جديد إلى صدره وقال: «إلى الغد، تصبحين على خير».

- ٢٢ -

- «**بوسطة**» عين الرمانة في ذلك النيسان من سنة ١٩٧٥ كانت الشرارة التي أشعلت كل ما كان محضّرًا لإدخال لبنان في حرب لا بل في حروب متعدّدة سقط فيها، عبثًا، ما يفوق المئتي ألف قتيل وخلّفت عددًا لا يُحصى من المعاقين والمفقودين وأبعدت خيرة شبانها إلى مهاجر بعيدة حيث الغالبية منهم لم يعودوا. لن أخبرك عمّا فعلته الحرب بعامةٍ، وقد كتب الكثير في هذا الصدد، ما يهمني من كلّ ذلك هو ما عانيته أنا من خوفي عليكم وبخاصة على عزيزي ألبير الذي عارض بيئته المسيحيّة وتبنّى المواقف الوطنيّة التي يعتبر أنّها تصبّ في مصلحة الوطن وكلّ اللبنانيين. لكنّ موقفه هذا كلّفكم الكثير كما أخبرني والدك واضطررتم إلى مغادرة المنطقة الشرقيّة، كما كانت تُسمّى في حينه، ولجأتم إلى بيت ألبير في الغربيّة.

- اضطررنا، صحيح، ولكن ألم يخبرك والدي كيف هربنا من بيتنا في تلك الليلة بعد أن بلّغنا أحد الأقارب، لا أدري من هو لأن والدي تحفّظ عن ذكر اسمه خوفًا عليه، أنهم سيهاجموننا لأسر أخي جوزيف وللضغط على ألبير كي يغيّر مواقفه؟

- حبيبي جوزيف عانى الكثير هو الذي استلحقه ألبير في آخر لحظة وخلّصه من الموت في ذلك السبت الأسود ونجّاه مرّة ثانية بعد أن حاصر المسلّحون دار التوليد الفرنسيّة على خط الشام حيث كان يعمل في إطار تخصّصه، بعد انقلاب الأحدب. هاتان الحادثتان كانتا كافيتين لدفعه إلى اتخاذ القرار بمغادرة البلد لمتابعة تخصّصه في فرنسا ومن بعدها في الولايات المتّحدة الأميركيّة.

- وهذا ما دفع بي إلى اتّخاذ القرار نفسه للعيش في باريس والبحث عن عمل هناك يبعدني عن كلّ أجواء الحرب المرعبة التي عشناها.

- في نهاية شهر تمّوز من سنة ١٩٧٦ زارني حبيبي سامي وأمضى في أحضاني ليلتين قبل أن يخبرني أنه يستعد للسفر، مع والدتك، إلى فرنسا ليلتحقا بكما، أنت وجوزيف. قال لي: «سنغيب قليلًا ونعود بعد انتهاء الحرب ولن يطول غيابنا إن شاء اللّه». لم يطل غيابهما لكنّ الحرب طالت وطالت إلى ما بعد رحيله عن هذه الدنيا وكل ويلاتها.

- هل أخبرك عن معاناة السفر في تلك الأوقات حيث المطار مغلق والمعابر يغطّيها القنص؟ هل أخبرك أنني مع جوزيف وأحد الأصدقاء غادرنا البلد ومعنا سيارة الصديق، على ظهر باخرة شحن إلى طرطوس ومنها إلى اليونان ثمّ إلى إيطاليا وأخيرًا فرنسا. هل أخبرك أننا تعذبنا كثيرًا قبل أن نجد ونستأجر شقّة صغيرة تأوينا؟

هل أخبرك أنه سيسافر مع والدتي من مرفأ جونيه إلى اليونان ومن ثمّ سيتابعان الرحلة، في السيّارة التي شحناها معهما، إلى باريس؟

- أخبرني حين عاد. أخبرني أنه مع والدتك لم يمكثا طويلًا في باريس وغادرا إلى الولايات المتحدة الأميركية حيث بنات خالته وابنة خاله وبعض الأقارب.

- وجوزيف لم يمكث طويلًا في باريس وبعد أن نجح في كل ما تفرضه الجامعات الأميركية من امتحانات وغيره، استعدّ للسفر وبات عليّ الخيار بين البقاء في باريس أو العودة إلى لبنان. في باريس لم أجد عملًا يتناسب مع شهاداتي وتحصيلي العلمي، وفي لبنان لم يُجدّد عقد عملي مع وزارة الخارجيّة. احترت في أمري و...

- لكنّكما عدتما إلى لبنان وعاد أيضًا والداك.

- عدنا استعدادًا لسفر جديد؛ جوزيف توجّه إلى كاليفورنيا وأنا توجّهت إلى لندن لدراسة اللغة الإنكليزيّة.

- بعد عودته من الولايات المتّحدة زارني والداك ومكثا هنا لفترة وعلمت منهما كلّ ما حلّ بكلّ واحدٍ منكم. أخبراني أن أمال تتابع عملها ولو بتقطّع وتهتم بابنتها وابنها وتتنقّل بهما من ملجأ إلى ملجأ تجنبًا للقذائف وللقصف العشوائي الذي لم يرحم أحدًا. أما إدوار فكانت حالته على غير ما يرام بعد أن انقسم الجيش فلزم بيته لفترة، ثمّ سافر إلى بولونيا حيث تعرّف إلى زوجته الحالية التي لحقت به بعد عودته وعاشت معه أيامًا صعبة قبل أن يعقدا قرانهما

وينجبا ابنهما عامر الذي سأخبرك عنه في حينه. وحده ألبير كان منخرطًا في العمل السياسي وله موقعه المميّز إلى جانب المرحوم كمال جنبلاط، زعيم الحركة الوطنيّة في تلك المرحلة. لكنّك، بتدخّلاتك، أنسيتني حدثا مهمًّا هزّ المنطقة بأكملها قبل سفر والديك إلى باريس؛ ففي بداية صيف ١٩٧٦، ما عدت أذكر التاريخ بالتحديد، كان والداك هنا ومعهما الحفيدان زياد وغادة. كانا هنا لتمضية الصيف ولم يكونا في وارد السفر إلى أي مكان. لكنّ ما حدث هو الذي دفعهما إلى اتخاذ القرار بالسفر. ففي إحدى الليالي تمّ الهجوم على بلدة القاع المجاورة، فطوّق عددٌ من المسلّحين الضيعة ودخلها عددٌ آخر وأرغموا أهاليها على مغادرة بيوتهم بعد أن قَتلوا من قتلوا. حين وصل إلينا الخبر، هبّ شبّان ضيعتنا ورجالها هبّة واحدة، أخرجوا أسلحتهم من مخابئها وتوزّعوا على التلال المشرفة على الضيعة تحسّبًا لأي مكروه وأتى بعض من شبّان العائلة بأسلحتهم الكاملة وتوزّعوا، بحيث تمترس قسم منهم في كل أرجائي بينما طوّقني القسم الآخر من الخارج وهم يردّدون: «لن يدخل أحد هذا البيت إلا على أجسادنا». وحين بدأنا نسمع صوت المدافع، خافت والدتك على حفيديها وخبّأتهما في غرفة العقد السفلى إلى أن هدأت أصوات القذائف والمدافع فقرّر والدك أن يغادروا إلى بيروت وذلك بعد أن اتصل بألبير واطمأنّ منه إلى أن ضيعتنا بأمان.

- مواقف ألبير الوطنيّة هجّرتنا من بيتنا في جونيه لكنّها نجّت كلّ أهالي الضيعة من كارثة، كما حصل لأهالي القاع.

- لا أخفيك أنّنا ارتعبنا في تلك الليلة وبخاصة أن بلدتنا هي كما القاع بلدة مسيحية صرف وأنت تعلمين ماذا كان يعني ذلك في تلك المرحلة بعد تهجير أهالي الدامور وغيرها.

- لعن اللَّه تلك الحرب القذرة كم أزهقت وشرّدت من الناس الأبرياء.

- لعن اللَّه كلّ الحروب لأنها لا تأتي إلا بالويلات. والمهمّ بعد كلّ ذلك أنّكم بتّم بعيدين عنّي ولا تزورونني إلا نادرًا. عشت فترات من الوحدة القاتلة التي كان يخرجني منها في أغلب الأحيان ابن عمّ والدك حبيب وبو طوني اللذان كانا يهتمّان بشؤوني ويوفّران لي كلّ احتياجاتي كي أظلّ لائقًا بأسيادي.

- لا تعتقد أنك وحدك من عاش فترات وحدة، فحين سافرت إلى لندن، بعد مرحلة باريس، عشت مثلك وحدة قاتلة على الرغم من أنّني استفدت جدًّا على صعيد اكتساب اللغة الإنكليزية بشكلها الصحيح، ولهذا السبب ما إن سمعت، في إحدى نشرات الأخبار المسائية، بخبر اغتيال الزعيم كمال جنبلاط في آذار سنة ١٩٧٧ حتى اتصلت بشركة الطيران وحجزت مقعدًا للعودة إلى لبنان في اليوم التالي. ما زلت أذكر وصولي إلى بيروت في ذلك اليوم، إذ استقبلني إدوار في المطار وعدنا مسرعين إلى بيته لأن الشوارع كانت فارغة، إلّا من المسلّحين، تخوّفًا وتحسّبًا لردّات الفعل على ذلك الاغتيال وقد أتت غاضبة وقاسية. اغتيل جنبلاط واغتيل غيره الكثيرون في

تلك الحرب، لكنّني تأثّرت بشكل خاص على صديقين عزيزين هما الشيخ صبحي الصالح الذي وعلى الرغم من اعتراض الطلاب، في الجامعة، على آرائي حول تحرير المرأة كما كنت أسمّيها في حينه، وعلى الرغم من استيائهم وشكواهم إلى مدير الكلّية الشيخ صبحي الصالح، ظلّ هذا الأخير يساندني ويدافع عنّي وقد ولدت بيننا، في تلك المرحلة صداقة جميلة حسدتنا عليها، ولكن بتحبّب، العميدة زاهية قدّورة التي، حين زرتها بعد عودتي من لندن طلبًا للالتحاق بقسم الفلسفة في الجامعة اللبنانيّة، لم تتردّد لحظة واحدة وأبرمت معي عقدًا، مكّنني من مباشرة عملي ورحلتي الطويلة في التعليم والتي شارفت الآن نهايتها.

- لم تخبريني من قبل عن الشيخ صبحي، لكنّي أذكر جيّدًا صداقتك مع المرحوم كمال الحاج الذي اغتيل هو أيضًا وكان ضحيّة من ضحايا تلك الحرب.

- أما كمال الحاج فكان أستاذي الذي شجعّني كثيرًا على الرغم من اختلاف الآراء بيننا، كان يقول لي: «سوف نصبح زملاء بعد أن تنهي دراستك». ولكن، ويا للأسف، استشهد قبل أن ألتحق بالجامعة التي فقدت، بغيابه، أحد أهم أساتذتها هو الذي كان، بنظري، نموذجًا صادقًا، للديموقراطيّة بمعناها الصحيح ومحاورًا لبقًا يدافع عن أفكاره وآرائه بشراسة راقية، من دون أن يحاول إلغاء الآخر.

- إن أردنا ذكر كل شهداء تلك الحرب، فلن ننتهي أبدًا وأنانيّتي تدفعني إلى العودة إليكم ومن خلالكم إلى ذاتي في محاولة أخيرة لاسترجاعها ورسم معالمها قبل أن...

- لا قبل ولا بعد، فنحن نتقاسم ذكرياتنا أخبرك عمّا أظنّه قد فاتك وتخبرني عمّا تظنّه قد فاتني، وقد لاحظت أن ما فاتك إلّا القليل.

- ذلك يعود إلى والدك الذي لم يخف عنّي حتى ولو خاطرة من خواطره، لذلك أرجوك عدم المقاطعة إلّا حين أسمح لك.

- يعني حين تتعب.

- أو حين أغصّ ويختنق صوتي.

- أنا رهن أوامرك يا سيّدي.

- اعفيني من مجاملاتك واتركيني أتابع وفقًا لما يفرضه عليّ منطق الذاكرة الذي لا أفهمه أحيانًا، لكنّني لن أخالفه مع محاولتي، ربّما الفاشلة، لإرغامه على عدم القفز من موضوع إلى آخر من دون رابط في ما بينهما.

- لا تحاول، واترك ذاكرتك تعمل على هواها فأنا أجد ذلك أصدق لأنّه عفوي ومن دون تكلّف.

- حبيبتي هبى، الصدق وعدم التكلّف هما من صفاتك الأساسيّة ولهذا السبب حوربت رواياتك من قبل بعض النقّاد السذج. الصدق،

يا عزيزتي عملة نادرة. كلّهم يخبّئون وجوههم بالأقنعة ووجهك سافر وناصع ونصيحتي لك أن تتابعي مسيرتك من دون قناع.

- لا «توصِ حريص» كما يقال بالدارج؛ فأنا ابنة هذا البيت وسليلة جدّين اشتهر أحدهما بالحكمة وصوابيّة الرأي والآخر اشتهر بشجاعته ووقوفه عند كلمته حتى ولو على قطع رأسه.

- وهذا مصدر اعتزازي بكم جميعًا ومصدر قوّتي. لقد رفعتم رأسي لأن رؤوسكم لم تنحنِ، وأنا واثقٌ أنها لن تنحني مهما جار عليها الزمن.

- ألم تلاحظ أننا ابتعدنا عن الحكاية؟

- هذا ما طلبتِه أنت، ألم تنصحي لي بعدم لجم منطق ذاكرتي؟

- أنت تنجح دائمًا بإسكاتي. سأصمت وأدعك تجول أينما أردت.

- إذًا سأخبرك بما سمعته من والديك بعد عودتهما من كاليفورنيا؛ حين عدتِ من لندن على أثر سماعك خبر كمال جنبلاط كان والداك لا يزالان في أميركا، ولم يعودا إلا بعد أن أمّنتم لهما شقّة في بيروت لأن سكنهما في شقتهما في جونيه ما عادت محبّذة. وحدها أمال، وعائلتها، بقيت حيث هي. أخبرني والدك أن الشقة التي سكنوها في بيروت كانت في حيّ راقٍ وأنها واسعة وآمنة ولا تبعد كثيرًا عن بيت ألبير. أمّا والدتك فقد أخبرتني أن الشقّة معتمة وليس لها مطلّ إلّا على شقق الجيران وقالت حرفيًّا: «شقّة متل المقبرة».

٢٥٣

- صحيح، والدتي لم تحبّ تلك الشقّة التي كنا قد اخترناها، بالضبط لأنّها آمنة ضمن بناية ضخمة تصمد أمام هول الصواريخ التي كانت تنهال، في أوقات عشوائيّة على المنطقة وغيرها.

- تعرفين والدتك جيدًا فهي لا تطيق الجوّ المنغلق حتى ولو كان خطرًا ولهذا السبب أصيبت بنوع من الإحباط أي «الدبريسيون» كما تسمّونه، ولهذا السبب أصرّت على أن يسكن معهما حبيب قلبها زياد، ابن أمال الذي تربّى في أحضانها. سكن زياد مع والديك بعد أن سجّل في مدرسة «لويز فيغمان» القريبة من البيت وحيث كان أولاد ألبير يدرسون. خفّ إحباط والدتك قليلًا إلى حين أصرّت أمال على استعادة ابنها كي يعيش في بيته. أمام إصرار أمال طلبت منها أمّك أن يترك لزياد الخيار. تردّد زياد في البداية، لكنّه اختار أمّه في النهاية وترك جدّته وعاد مع أمال إلى السكن في جونيه. فوالدتك لم تتحمّل ذلك وانهارت كلّيًّا وخسرت الكثير من وزنها، لكنّ والدك عالجها وساعدها كي تخرج من وضعها، وقد نجح في ذلك واستعادت والدتك صحّتها، لكنّها ثابرت على امتعاضها من الشقّة، امتعاض لم ينتهِ إلّا حين عادا إلى جونيه سنة ١٩٨٦ حيث اشتريا شقّة كبيرة و«شرحة» كما كانت تقول والدتك. لكن قبل ذلك التاريخ كان قد مرّ الكثير من الأحداث سنعود إليها.

- ٢٣ -

- تتالت الأحداث المؤلمة وحبيب قلبي سامي ما عاد يزورني كما في السابق، سكن مع والدتك في بيروت بالقرب منكِ ومن إدوار وألبير، اكتفى بذلك ونسيني. لكن متابعتي لنشرات الأخبار كانت تدفعني إلى الشعور بالندم على عتبي عليه، فأعذره وأتحمّل غيابه على أمل أن تنتهي الحرب ويعود، معكم، إلى أحضاني. حبيبتي هبى لا تدرين كم تألّمت لغيابكم عنّي ولا تدرين، أيضًا، كم عذرتكم على ذلك. مرّت سنوات وأنا وحدي أتابع أخباركم من بعيد، وعزائي، في تلك المرحلة، كان بعض زيارات ألبير الخاطفة للمنطقة وللضيعة التي كان أهاليها يتجمّعون حوله ليسمعوا منه آخر الأخبار. وقمّة فرحي كانت حين كان يقرّر أن يبيت ليلة في حضني.

- أنت تعلم كم عانينا من تلك الحرب والقمّة كانت في صيف سنة ١٩٨٢.

- اللعنة على ذلك الصيف! كنت قلقًا على ألبير الذي بقي في بيروت بعد أن رحّلكم بسرعة إلى جونيه حيث أقمتم في بيت أمال.

كنتم في أمانٍ نوعًا ما، أما ألبير فقد عانى الأمرّين وهو يتنقّل مع رفاقه من شقّة إلى شقّة في بيروت الغربية التي كان العدوّ الإسرائيلي يدكّها من دون رحمة. وقد أخبرني أن بيت والديك قد حماهم لفترة قبل أن يعنف القصف ويقضي على أبنية بكاملها.

- تقول إنّنا كنا آمنين في جونيه، هذا صحيح، لكنّ انشغال بالنا على ألبير وإدوار، قبل أن يلتحقا بنا، كان يؤرقنا وقد أمضينا لياليَ بكاملها ونحن مرعوبون من رؤية النيران تتصاعد في سماء بيروت. كان والدي لا ينام وهو يتمشّى على شرفة بيت أمال المطلّ على العاصمة وهو يفرك بيديه ويصلّي.

- اعذريني، لكنّي لم أفكّر فيكم في تلك المرحلة، كل بالي كان عند ألبير وكما يقول المثل: «اللي بيعد العصي مش متل لبيتلقّاها». وألبير هو الذي كان يتلقّى. والحمد للّه انتهى ذلك الصيف على خير؛ أخرج الفلسطينيون من بيروت، صحيح، لكنّ المقاومة الوطنيّة البطلة أخرجت الجيش الاسرائيلي من العاصمة على الرغم من ذلك الصمت المخزي من قبل غالبيّة من يدّعون العروبة. صمدت بيروت وسيصمد لبنان وسيظلّ صامدًا كما صمد وانتصر، بفضل المقاومة في الصيف الماضي الذي سجّل أكبر انكسار للعدوّ منذ نشأته بعد اغتصابه الأرض الفلسطينيّة، مهد سيّدنا المسيح.

صمت قليلًا ثمّ قال وهو يهزّ برأسه: «أمام هذا الإذعان العربي أنا خائف على كلّ المقدّسات في فلسطين، خائف على كنيسة القيامة

وعلى المسجد الأقصى الذي سبق لهؤلاء المغتصبين أن أحرقوه مرّة، خائف على الشعب الفلسطيني الذي يزداد تشتّته في العالم وفي المخيّمات، وخائف على لبنان من هذا الموضوع بالذات». صمت من جديد ثم تابع كأنه يقنع نفسه: «لكنّ انتصار المقاومة، السنة الماضية، يعطينا بصيص أمل. اللّه ينصر الحق».

- كنت أظن أنك لا تهتم إلا بنا، نحن أبناءك ورفاق دربك، لكنّك...

- وهو كذلك، وما متابعتي للشأن العام إلا من خوفي عليكم وعلى أولادكم ومستقبلكم. كيف تريدين منّي أن «أدير الدينة الطرشا» لهذه المواضيع وأسمعكم كلّكم تتباحثون فيها وتحلّلونها وتتّخذون منها المواقف المشرّفة؟

- وتسألني كيف ولماذا نحبّك أيّها الرفيق الوفيّ؟

لم يعلّق على ما قلته على الرغم من التأثر الذي بدا على وجهه وتابع:

- أما أنت فكنت قد انتسبت إلى أحد الأحزاب اليساريّة وزرتِ بلادًا عديدة بتكليف منه و... لن أتابع لأنّك كتبتِ كلّ ذلك في رواياتك.

- حسنًا تفعل، فأنا جئت إليك لأستمع إلى ما اختزنته ذاكرتك أنت مما لا أعرفه.

- وهل يخفى عليك أمر أيها الشقيّة؟ ما تجهلينه تحدسين به وأشعر أنّني أمام مرآة وليس آلة تسجيل.

- وهل تريدني آلة تسجيل؟

- لا، فأنت ابنتي التي تشاركني كلّ أحاسيسي على الرغم من أن ذاكرتي هي أشمل وأغنى من ذاكرتك.

قال ذلك وانفجر من الضحك، كأنّه سجّل عليّ انتصارًا أو تفوّقًا. لم أجبه وتركته يستمتع بما سجّله من تفوّق، وحين أنهى ضحكه قال بعد صمت قصير، كأنّه يتذكّر أين توقّفنا:

- فلنعد إلى الجدّ؛ تزوّج حبيبي إدوار في تلك الظروف الأمنيّة الصعبة ولم يتمكّن والدك من الاحتفال بزفافه، هنا في أحضاني، كما فعل مع ألبير. أقيمت حفلة زواجه بشكل بسيط في بيت ألبير في بيروت بعد أن عقد قرانه على إيفا بصيغة مدنيّة. وجوزيف كان قد تزوّج، في كاليفورنيا، من ميلاني و...

- هل أخبرك والداي أنّهما كانا ضدّ هذا الزواج؟

- علمت بذلك وعلمت أن والديك سافرا إلى أميركا حين علما برغبة جوزيف في الزواج من أميركيّة، سافرا لإقناعه بالعدول عن تلك الفكرة وأذكر أنني، حين سألت والدك عن سبب اعتراضه على زواج جوزيف ولم يعترض على زواج إدوار، أجابني بشكل مقنع إذ قال: «إيفا أتت إلى لبنان لتقيم مع ابني الذي يعيش هنا بيننا. أنا لا أعترض على زواج أحد أبنائي من أجنبيّة لأنها أجنبيّة، اعتراضي

هو على إمكان أن يعيش ابني في الخارج ويكون بعيدًا عنّا، وزواج جوزيف من أميركيّة، في أميركا، يشعرني أنه سيقيم ويستمرّ في العيش حيث هو بعيدًا عنا وعن عائلته هنا في لبنان. افهمني، فاعتراضي هو على إمكان استمرار جوزيف في العيش بعيدًا عنّا». وأذكر أنّني قلت له، في حينه، إن الوضع في لبنان لا يشجّع جوزيف على العودة، هو الذي هاجر بعد أن نجا مرّتين من الموت، وإنّه سيعود، حتمًا، بعد انتهاء الحرب. لكنّ جوابي لم يقنعه وقال: «حين ينجب، أولاده سيكونون أميركيّين وسيربّون هناك وسيصعب عليهم وعلى أمّهم العيش في لبنان إذا انتهت هذه الحرب اللعينة على خير، فأنا لا أظنّ أنّها ستنتهي وأنا على قيد الحياة. أنا لست مطمئنًّا». لقد صدق تخوّف والدك فلا الحرب انتهت قبل رحيله ولا عاد جوزيف إلى لبنان.

- رحل والدي قبل انتهاء الحرب، ولكن ألا تذكر أن جوزيف قد عاد مع أولاده في نهاية سنة ١٩٩٧ وابتاع شقة في جونيه وسجّل ولديه في المدرسة وكان مصمّمًا على البقاء في لبنان و...

- لكّنه عاد إلى أميركا. سأعود إلى هذا الأمر في حينه ودعيني الآن أعبّر لك عمّا مررتُ به من قهر وألم حين أخبرني والدك عن مرض أمال؛ لقد كتبتِ كلّ الحكاية في روايتك: «بالإذن من سفر التكوين» التي قرأتها واستمتعت بها جدًّا وأعجبت بمزجك بين الواقع والمتخيّل لخلق جوٍّ مقنع وممتع من أجل إيصال فكرة الرواية الأساسيّة وهي العود الدائري الذي لم يفهمه الكثيرون وقد سمعت

بعض التعليقات المضحكة حول الموضوع وبخاصة حين سمعت تحليل أحدهم للرواية وقد التبس عليه الأمر واعتقد أنكِ تروين عن خرافة «القرينة» الشائعة في بعض الأوساط الشعبيّة. لقد عجز، ذلك التافه، وهو يعتبر نفسه مثقفًا وشاعرًا، عن فهم أنك تتكلّمين عن جدليّة الموت والحياة التي هي أمّ الجدليات على الإطلاق.

- أنا أعتبر أن من حق القارئ أن يفهم ما يشاء من الرواية وفهمه هذا يتفّه الرواية أو يغنيها وفقًا لضيق معرفته وثقافته أو وسعهما.

- أعرف ذلك أيتها الأستاذة وأعرف أن كتاباتك موجّهة إلى شريحة معيّنة من القرّاء ومع ذلك، وإن لم أكن من هذه الشريحة و«بالكاد أفكّ الحرف»، فأنا أحب كتاباتك.

- «بالكاد تفك الحرف» وتستعمل تعابير لا يتقن استعمالها إلا المثقّف، مثل «جدليّة» وغيرها؟

- هذا من فضلك وأنا لا أستعين إلا بما قرأته في كتاباتك وبما سمعته بتنصّتي على النقاشات بينك وبين الشبان الذين يزورونك ويتباحثون معك حول آخر كتاباتك. أحببت روايتك تلك لكني، أنا رفيق الدرب، لم أجد أثرًا لوجودي بين سطورها. أنت قارئة جيّدة لكلّ أحاسيسي وأفكاري، لكنّك، في روايتك لم تذكريني ولم تلتفتي إلى ما عانيته من ألم وقلق وخوف على حبيبتي أمال. في بدايات سنة ١٩٨٦ سافر والداك إلى أميركا لزيارة جوزيف الذي كان قد تزوّج من ميلاني الأميركيّة. وفي بدايات تلك السنة وقع ما سمّي

«حركة ٦ شباط» وعلمت من والديك أنك انتقلت من بيتك إلى السكن في بيتهما الذي كان يُعتبر أكثر أمانًا في الرملة البيضاء.

- وفي تلك المرحلة تركت أيضًا بيت والديّ ليقيم فيه أحد الأصدقاء مع عائلته بعد أن هربوا من بيتهم القائم في منطقة خطرة. تركت لهم البيت وذهبت إلى بيت شقيقتي أمال في جونيه. لكنّ المضحك في الموضوع هو أن والدي في تلك الفترة، حاول الاتصال بي من أميركا وحين ردّ عليه صديقي حسين لم يستوعب الموضوع في البداية وظنّ أن بيته احتلّ. ولكن حين حاول صديقي طمأنته إلى أنّ كلّ شيء بخير وأنّني موجودة عند أمال، لم يطمئنّ إلا بعد أن اتصل ببيت أمال حيث شرحت له كلّ الأمر.

- مرّت أحداث ١٩٨٦ وأنتم بخير وعاد حبيبي سامي مع أمّك إلى لبنان وخلال زيارته لي، نهاية تلك السنة، أخبرني عن مرض أمال وكان قلقًا جدًّا. ولكن وعلى الرغم من قلقه الظاهر كان يحدس بأن الأمور ستكون إيجابية. هل كان يتظاهر بذلك لكي يخفّف عني وقع ما سمعته منه؟ لا أدري، لكن كلّ ما أعلمه أنّني، حين سمعت ما سمعته من سامي عن حالة أمال شعرت بأن كلّ مفاصلي تتفكّك وأنّني سأنهار؛ لقد عدت بالذاكرة إلى مرض يوسف وكيف رحل وأنا أضمّه بين ذراعيّ. شعرت أنّني لست قادرًا على تحمّل افتقاد أحد منكم، وأنّ من الأفضل لي أن أرحل قبل أن يصاب أيٌّ منكم بمكروه. راقبت والدك وتصرّفاته في تلك الأيام التي أمضاها هنا في أحضاني كي أتأكّد من أن حدسه حول وضع أمال كان صحيحًا وليس

تمنّيًا فقط؛ كان يهاتف ألبير باستمرار وبعد إحدى المخابرات قال لي: «أمال ستخضع لعمليّة جراحيّة، والفحوصات المخبريّة أظهرت أن المرض ليس منتشرًا خارج القسم السفلي من الرئة وأنا متأكد أن الجراحة، في مثل هذه الحالة، هي العلاج الشافي. سأغادر فورًا، اعذرني. عذرته، طبعًا، وبعد أن غادرني غرقت في ذاتي أستعيد كلّ حياة أمال، هذه الشخصية الطموحة والمناضلة، وعزّ عليّ أن تنتهي وهي لم تصل بعد إلى الأربعين من عمرها. لعنت السيجارة وكلّ المدخنين وكنتم جميعًا منهم، وتمنّيت أن تقلعوا عن هذه العادة السيّئة التي، كما فهمت من بعض ملاحظات والدك أنها من الأسباب الرئيسية في مرض أمال.

- وها قد لبّينا رغبتك وأقلعنا جميعًا عن التدخين.

ضحك «بيتي» وقال:

- أوّل من أقلع عن هذه العادة السيّئة هوْلا التي كانت مدخّنة شرسة؛ رمت علبة السجائر إلى الأبد وقدّمت فعلها هذا كـ «نذر» لمريم العذراء كي تشفي ابنتها. أما والدك فقد اكتفى بالتقنين واستمرّ في التدخين طوال حياته بمعدّل سيجارة كلّ ساعة. والمضحك هو ما قمتِ به أنت كما أخبرتني، لاحقًا حين زرتني بعد عودتك مع أمال من أميركا حيث خضعتْ لعلاج هناك. سألتك يومها: «أما زلت تدخّنين؟ ألم تتعلّمي الدرس من مرض شقيقتك؟» وأتاني جوابك الذي أضحكني منطقه إذ قلتِ: «اسمع أيها المعلّم، بعد

اكتشافنا لمرض أمال خضعنا جميعًا للفحوصات الشعاعية وغيرها وقبل حصولنا على النتائج، قمت بتحليل معيّن وقلت لنفسي: إن كنت مصابة فسأستمرّ في التدخين ولن أحرم نفسي في الأيام التي سأعيشها، متعة غالية على قلبي، وإن كنت غير مصابة فهذا يعني أن لديّ بعض المناعة التي تسمح لي بمتابعة التمتّع بالسيجارة و... ولكنّك توقفت عن التدخين منذ سنوات، لماذا؟

- توقّفت عن التدخين حين انقلبت متعة السيجارة إلى إزعاج. وأنا، كما تعرفني جيدًا استجيب لكلّ رغباتي وأحقّقها وأبتعد عن كلّ ما يزعجني وأطوي صفحته نهائيًّا.

- أعرف ذلك، وخير دليل على طباعك هذه هو ما تحضرينه لكتابة رواية سيكون عنوانها «تركتُ الهاتف يرنّ» كما أخبرتني، وهي عن إحدى صديقاتك التي طويتِ صفحتها حين طفح الكيل منها ومن سلوكها تجاهك.

- أنا في صدد كتابة هذه الرواية بعد أن انقطعتُ عن تلك الصديقة لفترة تمكّنت خلالها من استعراض علاقتي بها وتحليلها من أوّلها إلى آخرها.

- لا أستغرب ما تقولين، فهذه هي طباعك؛ تعطين الآخر حتى تنضبي وتتحمّلينه حتى يجفّ فتبتعدين عنه واضعة نقطة على أوّل السطر من دون حقد ولا ضغينة.

- حين تنتهي العلاقات، أو الأصح، حين تموت، تتحلّل معها

كلّ المشاعر السلبيّة والإيجابيّة على السواء لتتحوّل إلى ثقب أسود في قاع الذاكرة.

- كم أنت قاسية! لا حلول وسط معك، ولا تعرفين ما يسمّونه المسايرة، حتى مع ذاتك.

- من ساواك بنفسه لا يظلمك، أليست هذه الحكمة من تعاليمك أيها الصديق العزيز؟

- أنتم كلّ ذاتي وكياني وبكم أحيا، لكن...

- أعرف ماذا ستقول ولهذا السبب أرفض أن أسمعك تتابع لأن الموضوع يؤلمني كما يؤلمك.

- لقد فهمتني جيّدًا فالأحفاد وأولاد الأحفاد، بالكاد أعرف البعض منهم: من أولاد ألبير أعرف جيّدًا سامي وهبى اللذين يرافقان والدهما في الحملات الإنتخابيّة، وابن إدوار، عامر، أمضى في أحضاني فترة ممتعة وهو طفل، ومن بعد ذلك ما عدت أستحق منه إلا زياراتِ عابرة. الأقرب إليّ، كان زياد ابن أمال الذي بات الآن طبيبًا، لكنّه هو أيضًا قد ابتعد.

- لا تلُمنا أيها الغالي على قلوبنا جميعًا فالأحفاد يتابعون دروسهم أو أعمالهم وتعلم جيدًا أن الحياة هي كفاح لا ينقطع و...

- أتفهّم كلّ ذلك، لكنّ التفهم لا يلغي الشعور بالأسى الناتج عن معاناة الوحدة التي توصلك، أحيانًا إلى الرغبة في...

- لا تكمل، فأنا هنا معك، وكما وعدتك سأمضي تقاعدي هنا في ربوعك لنستعيد حيويّة الأيام الماضية.

- «ما بيروح يوم وبيجي متلو، وبالنهاية ما حدا دايم».

- لكلّ يوم حلاوته ومرارته والآتي لن يختلف عن الماضي، ومن الأفضل لنا أن نستمتع باللحظة الراهنة. ألستَ سعيدًا بوجودي معك؟

- كلّ السعادة، لكنّها سعادة قلقة لأن وجودك بين ذراعيّ لن يطول. ستغادرينني وتعودين إلى عملك وحياتك الخاصة بعيدًا عنّي.

- أنت عصيّ على عيش اللحظة الراهنة وتفضّل الغوص في الماضي وتتخوّف من الآتي...

- أيّ آتٍ؟ كلّ حياتي باتت وراء ظهري، وما استمراري المؤقّت إلا بسبب رغبتي في استرجاع الماضي ومحاولة تحويله إلى حكاية أرويها أمامك وأنا واثق أنها ستكون في أيدٍ أمينة قادرة على بعث الحياة في كياني، بعد رحيلي.

لم أعلّق على كلامه وأوقفت الحوار طالبة منه أن يستريح مع وعدي له بأنّنا سنتابع الحكاية في اليوم التالي.

- ٢٤ -

استفاق باكرًا وأيقظني وهو كلّه نشاط وحيوية، «لن أحزنك بعد الآن أبدًا وسأحاول الاستمتاع بوجودك معي من دون أن أعكّر سعادتي هذه». قال ذلك وهو يضمّني إلى صدره ويطوّقني بذراعيه. ضممته بدوري واتفقنا على تمضية نهار ممتع. ومضى ذلك النهار بأسرع ممّا كنا نتوقّع من كثرة ما استقبلنا من أقارب وأصحاب. وفي المساء أدرنا التلفاز وتابعنا نشرات الأخبار قبل أن ننزل إلى الحديقة ونجلس تحت العريشة وكان الطقس ناشفًا كما تعوّدناه ونحن صغار.

- هذا هو المناخ الذي أحب والذي تميّزت به ضيعتنا. قلت له كي أفتتح الحديث معه.

- لكنّه تغيّر يا ابنتي... كلّ شيء تبدّل بعد رحيله.

فهمت أنه يقصد رحيل والدي، لكنّني تجاهلت قوله وسألته: «هل تذكر أين توقّفت عن سرد الحكاية؟».

- أنا لا أنسى، لكنّني أحاول أحيانًا أن أتناسى لكي أمتحن ذاكرتك أنت التي، على ما يبدو، ما زالت تعمل كما يجب.

- وبما أنّك تعترف بأنّها تعمل كما يجب سأثبت لك ذلك وأذكّرك بآخر كلماتك، قبل أن نخرج عن السياق.

- المهم أن أمال نجت من ذلك المرض الخبيث وصدق والدك الذي كان يردّد دائمًا: «أمال صحّت نهائيًّا». وها هي بصحّة جيّدة بعد مرور أكثر من عشرين سنة على مرضها. أما الآن فسأنتقل بك إلى الفترة التي أمضاها حبيبي إدوار في ربوعي، إلى تلك الفترة التي أعادت إلي شبابي وعزّي. هذه الحقبة فاتتك وكان فيها إدوار هو سيّدي، إدوار هذا النمر الذي ابتعد عنّي باكرًا ولم يزرني إلا في المناسبات. أقام، هنا مع عائلته الصغيرة التي كنت أتمنى أن تكون أكبر، أقام في ربوعي وبعث الحياة في كل خليّة من خلايا جسدي و«عمرت الدار بصحابا». في تلك الفترة من نهاية الثمانينات من القرن الماضي، كان الجيش اللبناني بحالة تشرذم وتفتّت بحيث دفع حبيبي إدوار إلى التنحّي جانبًا، وقد اتّخذ القرار الصحيح بأن ترك بيروت وعاد، مع عائلته إلى مسقط رأسه، إلى حيث الجميع يحبّونه ويحترمونه. عاد إلى حضني وأنعم عليّ بالاستمتاع بابنه عامر الذي شغل كل الضيعة بـ «هوشلاته وزعرناته وحشريته» التي باتت حديث الناس.

- الفترة التي تتكلّم عنها كنا جميعًا خارج بيروت؛ والداي عادا إلى جونيه بعد أن اشتريا شقّة جديدة و «شرْحة» كما ترغب والدتي. أما أنا فتركت شقّتي في الرملة البيضاء وسكنت شقّة أهلي في قريطم بعد أن نقلتُ إليها أمتعتي ومكتبتي وجهّزتها على مزاجي. في تلك

المرحلة فقدت أحد أعز أصدقائي «مهدي عامل» الذي قتل وهو في الشارع. قتل يوم إثنين وكان، مع صديق مشترك، هو نزار مروّة، في بيتي يوم الأحد، عشيّة اغتياله. كان يناقشني المحاضرة التي كنت قد ألقيتها في الجامعة الأميركية تكريمًا لذكرى أمين الريحاني، بينما كان نزار يلقي نظرة على لوحاتي المعلّقة على الجدران وهي كلّها من عملي أنا كما تعلم.

- أعلم، لكني لم أرَ شيئًا. ألا تخجلين من نفسك؟ هل يعقل أنك، حتى الآن لم تزيّني أحد جدراني بلوحة من لوحاتك؟

- أنت على حق وسأملأ جدرانك باللوحات حين أقرّر العودة إليك نهائيًّا في نهاية السنة المقبلة بعد التقاعد كما وعدتك ووعدت نفسي.

صمت للحظة وانغلق وجهه، لكنّه سرعان ما عاد وابتسم قائلًا:

- تحاولين دائمًا «تنغيص» انطلاقتي. لن أتركك تنجحين هذه المرّة وسأعود إلى تلك الحقبة التي حضنت فيها إدوار كما حضنني، هو الذي أعاد الدم إلى عروقي والنبض إلى قلبي وأنعش كلّ كياني وأنا أعج بالأقارب والأصحاب من داخل الضيعة وخارجها، نهارًا وليلًا. وعلمت من والدك، أنك لم تمكثي طويلًا في بيتهم في بيروت وأنك تمكّنت، بمساعدته، وبإلحاح من والدتك التي لم يكن يهنأ لها عيش بعيدًا عنك، أن تنقلي سكنك إلى جونيه حيث اشتريت شقة في منطقة زوق مكايل. أما الآن وقد قلتُ عنك ما كنتِ تودّين

قوله لكي تقاطعيني، فسأعود إلى إدوار الذي عاش، تلك الفترة، في ربوعي وفتح أبوابي على مصراعيها وبتُّ محجّة لكلّ صاحب قضيّة أو مطلب تمامًا كما في أيام جدّك خليل ووالدك رحمهما اللّه وأخيك ألبير أطال اللّه بعمره وعمركم جميعًا لكي يبقى لوجودي معنى. أما زوجته، إيفا فقد نجحت في استقطاب كل نساء العائلة على الرغم من تعثّرها بالنطق بالعربيّة. كانت تمضي كلّ فترة قبل الظهر في الحديقة وقد زرعتها بكلّ أنواع الورود وحافظت بشكل أساسي على الوردة الجوريّة، فأشرفت على نقلها إلى زاوية آمنة كي تستمرّ في الحياة بعد أن أهملناها لزمن غير قصير. أما بعد الظهر فكانت تتوارد النساء على الدار كي يجلسن مع إيفا ويشكّلن، معها، حلقة كبيرة توازي حلقة الرجال حول زوجها إدوار، بينما يكون عامر شاردًا في أزقّة الضيعة ويقوم بزيارة كلّ البيوت التي كانت ترحّب به وتسمح له باللعب مع الهررة والكلاب وبحلب البقرات والماعز و... بحيث أنه كان يعود إلينا عابقًا برائحة الحيوانات، فتغمره أمه بين ذراعيها وتقبّله على وجهه «الوسخ» وهي تضحك، قبل أن تطلب منه أن يخلع ثيابه القذرة ويستحم. ولكن وعلى الرغم من كلّ فرحي بإدوار، كنت ألاحظ أنّه مهموم وغير سعيد كما كنت أتمنى. لم أسكت وسألته عن سبب قلقه. غصّ واحمرّت عيناه وقال لي: «والدي» ولم يكمل. وحين ألححت عليه بالسؤال وقد لاحظ مدى تأثّري ولهفتي، قال: «وضعه الصحّي ليس على ما يرام». حين سمعت ذلك من إدوار «اسودّت الدني بوجّي» وشعرت برعشة النهايات؛

سامي هو آخر العنقود من أولاد سيّدتي مريم ولن يهدأ لي عيش من بعده. وبعد أن ترنّحتُ لفترة، بعد ما سمعته من إدوار، عدت وسألته عن مرض والدك وطلبت منه أن ينقله إلى الضيعة كي أحتضنه وأفديه بحياتي، لكنّ صمت إدوار وعدم قدرته على الإجابة، أفهماني أن القضيّة ليست سهلة، فصمتُ بدوري وكتمت ألمي الذي تحوّل إلى الداخل ليخلخل كلّ كياني.

- كان يرغب في العودة إلى الضيعة قبل رحيله، لكنّ والدتي رفضت أن نلبّي رغبته تلك وكنتُ أنا من رأيها ورفضنا أن يراه أحد وهو في تلك الحالة من الوهن والضعف. أردنا أن يحتفظ محبّوه، وأوّلهم أنت، بصورته البهيّة وهو في عزّه.

- أمّك إنسى كلّها عنفوان ورأسها لا ينحني، وأظنّ أنها كانت على حق في قرارها ذاك، فأنا أيضًا، وعلى الرغم من كلّ ألمي، كنت سأوافقها الرأي بعد أن علمت، لاحقًا، حقيقة وضعه قبل رحيله.

- ووضعنا كان سيّئًا أيضًا؛ أمال وأفراد عائلتها كانوا مقيمين في فندق في عنّايا هربًا من القذائف المتبادلة بين فريقي عون وجعجع و... ألبير انتقل مع عائلته إلى قبرص، وإدوار كان هنا في الضيعة. أما أنا ووالدتي فبقينا إلى جانب والدي الذي بات يحتاج إلى عناية خاصة. ولكن حين تدهورت صحّته اتصلت بألبير في قبرص، فترك عائلته وعاد إلى لبنان ليشاركنا الاهتمام بوالدي، ووفّر له ممرّضًا وكلّ الإسعافات اللازمة. لكن كلّ اهتمامنا لم يفد واستيقظنا صبيحة الخامس عشر من شهر حزيران لنجده ميتًا في فراشه.

- وصبيحة ذلك اليوم المشؤوم استفقت على أصوات الأجراس في كلّ كنائس الضيعة وكأنها تعزف نشيد الموت. لا أدري لماذا لم أستفق باكرًا كعادتي في تلك الصبيحة، وأدركت لاحقًا أنّني كنت أودّ ألا أستفيق أبدًا. نهضت من رقادي لأجد الأقارب وأهالي الضيعة يحيطون بالغالي إدوار ووجوههم واجمة. لم أطرح عليهم أي سؤال، وقفت إلى جانب إدوار كي نتساند في تلك اللحظات ونحن نحبس دموعنا كي نتمكّن من اتخاذ القرارات المناسبة والصائبة للقيام بما هو مطلوب منا. وما هي إلا لحظات حتى انطلقت رشقات الرصاص من كل أنحاء الضيعة وكل من كان يملك قطعة سلاح، أخرجها من مخبئها وأطلق منها رشقات في الفضاء ولم تمرّ ساعات قليلة إلا وامتلأتُ بالوافدين من كل أنحاء المنطقة، لمشاركتنا حزننا على الفقيد الغالي على قلوبهم كما على قلوبنا. كان إدوار، في تلك الساعات الأولى، على اتصال مستمر بألبير الذي أخبره عن كل ما جرى مع والدهما في ساعاته الأخيرة وتداولا في تحديد يوم الدفن واتفقا على كلّ الترتيبات التي يجب اتخاذها، لأن الوضع الأمني لم يكن على ما يرام، وسمعت إدوار يقول قبل أن يقفل الخط مع شقيقه ألبير: «لا يهمّك كل شي رح يكون متل ما لازم والشباب هون متل النمورة». بالفعل طُبعت أوراق النعي ووزّعت المهام وتفرّق الشبّان والصبايا، كلٌّ إلى تنفيذ ما أوكل إليه. وفي المساء، جمع إدوار عددًا من الشبّان وسلّمهم صناديق من الخرطوش، لا أدري من أين أتى بها، وقال: «ساعة وصوله تكونون محتلّين كلّ التلال التي تحيط

بالضيعة وتطلقون كلّ ما في حوزتكم من رصاص، دفعة واحدة. علينا استقبال جثمانه بما يليق بكلّ ما قدّمه إلى أبناء الضيعة وكلّ المنطقة».

- وهذا ما حدث في كلّ البلدات والضيع التي مرّ بها جثمانه، انطلاقًا من زحلة حتى هنا وكنّا قد سلكنا طريق بكفيّا ترشيش بعد اتصالات عديدة قام بها ألبير ورفاقه، مع قادة المحاور، لتهدئة الوضع ولو لساعات ولأن طريق ظهر البيدر كانت غير آمنة إطلاقًا، لا بل مقطوعة.

- صبيحة يوم الأحد في السابع عشر من حزيران، زحف كلّ أبناء الضيعة مع الكشّافة وفرقة النوبة وكلّ الأخويّات إلى هنا، وكان قرع طبول النوبة بالألحان الحزينة تملأ كل أرجائي. حوالى الساعة العاشرة سمعت رشقات الرصاص من كلّ الاتجاهات وعلمت أنه وصل إلى أوّل الضيعة وما هو إلا وقت قصير حتى دخل من بابي الواسع المطلّ على السوق، دخله محمولًا على الأكف ووراءه حبيبتي هوْلا وهي تناديه: «يا رفيق دربي». سجّي هناك حيث كانت العريشة الكبيرة وحيث أقام له أخوه يوسف حفلة تخرّجه في حينه. سجّي هناك وتجمّعتم حوله تندبونه. كان الجميع يبكونه وصوت شاعرنا الكبير مطانس نادر يصدح بالعتابا النادبة والنساء يرقصن رقصة الموت حول التابوت. راقبت الجميع ولفت انتباهي صمتك وجمودك على الكرسي بينما أمال كانت تولول وتجهش بالبكاء وتلطم وجهها وتشارك في رقصة الموت. كنت كأبي الهول تخبّئين

عينيك بنظّارات سود كأنك تودّين وضع حاجز بينك وبين ما يدور حولك.

- كنت أصغي إلى نواحك أيها الغالي، نواحك الذي لم يسمعه أحد سواي. كنتَ ترثي حبيب قلبك وتعدّد صفاته وتتمنى لو كنت محلّه ولو تتمكّن من افتدائه بحياتك وقلت حرفيًّا: «يا ريت أنا اللي في التابوت، لشو حياتي بعدك». وأدركتُ أن حبّك لابنك سامي هو أكبر من حبّنا لوالدنا؛ فلا أحد منا تمنّى لو كان محلّه في التابوت على الرغم من حزننا الشديد على فراقه.

- حبيبتي هبى، ما أرهف حسّك بي! وما سمعتِه في تلك اللحظة هو صحيح، لكنّك لم تسمعي جواب أبيك لي؛ طلب مني أن أستمرّ معكم وأحافظ على مصالحكم ووعدني بأيام سعيدة آتية. حاول أن يواسيني، لكنّه صدق بوعده ذاك.

- ٢٥ -

صبيحة اليوم التالي أيقظني من النوم قائلًا: «مَرْت خالك، أمّ غنّام، ناطرتك بالجنينة». هببتُ من سريري، ونزلت السلّم هرولة وسمعتها تقول: «يسعد صباحك يا غالية». قبّلتها وما إن جلست بالقرب منها حتى أتانا «بيتي» بالقهوة «المهلّلة» التي وصلت إلينا رائحتها الشهيّة قبل أن نرتشفها. جلس معنا صامتًا وتركنا نتبادل الأحاديث ونستغيب و«نملش» بعض المعارف الذين اتفقنا في الرأي حول استسخافنا لكلامهم وتصرّفاتهم. لكنّه لم يصمت طويلًا إذ قال: «يلّا استغيبو الناس» أنا سأذهب لأحضّر الفطور وأفكّر في ما سأطبخ للضيفة العزيزة ظهرًا». فما كان من أمّ غنّام إلّا أن قالت: «لا تتعب نفسك، سبق لي أن وعدت الدكتورة بـ«الغمّة» واليوم سأحضّرها لها، وكل شيء بات جاهزًا وحين أعود إلى البيت سأضعها على النار». شكرتها بقبلتين وانصرفتْ لتعود ظهرًا ونتناول معًا أشهى «غمّة مع الكراعين و...» ذكّرتني بطعم تلك «الغمّة» التي كنّا نأكلها مرّة واحدة في السنة حين كانوا يذبحون «كبش»

الغنم المسمّن ويحوّلون لحمه المهروم إلى قورما، نهاية كلّ صيف، قبل عودتنا إلى المدارس في جونيه.

– حبيبة قلبي هبى، قال لي حين بتنا وحدنا في المساء، لقد زارني في المنام، كان وجهه منوّرًا بتلك الابتسامة التي حين كنتُ أراها على وجهه أستبشر خيرًا. تلك الابتسامة نفسها التي ارتسمت على وجهه يوم نجاح ألبير في الانتخابات النيابيّة وفي كلّ مرّة كان يخبرني فيها عن نجاحات أحدٍ منكم. للحظة رأيته قبل أن أستيقظ وقبل أن أضمّه إلى صدري وأشمّ رائحته. لكنّي فهمت معنى زيارته هذه ولهذا السبب سأطوي صفحة الأحزان لأتابع معك الحكاية، التي وإن كان رحيل سامي، بعد مريم ويوسف ومريم الصغيرة وسيّدي خليل، إحدى أهمّ محطّاتها وأكثر ما أثّر في نفسي، إلّا أنّني لن أهمل النواحي المضيئة التي نوّرت وشرّفت كلّ وجودي حتى بعد رحيل بعض الأحبّة الذين أستمدّ منهم القوّة من أجلكم، أنتم أحبّائي الباقين، الذين أتمنّى أن أرحل قبل رحيل أيّ منكم، «قلبي ما عاد يحمل».

– لم تذكر بين الراحلين عمّي فؤاد وعمّي نخله.

– لم أذكرهما لأنهما هاجرا باكرًا وغابا عنّي وتزوجا وأنجبا و... كلّ ذلك وهم في الغربة... ورحلا إلى دنيا الآخرة في الغربة. حزنت لرحيلهما حين أخبرني والدك بذلك. لكن، وبكلّ صدق، لم أتأثّر لموتهما كما يجب... يبدو أن المثل الذي يقول: «بعيد عن العين بعيد عن القلب» فيه شيء من الحقيقة.

- وعمّتي جوليا؟ لقد توفّاها اللّه هنا في الضيعة بعد أن عادت من الهجرة.

- جوليا، تزوّجت وتركتنا باكرًا وأمضت معظم حياتها بعيدة وشعرتُ حيال رحيلها ما شعرتُ به حيال رحيل كلٍ من فؤاد ونخله. أمّا سيّدتي عفيفة فأذكر أنّني حزنت جدًّا لرحيلها وبخاصة أنّها لم تنجب إلّا ديب الذي انتهى في أحد بيوت الراحة. أما تفّاحة التي فارقتني مع ابنيها حبيب وحنا، باكرًا ولم أعد أراها إلّا في المناسبات القليلة، فرحيلها كان عاديًّا وودعتها من دون ألم كبير، وداعي لها كان نوعًا من تأدية الواجب، لأنها، بالنهاية كانت إحدى زوجات سيّدي ومعلّمي، جدّك خليل.

- هل استغرقتك أجواء الفراق وأنستك متابعة الحكاية؟

- لا، فهذه الأجواء هي في صلب الحكاية، لكن سأوقفها ودعيني أتذكّر أين كنا قبل هذه الجولة المأسويّة التي جرّنا إليها رحيل والدك الذي انطلاقًا منه سأتابع.

صمت قليلًا وهو مغمض العينين، ثم فتحهما وقال:

- انتهت فترة التعازي وتفرّقتم من جديد؛ ألبير عاد إلى قبرص حيث عائلته وأمال عادت مع ابنها زياد وزوجها إلى بيتهم في جونيه، وهؤلا تركتني برفقتك إلى بيتها وهي متهيّبة من الفراغ الذي سيستقبلها فيه. أما إدوار مع عائلته فبقي وحده هنا، وبقاؤه أنعش قلبي وأشعرني أنّني قادر على الاستمرار بعد رحيل الغالي سامي؛

إدوار، في تلك الفترة، أعاد إلي الحياة وبتّ مركز استقطاب كلّ أهالي الضيعة والمنطقة. تلك الفترة ذكّرتني بفترة حياة جدّك خليل الذي كان المركز الذي تدور حوله كلّ الأمور في المنطقة. وما شكّل لي مفاجأة جميلة هو عودتك السريعة مع أمّك لتقيما في أحضاني لفترة قصيرة بانتظار انتهاء ما سميتِه في حينه بحرب الإلغاء بين جعجع وعون.

- هربنا، في تلك المرحلة من الحرب اللبنانيّة ولجأنا إليك أيها الغالي بينما لجأت أمال، مع عائلتها إلى الشمال. جئنا ومعنا القليل من الأمتعة لاعتقادنا أنّ إقامتنا هنا لن تطول.

- ومن حسن حظّي أنها طالت وخلالها حدثت أمور كثيرة ومصيريّة للبلد. عدتما في شهر آب، على ما أذكر، وفي نهاية ذلك الشهر أخبرني إدوار أن ألبير مع كلّ زملائه في المجلس النيابي سيسافرون إلى السعودية لمحاولة إيجاد حلّ لإيقاف الحرب في لبنان، تلك الحرب العبثيّة التي دمّرت البلد ولم يخرج منها أحد منتصرًا، وبدلًا من أن نحصي الإنجازات البطوليّة التي حقّقها زعماء تلك الحرب وقادتها، لم نحصِ إلّا عدد القتلى والجرحى والمفقودين والمعاقين وكميّة الدمار التي لحقت بالأبنية وغيرها من مخلّفات تلك المرحلة المجنونة، وحتى الآن ما زلنا نعاني ارتداداتها ونتائجها التي أدت إلى الفرز الطائفي لبعض المناطق وهو أمر مضرّ جدًّا بما نتغنى به حول التعايش وغيره من الكلمات الكبيرة التي يردّدها زعماء هذا البلد الذين هم زعماء طوائف ليس إلّا. ومن

حسن حظنا أنّنا ننتمي إلى طائفة صغيرة ليس لها طموحات كبيرة ضمن تركيبة السلطة.

صمت قليلًا ثم تابع كأنه يكلّم نفسه:

- لا، ليس من حسن حظنا؛ فإذا كان من ضمن اللعبة السياسيّة أن يكون رئيس الجمهوريّة مسيحيًّا فلماذا تحتكر الطائفة المارونيّة هذا الموقع؟ ألا يوجد في طائفتنا من هو جدير بإدارة البلد؟ ما هذا الظلم! ويتشدّقون بالديموقراطيّة! أي ديموقراطيّة وأي بلّوط.

- أتفهّم انفعالك، لكن دعنا من الأمور الكبيرة وأعدني إلى الحكاية، حكايتك.

- الخاص ليس منفصلًا عن العام، يا عزيزتي، وأنت أدرى الناس بذلك. ذهبوا إلى السعوديّة واجتمعوا في الطائف وأنجزوا اتفاقًا سياسيًّا جديدًا للبلد، اتفاقًا يلغي هيمنة المارونيّة السياسيّة لمصلحة مجلس الوزراء مجتمعًا والذي يضمّ ممثّلين عن كلّ الطوائف بطريقة عادلة، ولكن بشرط أن يرأسه شخص من الطائفة السنيّة مقابل ترؤّس شيعي لمجلس النوّاب وماروني للجمهوريّة. بربّك هل تجدين من تغيير هنا؟ ألم تكن هذه التركيبة قائمة قبل اتفاق الطائف؟

- بلى، لكنّ الصلاحيّات تغيّرت.

- هذا على الورق فقط، وكما فهمت ممّا سمعته عن كتاب ألبير «الانقلاب على الطائف» هو أن التطبيق لم يكن سليمًا إذ تحوّلنا من هيمنة المارونيّة السياسيّة إلى هيمنة السنيّة السياسيّة مع دخول الشيعة كشريك مضارب.

- ايّها الغالي لم أزرك لأسمع منك كلامًا في السياسة، كلامًا يمكن أن أناقشه مع أي شخص آخر. جئتك لأكون معك وحدك ولأتغلغل في دواخلك الحميمة. ففي تلك المرحلة كان إدوار وعائلته في أحضانك ثم انضممنا إليهم، أمي وأنا، وأنت كنت مغتبطًا بوجودنا معك وتحاول المستحيل لإسعادنا، و...

- تطلبين المستحيل أيّتها الغالية وهل من انفصام بين السياسة وبيني؟ وهل مواقف ألبير السياسيّة وغيرها ومواقف كلّ منكم في شتى المواضيع لا تعنيني؟ أنت واهمة والسياسة هي من صلب تكويني منذ أوجدني جدّك خليل ولن أخون هذا التكوين حتى مماتي.

- أعتذر منك وأصمت.

- حبيبتي، لا انفصام بين العام والخاص في بنيتي، وتاريخي يشهد على ذلك؛ كنت ملجأ كل محتاج وصاحب مطلب وتريدين منّي أن أقصر الحكاية على قصصكم الداخليّة الحميمة؟ قصصكم الحميمة غالية على قلبي جدًّا لكنّها لا تلخّص كلّ مساري. والآن وقد اعتذرتِ وقبلتُ اعتذارك، فسأتابع وأرجو عدم المقاطعة إلا حين أطرح عليك سؤالًا.

- أنا بأمرك يا غالي، وقد سبق أن قلت لك إنّني سأصمت.

- سأبدأ ببعض التصويبات قبل أن أتابع؛ أنت وأمّك لم تعودا إلى أحضاني في شهر آب بعد وفاة سامي، بل عدتما في نهاية أيلول أو بداية تشرين الأول من سنة ١٩٨٩ بعد أن أنجز اتفاق الطائف

ورفضه الجنرال عون واندلعت حرب الإلغاء. في تلك المرحلة كان ألبير قد سمّي وزيرًا للدفاع في أول حكومة بعد الطائف.

- للتوضيح فقط وليس للمقاطعة، أذكر جيدًا يوم تعيين ألبير وزيرًا للدفاع أنّني كنت هنا وأذكر كيف اشتعلت الضيعة ابتهاجًا ولا أنسى ما قلته لي في ذلك اليوم، قلت: «يا ريت سامي عاش لهاللحظة».

- أقبل التوضيح هذا وأذكّرك بأنكما عدتما إلى جونيه لفترة قصيرة، وغادر معكما حبيبي إدوار للعمل مع أخيه لتعيين صديقه إميل لحود قائدًا للجيش. وعيّن أميل لحّود في ذلك المركز وأقام في أبلح وكان إدوار إلى جانبه تاركاً عائلته في بيروت. وفي تلك الفترة عدتِ مع والدتك إلى أحضاني ومكثتما هنا قرابة السنة. ما أجمل تلك السنة التي تعرّفت فيها إلى هبى كما لم أعرفها من قبل.

- وأنا تعرّفت إليك وإلى الضيعة كما لم أعرفكما من قبل. كنتَ، أنت في أبهى تجلياتك، تقدّم إلي وإلى أمي كل وسائل الراحة، مشرّعًا أبوابك لكل من قصدك، وما كان أكثرهم، في تلك المرحلة، يأتون لعرض قضاياهم ومطالبهم كي نوصلها إلى ألبير الذي وعلى الرغم من اهتماماته السياسيّة لم ينسَ مطالب أهالي ضيعته ومنطقته اللتين أنعشهما بتوفير عمل أو وظيفة أو... لكل محتاج قصده، وكان قد رحّل عائلته إلى فرنسا كي يتفرّغ للشأن العام. وإدوار كان قد انتقل إلى المجلس العسكري وعُزّز موقعه في الجيش بعد مرحلة

من الإجحاف بحقه، ممّا مكّنه من مساندة ألبير في كل الميادين. أما أمال فكانت مبرّزة في دورها في وزارة الصحّة ويوكل إليها كلّ المهام الدقيقة والصعبة ومن موقعها في مجال الصحة ساهمت كثيرًا في مساعدة ألبير على تلبية مطالب أهل المنطقة وبخاصة في كل ما يتعلّق بالاستشفاء أو الحصول على الدواء. وما كان يحزّ في قلبي هو وجود جوزيف في الغربة بعيدًا عنا وهو الطبيب الناجح الذي كان يمكن للبلد أن يستفيد منه ومن خبراته. أما أنتِ، فأوّل دكتوره في الضيعة...

- دعني أنا أخبرك عمّا فعلت بي تلك الفترة؛ لقد أيقظت في داخلي كل المشاعر دفعة واحدة وحفّزتني على اختيار لغة جديدة لم أتقنها من قبل، لا بل كنت أرفضها. إقامتي في الضيعة وفي أحضانك تلك السنة أعادتني إلى ذاتي ومراجعة كلّ اختياراتي ودلّتني على قول جديد هو القول الروائي الذي حسدني عليه أحد أصدقائي قائلًا: «أحسدك لأنّك تمكّنت من إيجاد قولك الخاص».

- دائمًا تستبقين الأمور. لن أعلّق على كلامك وسأتابع حكايتي من دون أن أتأثّر بحرقك للمراحل؛ فبعد إنجازات عديدة قام بها ألبير على الصعيد الوطني وبخاصة في ما يتعلّق بحلّ الميليشيات المسلّحة وغيرها، أتى يوم حسم التمرّد الذي قام به الجنرال عون الذي أدّى إلى مغادرته للبلد ولجوئه إلى فرنسا كما تبعه، ولكن إلى السجن، سمير جعجع بعد قصة تفجير كنيسة النجاة في الزوق. ولكن ما لبث أن انتهى دور تلك الحكومة وانتخب عمر كرامي رئيسًا للحكومة

الجديدة وأعيد توزير حبيب قلبي ألبير، ولكن هذه المرّة عيّن وزيرًا للإعلام كما كان يرغب. فرحت باختياره هذا لأنّني بتّ أراه كل يوم على شاشة التلفزيون، مما عوّض عليّ بعده عنّي. وكلّما ظهر على الشاشة كنت أرفع الدعاء إلى اللّه كي يحميه ويردّ عنه كلّ ضيم.

- هل تذكر كم كانت أم ألبير فخورة به؟

- يحقّ لها ذلك، لقد أنجبت وربّت وتعبت، لكنّها كوفئت لأن «كل واحد فيكم بيرفع الرّاس». ورأسها لم ينحنِ يومًا، فهي ابنة البيت العريق، ابنة فارس الغنّام الذي يشهد الجميع على كبَره وشجاعته ونبله وزعامته، وهي زوجة أول طبيب في الضيعة وابن أحد أكبر زعمائها، إضافة إلى كونها أمًّا لأول نائب ووزير من الضيعة ولأوّل لواء وهو من أنبل الذين دخلوا سلك الجيش، ولأوّل دكتورة تجرّأت على هتك كلّ المحرّمات التي تطال الإنسى، في رواياتها وكتاباتها وكانت أوّل من كتب أطروحة عن تحرير «المرأة» في الجامعة اللبنانيّة، وأمًّا لأوّل ناشطة في المجال الصحّي حتى قبل أن تحصل على درجة الدكتوراه التي أصرت على نيلها ولو متأخرة قليلًا، وأم لأحد أهم الأطباء الذي رفع رأس بلده في الخارج. و«متلما بيقول المتل: تعبت ولاقت». أطال اللّه بعمرها وكلّ أمنيتي الحاليّة هي أن أراها قبل...

- أنت الذي استطرد هذه المرّة وأدعوك إلى العودة إلى تلك الحقبة التي ابتعدت عنها تلبية لرغبتك في إشباع نرجسيّتك من خلال الكلام عن شخصيّة والدتي.

- أنا نرجسيّ مثلك، أيتها الماكرة، وكلّكم خرجتم من هنا من حضني وهذا هو السبب في نجاحكم في خوض غمار الحياة.

- نحن لا نتنكّر لك أيها الغالي، فأنت رفيق دربنا والحضن الدافئ الذي يُشعرنا بالأمان.

- أعرف، أعرف، لكنّ حضني بات باردًا بسبب غيابكم عني لفترات طويلة، والحياة لا تستقيم مع الشعور بالبرد، فهو أوّل بوادر الشّلل. وزيارتك هذه أوقفت تسلّل الشّلل إلى أطرافي، لكنّه سيعود بعد رحيلك، وقد بدأت أشعر باقترابه.

- أنت على حق، ولكن، كما وعدتك، سأعود في نهاية السنة المقبلة وأقيم معك بعد أن أكون قد تحرّرت من وظيفة التعليم في الجامعة.

هزّ برأسه ولم يجبني وظلّ صامتًا وغارقًا في ذاته إلى أن سألته: «وماذا حدث بعد ذلك؟» تنحنح، نظر إليّ، ابتسم وقال: «حبيبتي تصبحين على خير، لقد تعبت، نتابع غدًا».

- ٢٦ -

حين اختليت به في اليوم التالي، بادرني بالقول:

توقّفت البارحة تماشيًا مع المراحل التي مرّ بها البلد، وتلك المرحلة التي أخبرتك عنها لم تدم طويلًا، ففي السادس من أيار سنة ١٩٩٢ أُسقطت حكومة كرامي بإحراق الإطارات التي كانت بوادر مرحلة جديدة هي مرحلة الحريري - غازي كنعان - خدّام.

- لكن من عُيّن بعد الاستشارات، رئيسًا للحكومة في تلك السنة وبعد ذلك الانقلاب كان رشيد الصلح وليس رفيق الحريري.

- كان ترؤّس رشيد الصلح للوزارة، مرحلة انتقاليّة وتحضيرًا لتقصير مدّة المجلس النيابي الذي كان من المفترض أن تستمر حتى سنة ١٩٩٤، ولإجراء الانتخابات الشهيرة سنة ١٩٩٢، تلك الانتخابات التي لم يشهد لبنان مثيلًا لها في كلّ تاريخه.

- قاطع المسيحيّون تلك الانتخابات، لكن ألبير ترشح ولم يوفّق و...

- لا، لا أوافقك الرأي، فألبير، في تلك الانتخابات سقط نتيجة للتزوير الذي وصمت به تلك الانتخابات، وليس لنقص في شعبيّته التي كانت في أوجها. وتصديقًا لما أقول هو ما عوملت به سجلات تلك الانتخابات، إذ إنها أتلفت بالكامل وهي السجلات الوحيدة المفقودة من أرشيف المجلس النيابي. ومن تاريخه بدأ الانقلاب على الطائف الذي لم يتجرّأ أحد على الكلام عنه سوى ألبير الذي وثّق له في كتابه الذي حمل عنوان المرحلة الفعلي. وبعد أن نُشر كتابه الذي حصد صدى واسعًا ليس فقط في لبنان، بل وفي بعض البلدان العربيّة ومنها سوريا التي كانت شريكًا فاعلًا، بهمّة غازي كنعان وخدّام، في ذلك الانقلاب، بدأت مرحلة ما وصفها ألبير بمرحلة الجزمة والمال، فتسلّم الحريري الشق المالي الذي أدير بطريقة أنهكت البلد وأنزلتنا تحت ديون من الصعب الخروج منها، وتسلّم السوريّون الشق السياسي الذي انضوى تحته الأزلام ليحصدوا مواقع ما كانوا يحلمون بها. وقد سمعتُ ألبير في حينه يتحدّث مع زواره ويقول: «لقد علّمنا هذا البيت العنفوان والصدق مع الذات ومع الآخر، ونحن تربّينا على التمسّك بمبادئنا فلا تخيفنا جزمة طاغية ولا يغرينا مال، ولهذا السبب، هذه المرحلة ليست مرحلتنا، لكنّهم لن يسكتوا صوتنا الذي سنرفعه بوجههم فاضحين ممارساتهم. إنها مرحلة انحلال لكلّ القيم التي تربينا عليها ولن نرضخ وسنظلّ متمسّكين باقتناعاتنا مهما جارت الأيّام علينا. نحن أكبر منهم ولن يجرّونا إلى وحولهم، لكنّ خوفي هو أنهم يجرّون البلد إلى الانهيار

والسقوط ويحوّلونه إلى مزرعة يرعى فيها قطعان ماشية لا مواطنون، ويديرها مرابون ينهبون محاصيلها مطأطئي الرؤوس، ورقابهم تحت الجزمة». أذكر أن الحاضرين صفّقوا له ووعدوه بالوفاء له ولمواقفه المشرّفة. في تلك المرحلة، تفرّغ ألبير لعائلته التي اشتاقت إليه واشتاق إليها وأمضى معظم وقته في الكتابة بحيث نشر، بعد كتابه الأول، «الانقلاب على الطائف»، كتابه الثاني وعنوانه «موت جمهورية»، وبعدهما نشر مؤلفه الثالث وهو حول وضع المسيحيّين العرب في الشرق وعنونه: «قدر المسيحيّين العرب». أما على صعيد العائلة فقد اهتمّ مع زوجته بزواج ابنتهما البكر ليلى في صيف سنة ١٩٩٣ وهي كانت قد أكملت دراستها في باريس وتعرّفت إلى شابٍ أحبّته وأحبّها. لم أعرف كيف كان العرس ولا حتى تكرّموا عليّ وعرضوا «فيديو» له هنا في أرجائي.

صمت قليلًا ثم تابع بحسرة: «في تلك السنة تزوّج زياد ابن أمال وتزوّجت أخته غادة، وكلاهما لم يتذكرني». صمت من جديد قبل أن يقول: «هل تعتقدين أن ذلك لا يحزّ في قلبي ويقهرني؟ لكن كلّ ذلك يهون عند غيابي عن حفلة زواج سامي بن ألبير».

- عليك أن تتفهّم الظروف أيّها الغالي فمن غير المعقول أن نعذّب المدعوّين إلى هنا وأنت تعرف موقع ضيعتنا الذي هو على الحدود تقريبًا ويبعد عن بيروت حوالى ثلاث ساعات بالسيّارة.

- لا تحاولي أن تجدي أعذارًا غير مقنعة، فعرس ألبير أُقيم هنا

في حضني ولا أعتقد أن مدعوّي أعراس كلّ من ليلى وسامي وزياد كانوا أكثر عددًا أو أهميّة من الذين حضروا إلى هنا في عرس ألبير.

- معك كلّ الحق، لكن عليك أن تعترف بأن ظروف الأعراس هذه كانت مختلفة عن الظروف التي رافقت عرس ألبير.

- أعترف، ولكن عليكِ أن تعترفي بدورك بأن كلّ جيل يبعد عنّي أكثر من الجيل الذي سبقه؛ جدك خليل لم يفارقني إطلاقًا، والدك كان شديد التعلّق بي على الرغم من غيابه أحيانًا، لكنّ حياته كلّها كانت هنا. أما معكم أنتم أولاد سامي فقد تغيّر الوضع؛ صغارًا كنتم تقصدونني في كل صيف وتمضون معي حوالى ثلاثة أشهر. وحين كبرتم وبدأتم حياتكم الخاصة بتّم تزورونني في المناسبات. أما الأحفاد فبالكاد تعرّفت إليهم. وحده زياد كان يرافق جدّته إلى هنا وقد أمضى في ربوعي أيامًا جميلة. والباقون زاروني بعض المرّات وهبى وسامي أقاما في أحضاني بعضًا من الوقت وبخاصة في فترات التحضير للانتخابات. لن أنسى عامر الذي أمضى معي أشهرًا برفقة والديه أيام الحرب وقد ترك في كلّ الضيعة ذكرى طيّبة، لكنّه الآن نسيني على ما أعتقد وما عاد يزورني إلا نادرًا.

وما إن نطق بكلمة «نادرًا»، حتى صمت وغرق في ذاته وهو يهزّ برأسه قبل أن يقول: «الوحدة قاتلة، تنخر الداخل وتفتّت العظام».

- لا أحد منا ينساك، سارعت إلى القول، أنت مطبوع في ذاكرتنا وفي وعينا ولاوعينا معًا، ثم أودّ أن أصحّح لك حول تفتيت العظام؛ التقدّم في العمر والعَجز هما السبب وأنت ما زلت...

لم يتركني أكمل جملتي وأجاب: «وكيف إن اجتمعا مع الوحدة؟».

- لكنّك ما زلت شابًّا وقامتك منتصبة وهامتك عالية وطربوشك الأحمر لم يتغيّر لونه.

- «اللَّه يجبر بخاطرك» الكلام الجميل ينعش، لكنّه لا يغيّر الواقع، فهو كعمليّات التجميل التي يلجأ إليها بعض نسوة هذا العصر اللواتي ينطبق عليهن المثل القائل: «من برّا رخام ومن جوّا سخام».

- أيّها الساخر، فيما يزعجك «تَصَبْيُن» السيدات اللواتي يرفضن التقدّم في السن؟ إنهنّ حرّات في التعاطي مع أجسادهنّ كما يشأن، أليس جسدهّن هو ملك لهنّ وليس لأحد سواهنّ، وأعرف أنك توافقني الرأي في هذا المجال.

- أوافقك الرأي أن أجسادهنّ هي ملكهنّ وهنّ حرّات في التعامل معه كما يشأن، ولكن نحن أيضًا، فكرُنا هو ملكنا وبالتالي نحن أحرار في الحكم على ما يجري أمامنا؛ هنّ حرّات في تغيير شكلهنّ ونحن أحرار في آرائنا. ألا توافقينني في ذلك؟ والحمد للَّه أنْ ما زال في مجتمعنا نساء يحترمن أجسادهنّ ولا يتعاطين معها كسلعة للبيع أو للعرض على الرغم من موجة ما يسمّونه «العولمة» التي اجتاحت كلّ الكرة الأرضيّة.

- هذا موضوع معقّد والغوص فيه يجرّنا إلى متاهة تخرجنا عن سياق الحكاية التي نحن في صددها. فلنقفل الموضوع ولنَعُدْ إليك

أيها الغالي الذي لا يمكنه نكران أنه خضع لعمليات تجميل في حياته.

- أرجوكِ، كل ما قام به سامي وألبير في تحسين وضعي لم يكن من باب التجميل، بل من باب الحاجة. كلّ ما قاما به يندرج تحت عنوان المحافظة على الصحّة وليس تحت عنوان التجميل الرخيص.

- دائمًا أنت على حق أيها المعلّم وترفض أي نقاشٍ لأفكارك.

- أصمتي أيتها التلميذة وأصغي إلى من هو أكبر منك سنًّا وأوفر منك خبرة؛ لقد علّمتني الحياة الكثير وبخاصة الصدق مع الذات والبحث عن السلام مع هذه الذات، وعلّمتني أن لا أسكت عن الشواذ والخطأ مهما كان الثمن، وأقر بأن كلّ ما سمعتِه مني حتى الآن ليس سوى الحقيقة، وسأتابع على المنوال نفسه لأقول لك إن التغييرات التي حصلت لي لم تمرّ من دون ألم وما زلت أحتفظ في ذاكرتي بصورتي الأولى التي وضعني عليها جدّك خليل، لكنّني لست حاقدًا على حبيبي سامي ومن بعده ألبير اللذين غيّرا بشكلي وفقًا لظروف كلّ منهما وحاجاته.

- أنت جميل ورائع مهما تبدّل شكلك الخارجي وقلبك ما زال هو إياه، منذ أن خرجت إلى الحياة. وردًّا على إقرارك بأنك تقول الحقيقة أقرّ بدوري بأنّني أصدّق كلّ كلمة تتفوّه بها، ولهذا السبب أنا كلّي سمع.

- أعرف ماذا تودّين سماعه وسألبّي رغبتك؛ في تلك الفترة

التي أبعد فيها ألبير عن غمار السياسة المباشرة كان إدوار إلى جانب قائد الجيش إميل لحّود وفي المجلس العسكري، وأنتِ وأمال في وظائفكما وجوزيف في غربته. وعلى صعيد الأحفاد فقد تم زواج لمى بنت ألبير الثانية وكما الزيجات التي سبقته، أقيم في بيروت ولم يشركوني فيه. أما على الصعيد العام، وللحقيقة عليّ القول، إنّني لم أشعر بأي تغيير مهمّ وظللت مقصد كلّ محتاج لأي خدمة، وأبوابي مشرّعة لاستقبال كلّ الزوّار الذين ازداد عددهم وكلّهم نقمة على ذلك التزوير الذي وسمت به تلك الانتخابات. أما الحدث الذي أثلج قلبي فهو كتابتك لروايتك الثالثة «صوت الناي أو سيرة مكان» الذي نُشر سنة ١٩٩٥ والذي قرأت فيه رؤية ثاقبة ونافذة لكلّ ما حدث ويحدث على الصعيد السياسي في البلد، وسررت جدًّا بكلّ النقاشات التي دارت بينك وبين شبان الضيعة المثقّفين هنا في الحديقة ولاحظت أنهم أكثر عمقًا وفهمًا من بعض الذين انتقدوا العمل بسبب قراءتهم السطحية وعجزهم عن الغوص في خفايا النص. إذًا أنتِ وألبير توجّهتما إلى الكتابة بينما بقي إدوار وأمال في وظيفتيهما حيث كانا يقومان بواجباتهما بكل أمانة وصدق ونجاح، ويفرضان احترامهما على الجميع. أما جوزيف فاستمرّ في الغربة حيث كان ناجحًا جدًّا في مجال تخصّصه. والأحفاد توزّعوا كلّ في سبيله وقد اختار سامي بن ألبير الإقامة خارج لبنان وهو، كما تعلمين، يعيش مع عائلته في البرازيل.

- ألا تلاحظ أنك أنت الآن من يحرق المراحل؟ كنا في المرحلة

التي تلت انتخابات سنة ١٩٩٢ وإذا بك تقفز إلى ما هو قائم الآن ونحن في سنة ٢٠٠٧.

- اتركيني أروي الحكاية كما يروقني سردها، واعذريني على عدم احترامي التسلسل الواقعي للأمور، وذلك يعود إلى طعم المرارة الذي يطغى على كل ما عداه في فمي، وبخاصة حين أتذكر ما مرّ بكم جميعًا خلال الحرب وكم مرّة نجوتم من الموت.

- هذه الحالة كانت عامة وكلّنا في لبنان ناجون، ولكل فرد حكايته مع النجاة من الموت.

- أما نجاة إدوار من ذلك الانفجار سنة ١٩٨٤ فكان أعجوبة، وحين أخبرني عن التفاصيل لم أصدّق.

- ونجا منه أيضًا دولة الرئيس سليم الحص الذي كان مقصودًا.

- تخيّلي لو أن إدوار لم ينسَ مفاتيح سيارته في البيت ولم يرغمه ذلك على العودة إلى الطبقة الخامسة حيث كان يسكن، تخيّلي لو باشر ممارسة تمارينه الرياضية جريًا على عادته كلّ صباح أمام مدخل البناية، اللّه ستر، وإلا لكان جسده تطاير نتفًا كما تطايرت أجساد الكثيرين من الأبرياء. بعد أن أخبرني بتلك الحادثة بتّ كلّ يوم أرفع صلاة الشكر إلى اللّه الذي نجاه كما نجّى جوزيف يوم السبت الأسود وكما نجى أمال يوم الهجوم على الكرنتينا وكما نجّى ألبير مرّات عديدة خلال حصار بيروت في السنة ١٩٨٢ ومن كلّ التهديدات التي أحاطت به خلال كلّ المراحل من تلك الحرب.

صمت قليلًا ثمّ قال: «اعذريني، كلّ المراحل تتداخل في رأسي، لذلك سأتوقّف عن الكلام لأستعيد ترتيب ذاكرتي. على كلّ حال لقد تجاوزنا منتصف الليل. أراك في الصباح».

- ٣٧ -

استقبلني «بيتي» الغالي صبيحة اليوم التالي وهو يقهقه وقال:

- لم أخبرك بأطرف تعليق سمعته في حياتي وهو التعليق الذي أدلى به ألبير إثر إعلان النتائج المزوّرة لانتخابات سنة ١٩٩٢ وحينما سئل عن نجاح أحد أفراد أهالي الضيعة بذلك المنصب.

- أعرف ذلك التعليق وقد أخذ في حينه ضجةً كبيرة.

- وهو تعليق لم يخطر ببال أحد حين شبّه ذلك «النائب» بالذبابة على قفا الخيل في السباق وتعتقد أنها فازت بفوز من هي على قفاه. على كلّ حال انتبه الحزب إلى غلطته تلك وتخلّى عنه في الانتخابات التالية. وهنا لا بدّ لي من البوح بعتبي على حزب اللّه الذي ساهم مساهمة فاعلة في إغلاق أبوابي؛ ففي انتخابات سنة ١٩٩٦ تخلّى عن حليف شجاع وصاحب مواقف مشرّفة وانصاع لأوامر خدّام وغازي كنعان، في اختيار أفراد لائحته، وأبعدوا ألبير الذي خاض تلك الانتخابات فقط لتثبيت الموقف وإن كان واثقًا من عدم نجاحه.

- أنت تعرف جيدًا ما يردّده ألبير باستمرار وهو أن الشخص هو الذي يصنع المنصب وليس العكس كما هو سائد.

- حبيب قلبي ألبير رجل مبدأ ولا يتلوّن وفقًا للمراحل ولا يبدّل قناعاته وفقًا للمصالح؛ وكثيرون هم الذين راهنوا على أنه سيغيّر موقعه بعد انتخابات سنتي ١٩٩٢ و١٩٩٦، لكن خسئوا فهم لا يعرفون معدن هذا الرجل، وأنا أعذرهم لأنّ رجال الدولة الحقيقيّين هم إلى اضمحلال في وطننا الكريم.

- أنت على حق والواقع يثبت صحّة رأيك. لكنّي لا أوافقك الرأي بأنّ أبوابك قد أغلقت وحمّلت الحزب هذه الفعلة؛ لا يستطيع أحد أن يغلق أبوابك مهما علا شأنه. هل نسيت أنك ابن الحكمة والوفاء كما أخبرتني سابقًا؟

- لم أنسَ لكنّ عتبي كبير.

- عليك أن تفهم، أيّها الغالي، أنّنا من طينة الذين لا يحنون رؤوسهم مهما كان المكسب، وألبير رجل حرّ وصعب القيادة ولا يرضخ لأمر أحد، ولهذا السبب يهابونه ويفضّلون عليه من هو أكثر طواعية و...

- أحسنت، هذا هو رأيي فيكم جميعًا وهذا محطّ اعتزازي واستمراري مع أنّني بلغت المئة والسبع سنوات من عمري، وسأرحل ورأسي مرفوع بكم وبكل من عاش في حضني. أما الآن فدعيني أتابع الحكاية كما رتّبت أحداثها ليلة البارحة في ذاكرتي وسأنتقل

إلى المرحلة التي تسلّم فيها إدوار مديريّة أمن الدولة؛ حين انتخب إميل لحّود رئيسًا للجمهوريّة، كان الكلّ متأكّدًا أن إدوار سيستلم مديريّة الأمن العام كما كان مُتوقّعًا. لكنّ إميل لحّود الذي كان لإدوار وألبير اليد الطولى من استلامه قيادة الجيش، لم يجرؤ على مخالفة الهيمنة السوريّة التي كانت سائدة في حينه، وحاول أن يرضي إدوار بمديريّة أمن الدولة بعد أن قرّر الحاكم الفعلي تعيين سواه للأمن العام. وإدوار، بصفته صديقًا وفيًّا، تفهّم الواقع وتسلّم المركز الذي عُيّن فيه وكان تابعًا مباشرة لرئيس الحكومة الذي كان في حينه، رفيق الحريري وذلك منذ سنة ١٩٩٢ على أثر تلك الانتخابات الفضيحة وما تبعها من انقلاب على الطائف. تسلّم إدوار المديريّة وكما في كلّ منصب شغله، حوّلها إلى أداة فاعلة في المحافظة على أمن الدولة، وكان يزور الحريري مرّة كلّ أسبوع مع وجوده الفاعل في مجلس الأمن الذي كان يعقد بمشاركة رؤساء كلّ الأجهزة الأمنيّة والوكيل السوري الذي كان يحاول أن يفرض رأيه في كلّ الأمور، حتى انفجر، مرّة، إدوار في وجهه، ووضع له حدًّا، إذ قال له كما أخبرني لاحقًا: «أنا أعلى منك رتبة والأمر لي وليس لك»، مما استدعى تدخّل رئيس الجمهوريّة إميل لحّود مع إدوار لتسوية الوضع بعد أن علم بما حدث في ذلك الاجتماع.

– قلت لي إنك ابن الحكمة والوفاء وأقول لك إن والديّ أضافا إلى هذه الثنائيّة حدًّا ثالثًا وهو الشجاعة التي ورثناها من والدتي ابنة الشيخ فارس الذي كان لا يهاب الموت عندما يتعلّق الأمر بكرامته،

ولهذا السبب لا أستغرب موقف إدوار الذي كان سيتّخذه كلّ واحدٍ منا لو كان في موقعه.

- لا تقنعي مؤمنًا، وخير دليل على هذا الحدّ الثالث الذي تكلّمت عنه هو كتاباتك في السيرة وفي تحرير الـ «إنسى» التي لم يتوصّل أحد، حتى الآن، إلى أن يقاربها من حيث الشجاعة. أسمع الآن العديدات من النساء اللواتي يطالبن بالتحرّر وغيره، لكنّي لم أجد في قولهنّ سوى الصدى لما قلته وكتبتِه منذ عشرات السنين، لكنهنّ جاحدات بحق من سبقهن ويعتقدن أنهنّ رائدات. ولكن، يا عزيزتي، الجهل كما التجاهل هما سيّان عند من يسمّون أنفسهنّ مثقّفات وناشطات في سبيل تحرير الـ «إنسى» التي ما زلن يسمّونها «امرأة».

- «بيتي» لقد حدتَ عن الموضوع وأذكّرك بأنّك كنت تحكي عن الفترة التي...

- سأعود إلى السياق، ولكن كان لا بد من التعليق ولو السريع على ما ظننتِ أنّني أجهله في بنية شخصيّاتكم المتنوّعة على قاعدة الثبات على المثلّث الذي ذكرته. ولستِ بحاجة إلى تذكيري أين توقّفت لأستطرد. تسلّم إدوار مديريّة أمن الدولة وكان وفيًّا جدًّا لصديقه إميل لحّود وإلى جانبه في كلّ خياراته، وكان صادقًا مع رئيس الوزراء رفيق الحريري الذي كان يزوره كلّ أسبوع مميّزًا بين وضعه الوظيفي ووضعه كشقيق ألبير الذي كانت مواقفه وتصريحاته

تصبّ كلّها في نقد الوضع القائم الذي كان يرى فيه سَوْق البلد إلى الانهيار وتحويله إلى مزرعة تُفرغ محاصيلها في الصناديق المتعدّدة التي كانت جميعها تحت سلطة رئيس الوزراء.

- وهل تعتقد أن مواقف ألبير تلك لم تربك إدوار في أداء دوره كما يجب؟

- إدوار تعاطى بالأمن تاركاً لألبير المجال السياسي، وكل منهما أدى دوره بكلّ إخلاص للذات وللبلد أولًا على الرغم من المحاولات العديدة من قبل السياسيّين وغيرهم للتفريق بين الشقيقين. لكن تماسكهما ووحدة نظرتهما إلى كلّ الأمور كانت أقوى من كلّ تلك المحاولات، وهذا ما كان يثلج قلبي الذي لم يخب ظنّه ولا مرّة بمن ولد وترعرع تحت طربوشي الأحمر الذي زيّن به هامتي سيّدي ومعلّمي، جدّك خليل.

- ولن يخيب ظنّك بنا أيها المعلّم وسنبقى أولادك المخلصين إلى مماتنا.

ابتسم بمرارة وقال:

- أرجو أن تظلّوا مخلصين لي بعد رحيلي وأطلب من الله أن يطيل بأعماركم لأن الجيل الجديد من الأولاد سينساني حتمًا والبعض منهم لم يزرني إلا نادرًا، حتى إنّني لا أعرف أولادهم. ولكن للأمانة عليّ الاعتراف بأن البعض منهم زارني وأذكر، كالحلم، أولاد الدكتور زياد بن أمال وأبناء ليلى ولمى وغادة. حتى ابنا جوزيف زاراني مرّة

حين أتيا مع والدهما من أميركا سنة ١٩٩٧ على أثر خلاف بين والديهما. وحين سوّيت الأمور بين جوزيف وزوجته، عادوا جميعًا إلى أميركا ولم أعد أراهم... وهل يعقل ألا أتعرّف إلى أولاد سامي بن ألبير مع علمي الأكيد بتعلّق سامي بي... لا أدري أي حيّز أحتلّ في ذاكرة كلّ هؤلاء الأبناء... الكائن لا يموت ما دام يحتلّ موقعًا، مهما صغر، في ذاكرة ما وسأحيا فيكم بعد رحيلي... ولكن ما لنا ولهذا الموضوع وسأعود بك إلى نهاية التسعينات من القرن الماضي وبداية الألفيّة الجديدة؛ استمرّ الوضع على ما كان عليه وظلّ ألبير مستبعدًا عن السياسة المباشرة وظلّ على ثباته وثبات مواقفه بينما لم يتغيّر شيء في وضعك ووضع أمال، بل على العكس فقط تعزّز وضع أمال في وظيفتها وذلك بسبب نشاطها وعلاقاتها الطيّبة مع كلّ من تعاونت معه، بينما توجّهت أنت نحو كتابة الرواية بحيث بتّ تنشرين كلّ سنتين تقريبًا رواية جديدة. أما جوزيف فاستمرّ في أميركا حيث كان نشيطًا ومميّزًا في ميدان اختصاصه وساعد زياد، ابن أمال، الذي كان قد توجّه إلى أميركا، مباشرة بعد زواجه، لمتابعة تخصّصه بعد أن اختار ما اختاره خاله من قبله، وهو ميدان التوليد والجراحة النسائيّة. وزياد، لم يخيب توقعات خاله وبرز في مجال اختصاصه قبل أن يعود إلى لبنان رافضًا رفضًا قاطعًا البقاء في الغربة، بينما سامي ابن ألبير الذي تخصّص في هندسة «الكمبيوتر» فاختار الإقامة في البرازيل بعد أن تزوّج من سيّدة برازيليّة. أما عامر فقد اختار العمل الحر والتنقّل بين لبنان والخارج، لكّنه يقيم في لبنان. والبنات كلّهنّ

مقيمات مع عوائلهنّ في لبنان. ولكن، في النهاية لا فرق عندي بين المقيمين في لبنان والمقيمين في الخارج، فجميعهم لا يزورونني إلا نادرًا، وحين يزورونني، لا أشعر بقربهم مني كما أشعر بذلك معكم أنتم أولاد حبيبي سامي.

- هذه هي حال كلّ العائلات اللبنانيّة التي نبتت جذورها في الضيع وتوزّعت أغصانها في كلّ أرجاء الوطن والمهجر. وضعهم يشبه إلى حدّ كبير قصة هذا الكون وما يسمونه بالانفجار الكبير، أو «البيغ بانغ» الذي منه بدأ تكوّن هذا العالم بفعل التمدّد الذي أحدثه ذلك الانفجار، وليس أمامنا خيار سوى الخضوع لهذه العمليّة التي لا تبالي بالأفراد ولا حتى بالجماعات والـ...

- أفهم من كلامك أن جدّك خليل كان بمثابة الانفجار الكبير، كما سميتِه، لهذه العائلة التي باتت أغصانها ممتدّة إلى أقاصي الأرض، ابتداءً من أستراليا مع نخله وفؤاد وجوليا، ولاحقًا جانيت، وإلى أميركا حيث جوزيف، وإلى البرازيل حيث سامي، وإلى بيروت وضواحيها لكم أنتم المقيمين في لبنان. أما أنا فما زلت مكاني حيث ولدت ولن أتزحزح من موقعي إلا إلى جانب سيّدي الذي بتّ أشعر أنّه ينتظرني.

تجاهلت تعليقه وعدت به إلى الوقائع الملموسة وطلبت منه أن يتابع سرده وتعرّجات ذاكرته التي أعرف جيدًا أنها لم تفرغ بعد. فهِم تهرّبي من الكلام حول النهايات وقال، كأن الاستطراد الأخير لم يحدث:

- لدي، بعد، الكثير من الكلام، ولكن أطلب منك أن ترحمي شيبتي وتضاؤل قدرتي على التركيز الطويل واتركيني استمتع بنوم هادئ وأنت في حضني. أعدك بأن الصباح سيكون زاخرًا بالكلام حول كلّ ما عايشته بكلّ حلاوته ومرارته، ووعد الحرّ دين.

- ٢٨ -

صبيحة اليوم التالي أيقظني من النوم باكرًا وقال:

- سأبدأ الكلام ليس بما انتهيت إليه البارحة، وسأعود إلى المرحلة التي حكم فيها البلاد الرئيس إميل لحود والتي لم تنصف إدوار كما يجب، على الرغم من أنه كان مقرّبًا جدًّا من الرئيس ولعب دوره بكلّ أمانة وصدق. تلك المرحلة التي امتدّت تسع سنوات كانت جائرة بحق ألبير، وذلك بسبب التسلّط السوري ومشاركة الحريري فيه وتشكيل تلك البدعة التي أطلقوا عليها اسم «الترويكا» بحيث بات يحكم البلاد ثلاثة رؤساء بدلًا من أن يحكمها رئيس الجمهوريّة ومجلس الوزراء مجتمعًا.

- اسمح لي بملاحظة صغيرة، وذلك للدقّة فقط: تلك البدعة، «الترويكا» لم تُركّب في عهد إميل لحود، بل في عهد الياس الهراوي.

- لا يهمّني في عهد من رُكّبت، ما يهمّني هو نتائجها على البلد حيث احتكر «ابن الحريري» مجلس الوزراء وبات هو الناطق باسمه.

احتكر السلطة هذا الوافد إلى لبنان والذي أُسقط بـ «البراشوت» من دون أن نكون قد سمعنا به من قبل. وأطلق على عهده صفة الإعمار بينما تبيّن لاحقًا أنه كان عهد الإفقار الذي أنزل البلد تحت ديونٍ أغرقته إلى «ولد ولده». المهم هو أن ألبير، في تلك المرحلة أبعد عن المشاركة في الحكم هو الذي اعتقد الجميع، أنه سيشارك في كلّ وزارة تؤلّف في عهد لحّود.

- لكنه شارك سنة ٢٠٠٤. كنت أنا، في تلك المرحلة، في أميركا أزور جوزيف وسمعت الخبر هناك.

- شارك في حكومة ألّفها دولة الرئيس عمر كرامي، ابن الأصل والبيت الكريم الذي يعرف الأصول ويعرف من هم رجالات الدولة. ولم يقبل ألبير الاشتراك في تلك الحكومة إلا كرمى لرغبته هو الذي أصرّ على أن يكون ألبير إلى جانبه ولو بوزارة من دون حقيبة. تلك السنة شهدت انتهاكاً للدستور الذي عُدّل لكي يمدّد لرئاسة لحود ثلاث سنوات.

- وقد سبق أن انتهك دستور بلدنا من قبل، للتمديد للرئيس الهراوي.

- بلد لا يحترم دستوره ليس ببلد، هو مزرعة كي لا أقول «كر...». على كلّ حال لبنان كان مزرعة يديرها غازي كنعان الذي سلّمه رفيق الحريري مفتاح بيروت. تصرّف رئيس حكومة لبنان، في حينه، كأنه يملك البلد وله حرّية أن يهديه لمن يريد، وقد أهداه لذلك القائد

السوري الذي كان السبب المباشر في خسارة ألبير في الانتخابات، حيث استدعى مخاتير كل البلدات البقاعيّة وأملى عليهم تعليماته التي كانت أوامر، والتي تدعوهم إلى انتخاب من كان مرشّحًا ضدّ ألبير. فعل ذلك في الأيام الأخيرة قبل يوم الانتخاب، حين تبيّن له أن ألبير هو الناجح لو تركت الانتخابات لحريّة الناخبين. لكنّ «اللّه كبير». ونال هذا المغتصب لإرادة الشعب نصيبه كما حدث لاحقًا. ولا أخفيك أنّني فرحت يوم سمعت، بما سموه في حينه، «انتحاره». وسمعت لغطًا كبيرًا حول ذلك الفعل، ولكن انتحر أو انتُحر هما سيّان عندي ما دامت النتيجة هي واحدة.

- لا أستطيع إلا أن أوافقك الرأي لأن التجبّر لا يطاق وفي النهاية ينال عقابه، لكنّني عاتبة على فريق لبناني هو الأقوى في منطقتنا، كيف يتخلّى عن أكثر المؤيدين لخطّه من الناحية الاستراتيجيّة ويظلّ ثابتًا على مواقفه على الرغم من كلّ الإجحاف الذي لحق به بسببهم و...

- لا تكملي، ألبير ليس سهل المراس وهو رجل مبدأ، لا يزيح عن اقتناعاته مهما بلغت المغريات، وينتقد بكلّ موضوعيّة حتى من يؤيّدهم إذا وجد أنهم يخطئون في بعض الأمور. هو، في النهاية، رجل حرّ بكل ما لهذه الكلمة من معنى، وشخص مثله يُهاب أكثر ممّا يُحبّ، إلا من أمثاله وهم، في بلدنا قلّة، وإلّا لما تمكّنا من فهم كيف استطاع رفيق الحريري شراء الكثيرين من «الرجال» الذين كانوا، مبدئيًّا، في السابق، ضد الخط الذي انتهجه. الضمائر التي تشترى

بالمال والتي «تنقل البارودة» من كتف إلى كتف وفقًا للظروف وللمصالح الشخصيّة الضيّقة، نحن لسنا منها. أنتم، أيها العزيزة إلهام وحبيبتي هبى، لستم من هذه الطينة ولهذا السبب تحارَبون ولا تحقّقون ما تطمحون إليه إلّا بعنادكم ونضالكم وثباتكم. نجاحاتكم في أي ميدان عملتم فيه هو الذي فرض وجودكم، ومبدئيّتكم وصدقكم وانحيازكم، دائمًا، لما ترونه حقًّا، هو السبب في تهيّب الآخرين مقاربتكم بسهولة.

- حسنًا أنّنا وحدنا ولا يسمعنا أحد وإلّا اعتبر كلامك مبالغة زائدة، لكنني أتفهمها لأنّك شديد التعلّق بنا كما نحن شديدو التعلّق بك وترانا كما نراك أفضل ما في هذا الوجود.

- أنا شديد التعلّق بكم، صحيح، لكنّي لا أبالغ إن وصفتكم بما أنتم عليه فعلًا وذلك ليس بشهادتي وحدي بل بشهادة كل من تعاطى معكم وخبركم عن قرب. وأحمد ربّي أن تركيبة بنيتكم الشخصيّة قد انتقلت إلى الأحفاد الذين أسمع الكثير عن مواقفهم وسلوكهم. أما الآن فلنعد إلى الوقائع.

- هذا ما أتمنّاه لأنّني أحاول التهرّب من سماع الإطراء وأرغب في الكلام عن الأحداث التي مررنا ومررت معنا بها، لأنها هي التي تشكّل التاريخ، تاريخنا وتاريخك أيّها الغالي.

هنا، صمت «بيتي» لدقائق وهو ينظر إلى الأفق البعيد، ثمّ قال:

- سأحاول تجميع المعطيات قبل أن أتابع؛ ففي تلك الحقبة

كانت جذوعي قد تمدّدت وبات لزياد، ابن أمال ولدان، لكنّه أنهى زواجه وافترق عن زوجته وهو ثاني شخص، بعدك أنتِ، في العائلة، من قام بهذه الخطوة.

- لا تنسَ أن زياد هو الأقرب إليّ وقد ترعرع في بيت جدّه ورافقته في كل فترات نموّه.

ضحك الشيخ الجليل وقال ممازحًا: دعيني أغظك قليلًا لأقول «لعن اللَّه هذه التربية يا عزيزتي». لكن هذا لا يعني أنّني ضد الطلاق حين تصبح الحياة المشتركة غير جيّدة، مع العلم أن غالبيّة من هم مستمرّون في الزواج ليسوا سعداء ولولا وجود الأولاد لكان الكثيرون منهم طلّقوا وتحرّروا.

- إن تلعن تربيتي فهذا يعني أنّك تلعن نفسك لأنّني ابنة هذا البيت الذي يأبى التمثيل على الذات حتى ولو كان في ذلك مخاطرة كبيرة.

- لا تجرّيني إلى متاهات لا أرغب في ولوجها الآن ودعيني أكمل استجماع أفكاري للمتابعة؛ بعد زياد أنتقل إلى ليلى بنت ألبير البكر والتي بات لديها ولدان بعد أن فقدت أوّل طفل أنجبته، ثم غادة التي بات لديها ولدان، ولمى التي أنجبت لنا أوّل حفيدة أنثى بين هذه المجموعة من الذكور عند ليلى وزياد وغادة وتلاها سامي الذي أنجبت زوجته ابنة، ولكن في البرازيل، لكنّها تلتها بإنجاب ذكر أعاد اسم جدّه ألبير بالكامل. وهبى كانت قد تزوّجت ولم تنجب

بعد، وآمل أن يكونوا جميعًا على وفاق مع شركائهم في هذه الحياة. لا أعرف كل الأحفاد لكنّي أتمنى للجميع الخير. ولم يظلّ من دون زواج سوى عامر بن إدوار، وجوي وماتيو ابني جوزيف اللذين كانا ما زالا صغيرين، وأطلب من اللَّه أن يهديهم إلى حسن الاختيار حين يقدمون على الزواج. يبقى أنك أنت الوحيدة التي أوقفت تمدّد أغصان هذه الشجرة التي تمتدّ جذورها عميقًا في قلبي.

- وهل تلومني على ذلك؟

- من أكون كي أحكم على صحة اختيار ما في الحياة أو خطأه، كلّ ما أستطيعه هو أن أبارك حريّة اختيار كل واحد منكم.

- أنت حكيم أيها الغالي.

- ألم أقل لك، منذ البداية، إنّني ابن الحكمة والوفاء؟

- قلتَ ذلك، وأنا لم أنسَ، لكنّي أبديت ملاحظة خطرت في بالي.

- راجعت في ذهني، وبسرعة، أوضاع كلّ سلالة هذا البيت لأقول لك إنّنا كنّا في وضع جيّد قبل أن يقع اغتيال الحريري وتبدأ مرحلة صعبة ولو أنّها كانت قصيرة قبل أن تنجلي الأمور.

- اغتياله أحدث زلزالًا في ذلك النهار.

- كثر من الزعماء اغتيلوا وفي بلدان عديدة، وليس ذلك ما يهمّني، وما أغاظني في تلك الحقبة هو رؤيتي لصورة حبيبي إدوار

مرفوعة، من قبل المتظاهرين، مع الضباط الأربعة كمسؤولين عن اغتيال الحريري.

- رفعوا، في حينه صور كلّ المسؤولين الأمنيين وإدوار كان المدير العام لأمن الدولة.

- أتفهم ردّة فعل الشارع على تلك الفعلة، ولكن ما لم أتمكّن من فهمه، تلك السرعة في صنع الشالات الحمر والبيض، وتوزيعها، كأنّها كانت جاهزة، وتنتظر الحدث. لكنّ ذلك يجرّنا إلى تحليل سياسي يوصلنا إلى القرار الرقم ١٥٥٩ وكلّ حيثيّاته، وأنا لا أرغب في خوض هذا الموضوع وكلّ همّي متابعة ما كان سيحصل لحبيبي إدوار. لكنّ ألبير طمأنني وقال: «لن يطالوا شعرة من إدوار إلا على جثّتي، ولن أدعهم يفعلون ذلك».

- ما ساعد إدوار، في تلك المرحلة هو توجيه الاتهام بالاغتيال إلى السوريين وكان من الواضح لدى الجميع سوء علاقة ألبير، ومن خلاله، إدوار، برموزهم في لبنان ممّا أبعد الشكّ حول إمكان أن يكون إدوار قد اشترك معهم في تلك العمليّة، وأعتقد أنك لاحظت أنهم لم يرفعوا صورة إدوار إلا لفترة وجيزة، من بعدها اكتفوا برفع صور القادة الآخرين الأربعة الذين، أنا متأكّدة من براءتهم، لأن المؤامرة، بنظري كانت أكبر منّا جميعًا، في لبنان.

- سمعت الكثير من التحليلات حول الموضوع ولم أقتنع إلّا بالتحليل الذي قال إنّ اغتيال الحريري أتى في سياق تطبيق القرار

١٥٥٩ وفي الانتقال إلى مرحلة ما سمته كونداليزا رايس ولادة الشرق الأوسط الجديد بحيث تُفتّت الدول العربيّة إلى دويلات طائفيّة، أو كما يقول ألبير، كيانات طائفيّة تتناحر في ما بينها لكي تُنشئ إسرائيل دولتها اليهوديّة وتتحكّم بكلّ المنطقة.

- لم أكن أدري أنّك متابع إلى هذه الحد.

- لا تنسي، يا عزيزتي، أنّني أتابع كلّ المقابلات التلفزيونيّة التي تستضيف حبيب قلبي ألبير الذي لا يراوغ ولا يساير ويقول رأيه بكلّ وضوح وصراحة واقتناع تمامًا كما يقوله هنا أمام من يقصده من أهالي الضيعة أو أهالي المنطقة. إنّه بالفعل رجل المواقف الثابتة إن كان داخل الحكم أو خارجه.

- أنت أكثر من يعرف أن هذا المعطى، خارج التركيبة السياسية أو داخلها، لا يلعب أيّ دور في كيفيّة التفكير عند ألبير. وكلّنا أبناؤك من هذه الناحية.

- أنتم من سلالة الحكمة والشجاعة، أنتم أحفاد الشيخ خليل والشيخ فارس، ودوري ينحصر بالرعاية فقط.

- ونِعْمَ الرعاية أيّها الغالي. أمّا الآن فأنا من يعتذر منك للتوقّف هنا اليوم لأنّني على موعد مع ابنة خالي حياة للذهاب إلى حمص كي أزور أسواقها التي لم أدس أرضها منذ أن كنّا هنا خلال الحرب.

- رافقتكم السلامة ولا تنسي هدّية أمك. لا تطيلي الغياب.

- ٣٩ -

زرنا أسواق حمص وابتعنا كل ما رأيناه مناسبًا من ملابس وخضار وفاكهة وبهارات ومكسّرات و... فترة الظهيرة تناولنا وجبة الغداء في أحد المطاعم الشعبيّة وقبل العودة طلبت من حياة أن ترافقني إلى سوق السمنة، وقصدت متجر الحاج مهيْر الذي كان يقصده والدي كلّ سنة ليبتاع أفخر سمنة حمويّة. لم أجد الحاج الذي كان قد توفّاه اللّه واستقبلني ابنه الذي، حين عرّفته عن نفسي، استقبلني أحسن استقبال قبل أن أبتاع منه السمنة اللذيذة التي تصرّ والدتي على شرائها كلّ سنة لكي تستعملها في تحضير أطباق مآكلها الشهيّة وبخاصة الأرز «المفلفل». وحين عدت في المساء قرأت الاستياء على وجه رفيق دربنا، قبل أن ينشرح من جديد ويقول: «الحمد للّه على السلامة، لماذا كلّ هذا التأخير؟ لقد استهوتك أجواء حمص على ما يبدو، وانتقامي منك هذه الليلة هو أنّني سأنام باكرًا».

حسنًا فعل رفيق دربنا تلك الليلة لأنّني كنت منهكة وغير جاهزة إلّا للنوم الباكر الذي اتفقنا عليه حتى ولو كان اتفاقنا هذا لأسبابٍ

مختلفة. وفي صبيحة اليوم التالي استفقت ولم أجده واقفًا بالقرب من سريري كما عوّدني في تلك الزيارة. بحثت عنه طويلًا قبل أن أراه يدخل باب الدار ورائحة الصعتر تفوح منه وهو يقول: «أتيتك بالمناقيش، أنت، حتمًا، جائعة فالبارحة مساءً لم تتناولي أي طعام». طوّقته بذراعي وقبّلت جبهته وقلت: «هذا يعني أنك رضيت عنّي». وأجابني بسرعة: «وهل يعقل أن أعاقبك أكثر؟ يلّا صافي يا لبن».

لم تكن جلستنا الصباحيّة لتناول المناقيش فقط، بل كانت جلسة استعاد خلالها «بيتي» مرحلة من مراحل حياته. وما إن ناولني منقوشة ملفوفة بورقة بيضاء حتى قال:

– سنة ٢٠٠٥ كانت قاسية علينا جميعًا وبخاصة على ألبير وإدوار. ولكن بعد اغتيال الحريري ورفع صور رؤساء الأجهزة الأمنية كمسؤولين عن تلك الجريمة لم نبقَ صامتين. وفي يوم من تلك الأيام العصيبة استفقنا على رؤية لافتات كبيرة على كلّ طرقات المنطقة حتى حدود بعلبك، لافتات تشيد كلّها بمناقبيّة حبيب قلبي إدوار وأخلاقه وإخلاصه وأصالته. فرحت بردّ الفعل ذاك واعتبرته تلميعًا لصورة إدوار التي حاول بعض الغشماء تدنيسها. بالفعل أتت النتيجة كما كنّا نتوقّع، إذ أوقف الضباط الأربعة للتحقيق، ثمّ السجن بينما ظلّ إدوار حرًّا. وهنا يجب التنبيه إلى قضيّة مهمّة وهي أنّني لم أكن مقتنعًا بما قاموا به ولا أعتقد أن حكمًا يمكن أن يصدر بناءً على اتهام سياسي ليس له أي دليل مادي وواضح.

- لكنّهم وضعوا إدوار بتصرّف رئيس الوزراء.

- وهذا كان ظلمًا لضابط أمضى حياته المهنيّة في خدمة الوطن؛ لم يتّهم بأي جرم فلماذا اتخذوا هذا التدبير المجحف بحقه؟

- تعدّه إجحافًا ورفاقه الآخرون سجنوا؟

- سجنوا بسبب اتهام سياسي كان من المستحيل أن يطبّق على إدوار، والظلم لا يبرّر الظلم. لا تحاولي إقناعي بما لستِ مقتنعة أنتِ به؛ إدوار ظلم ونقطة على أوّل السطر. ضابط من طرازه وإخلاصه، يجب أن يكرّم في نهاية خدمته لا أن يعامل كما عومل حبيب قلبي.

- قولك صحيح، ولكن لا تنسَ الفوضى والضياع اللذين أعقبا اغتيال الحريري، كلّ همّهم كان الثأر من النظام السوري.

- ونالوا ما يريدون وانسحب الجيش السوري من لبنان، لكنّ كلّ ذلك لا يبرّر تعنّتهم وتجبّرهم.

- لكنّ المصاب كان كبيرًا والضياع مبرّرًا.

- هل تتكلّمين عن رجال دولة أم عن زمرة من الصبيّة غير الناضجين؟

- ما كنت أعرف أنّك تختزن كلّ هذا الحقد.

- من يظلم أحدًا منكم هو عدوّي ولا أغفر له مهما حييت. وملاحظتك هذه نقلتني إلى أجواء جائرة أخرى، لكن هذه المرّة بحق ألبير.

- أ....

- لا تقاطعيني ودعيني أشرح وجهة نظري. في صيف تلك السنة المشؤومة أجريت الانتخابات النيابيّة من خلال تحالفات غريبة استبعد عنها الجنرال عون، وسمّيت، كما تعلمين، بالتحالف الرباعي. وهنا لا أخفيك استيائي من حزب اللّه الذي استبعد ألبير عن لائحته، في الأيام الأخيرة قبل موعد الانتخابات. كنا نعرف أن سبب محاربته في الانتخابات السابقة كانت تعود إلى السوريين، أما وقد انسحبوا في تلك السنة فاستبشرت خيرًا وبخاصة أن الحزب يعرف أن ألبير هو أقوى المرشّحين الكاثوليك في المنطقة. لكنّه خيّب أملي وأمل ناخبين كثر إذ وضع على لائحته أحد أعضاء الحزب القومي السوري.

- الحزب القومي السوري هو حليف لحزب اللّه.

- أعرف ذلك، ولكن كان باستطاعة حزب اللّه أن يختار من الحزب القومي شيعيًّا أو سنيًّا أو مارونيًّا، لكنّي لا أفهم اختيارهم للكاثوليكي من الحزب القومي، إلا استبعادًا لألبير هذا الحليف الاستراتيجي الصلب والثابت في مواقفه مهما تعرّض للخيانة أو الإبعاد. بالفعل كان الكثيرون يعتقدون أن ألبير سيغيّر مواقفه من حزب اللّه بعد أن استبعدوه وبالتالي أسقطوه في الانتخابات. لكن عزيزي ألبير صلب كالصخر ومنحاز حتى الرمق الأخير لاقتناعاته ومبادئه. وهذه المبادئ والاقتناعات هي التي تحدّد تلاقيه مع الآخر

وليس المصلحة مهما كانت مغرية. فحزب اللّه في فعلته تلك أساء إلي ولن أغفر له ما اقترفه مهما طال الزمن فهو ساهم مساهمة فاعلة في عزلتي وشعوري بالوحشة التي لم أعرفها طوال حياتي.

- لكنّ المسامح كريم.

- لا كريم ولا «بلّوط» حين تكون خيبة الأمل كبيرة وآتية ممن تعتقدين أنه يشاركك الكثير من المواقف والتوجهات. كوني أنت كريمة واتركيني أعبّر عن حقيقة مشاعري، أنا الذي لم أخفِ عنك شيئًا من كل ما عشته برفقتكم، بحلاوته ومرارته.

- لكنّك غيّرت موقفك في السنة التي تلت تلك الانتخابات.

- تقصدين موقفي خلال حرب تموز بيننا وبين الكيان الاسرائيلي؟ هنا، يا عزيزتي ينبغي التميز بين الخاص والعام؛ بالخاص موقفي لم يتغيّر، أما في العامّ فكنت مع اقتناعاتي وشعرت بالعزة والكرامة والفرح العارم بما أنجزته المقاومة في تلك الحرب. وبعد النصر الذي رفع رؤوسنا جميعًا على الرغم من أنوف كل من تواطأ مع العدو وخان بلده، فرحت جدًّا بتلك المقالات التي نشرتِها في صفحة رأي في جريدة «الأخبار»، وكنتِ في تلك المقالات خير معبّر عن رأيي وأحاسيسي وكل ما شعرت به من فخر بأنّنا بتنا قادرين على أن نقف بوجه الكيان الصهيوني الذي كان يستسهل اجتياح أراضينا كلّما يحلو له ذلك. أمّا اليوم فهو يحسب ألف حساب قبل أن يجرؤ ويقوم بأي عمل حربي ضدّ لبنان.

- ألا يكفي ذلك لكي تغفر له ما تعتبره إجحافًا بحقنا؟

- حبيبتي، تجاربي علّمتني التميز بين الأمور الخاصة والشأن العام؛ أنا، وانطلاقًا من مبادئي واقتناعاتي، لا يمكنني أن أكون إلا مع كلّ ما يرفع من شأن هذا الوطن وقوّته، هو الذي كان في السابق يتغنى بضعفه وبانيًا كلّ سياسته مع العدو على هذا الأساس، ومتّكلًا على قرارات مجلس الأمن التي لم يحترم الاسرائليّون أيًّا منها. هذا الالتزام بالشأن العام لا يلغي عندي ملكة النقد وأقولها بكلّ وضوح إن الحزب قد أخطأ في استبعاد ألبير عن النيابة وخسر بهذا الاستبعاد أهم من دافع عن قضيّته واستمراره حتى النصر النهائي.

- لكن ألبير ما زال كما هو وبالتالي لم يخسر الحزب شيئًا باستبعاده.

- الصوت داخل البرلمان ليس كخارجه وفهمك كفاية. ومهما تقنعني فلن أغيّر موقفي العاتب، وهذا العتب سأحمله معي إلى مثواي الأخير لأنّني لن أكون...

- ستكون معنا وسترافقنا في كلّ الجولات الانتخابيّة الآتية، وستظلّ رفيق دربنا وحامينا حتى مماتنا.

نظر إليّ بحنان وعيناه تكادان تدمعان، هزّ برأسه وصمت. ومن حسن حظّي أنّني فقدت كلّ كلام في تلك اللحظة. دخل علينا أبو طوني وهو يحمل سلّة عنب عبيدي وسلّة تين من كرومه. وهكذا تمكّنت مع رفيق دربنا من الابتعاد عن المسار الذي كنا قد وصلنا

إليه في حديثنا السابق وانتقلنا إلى أجواء دينيّة حيث ذكّرنا أبو طوني بأن تلك الليلة هي ليلة عيد الصليب، ممّا يعني أن السهرة ستشهد أجواء العيد حيث يقام القدّاس وحيث تلعلع المفرقعات والرصاص وإشعال «القبّولات» على جبل مار توما وغيرها من حيثيّات تقاليد ذلك العيد. وأتى المساء وأنير الصليب على سطح كنيسة مار توما في أعلى الجبل وطغى صوت المفرقعات الناريّة على صوت الرصاص الذي كان خجولاً ممّا استدعى تعليق رفيق دربنا الذي قال: «لقد تمدّنت الضيعة، واستعاضت عن الرصاص بالمفرقعات كما هو دارج اليوم في المدن الراقية». وأتى ردّي: «إنه تمدّن حسن، فالعولمة والتكنولوجيا قد وحّدتا بين كلّ التقاليد وانتقلتا إلى كلّ البيوت». لكنّه لم يوافقني الرأي كليًّا وشدّد على الناحية السلبيّة للعولمة وبخاصة التكنولوجيا التي ساهمت في عزل الناس بعضها عن بعض، وفي رميها في حالات الوحدة القاتلة. تفهّمت ماذا يقصد لكنّني لم أعلّق، وبخاصة أنّني بدأت أتحضّر لمغادرته والعودة إلى بيتي، وهو كان يحدس بذلك وأقرأ هذا الحدس في عينيه وكلّ سلوكه. أمّا تلك الليلة فقد مرّت على خير وطالت سهرتنا مع الأقارب والأصحاب حتى ساعة متقدمة، بحيث أنّنا أوينا مباشرة إلى النوم بعد انصراف الزوّار.

- ٣٠ -

دخلت غرفتي ومن دون أن أضيء النور، بدأت بتوضيب أمتعتي ووضعها في الحقيبة استعدادًا للمغادرة في الغد. تلك الاستعدادات لم تكن مريحة إذ إنّني كنت أشعر بنظراته تراقبني بصمت، ومع ذلك أنهيت عملي وتمدّدت على السرير لاغية من ذهني كلّ تفكير. لكنّ تلك الليلة لم تمرّ على خير، إذ ما إن بزغ الفجر حتى بدأت أسمع هدير الرعد البعيد. نهضت من فراشي وإذ به أمامي ليطمئنني ويطلب منّي أن لا أخاف، لأن ذلك الرعد ينبئ عادة بقدوم السّيل الذي لا أحد يمكنه التكهّن بقوّته. بالفعل ما هو إلا وقت قصير حتى هجم السّيل من باب «التنيّة»، وبدأ هجومه الذي تخطى المجرى الذي كانت البلديّة قد حفرته لاستيعابه، وطاف على الأراضي المجاورة وهو يهدر ويتابع طريقه إلى السّهل والقرى المنتشرة فيه. لكنّه لم يغمر أرض الدار عندنا كما كنت أتوقّع، لأن هناك فاصلًا من البيوت والدكاكين بيننا وبين مجراه وهذا ما سمح لنا بمشاهدته من الشرفة المطلّة على السوق. ولست أدري بأي سرعة حضر المراسلون الصحافيّون وكاميرات التلفزيونات لالتقاط الصور وعرضها في

نشرات الأخبار وعلى صفحات الصحف. وقفنا على الشرفة لأكثر من ساعتين قبل أن يبدأ تدفّق السيل بالانحسار ويخف هديره. وما إن أتت الظهيرة حتى وقف التدفق نهائيًّا ليبدأ إحصاء الأضرار التي سبّبها بالمزروعات و«حيطان» دعم بعض البساتين وربّما بعض الضحايا.

بعد أن استمعنا إلى آخر نشرات الأخبار واطمأننّا إلى أن الأضرار كانت ماديّة بحيث طالت المزروعات وبعض الماشية فقط وليس من ضحايا بشريّة، أقفل رفيق دربنا التلفاز وطلب منّي أن أجلس في حضنه. غمرني بين ذراعيه، قبّل جبهتي وقال:

- أشكر الرعاية الإلهيّة التي منحتني ليلة جديدة مع حفيدة سيّدي ومعلّمي. كنت سأطلب منك يومًا إضافيًّا كي أختم الحكاية.

- ظننت أنك ختمتها البارحة حين أخبرتني عن ارتياحك إلى وضع البلد بعد إثبات المقاومة لقدراتها الدفاعيّة واطمئنانك إلى وضع إدوار الذي لم يُتّهم أو يسجن بقضيّة الحريري وبعد أن عرضت، بجولة سريعة، أوضاع كلّ منا. وعلى كلّ حال سأغادر مصمّمة على زيارتك باستمرار وكي أفي بوعدي لك بأنّني سأمضي معظم وقتي معك بعد تقاعدي في نهاية السنة المقبلة.

طوّق وجهي براحتيه ونظر في عيني بصمت، ثمّ ضمّني إلى صدره بحيث ما عدت أرى وجهه، وقال بصوت خفيض وبنبرة هادئة:

- لم يصمد من كياني حتى الآن إلا ذاكرتي، أما جسدي فقد

بُلي وعظامي نُخرت وبالكاد أتمكّن من الوقوف على رجلي. هل يعقل أن أرافق أحفاد سيّدي سامي وأنا بهذه الحالة؟ لقد تخلّيتِ عنّي أنت وأمال، وحتى ألبير وإدوار وجوزيف تخلّوا عنّي؛ أنت وأمال اكتفيتما ببيت الأهل في جونيه، بينما ألبير وإدوار وجوزيف ورّثوني، بعد إسقاط حقك وحق أمال لمصلحتهم، لأبنائهم الذكور، وهكذا يكون زياد هو الحفيد الذكر الوحيد لحبيب قلبي سامي الذي خرج من كلّ هذه التنازلات فقط لأنه ابن أمال وهي أنثى. والعادات والتقاليد، في ضيعتنا تقوم على توريث الذكور فقط. أنا لا أعرف زوجة سامي بن ألبير ولا أدري من ستكون زوجة عامر ابن إدوار، وزوجتا جوي وماتيو ابني جوزيف، ولا أدري هل في استطاعتي أن أرافقهم كما فعلت معكم وأنا بهذه الحالة من الترهّل والعجز.

‏- أنا أسقط حقي بك، على الورق فقط، لأن ليس لدي وارث كما تعلم، وكنت سأتنازل لإخوتي الأربعة. أمّا أمال فكانت تمانع في البداية قبل تدخّل زياد، وهي تتّهمني بأنّني ضعيفة ولم أقاوم التقاليد والعادات البالية كما أدّعي في كتاباتي. لكن من أقنعها بالقبول هو زياد نفسه الذي دفعها، غصبًا عنها، إلى أن تفعل مثلما فعلت أنا. ولم تقبل بإسقاط حقها إلا نزولًا عند رغبة زياد الذي قال لها: «لا أريد أي مشكل مع أخوالي».

‏- هنا لا بد من الإشارة إلى أن ألبير تعامل مع بناته كما تعامل معك ومع أمال وهنا أرى أنّه منسجم مع نفسه، ومن ساواك بنفسه ليس بظالم.

- وأنا أرى أن الظلم لا يبرّر الظلم. وهنا لا بدّ من الإشارة ولو السريعة إلى ملاحظة، حاولت السكوت عنها وعدم إثارتها لأنّي طالما عالجتها في كلّ كتاباتي، ولكن يبدو أنك مصرٌّ على سماعها ومنّي بالذات لأنك لم تقتنع بما سمعته حول ما قمنا به أنا وأمال؛ أقرّ أمامك الآن بأنّنا فشلنا أمام قوّة التقاليد التي يبدو أنها ليست بالية، لأنها تستيقظ في الوقت المناسب وتفرض نفسها حتى على الذين يدّعون أنهم تحرّروا منها ومن ظلمها. تخلّينا عن اقتناعاتنا التي ناضلنا في سبيلها طوال حياتنا من أجل المساواة بين الرجل والإنسى، وقبلنا مكرهتين، بإخراجنا من أحضانك. ولكنّ إلى أين المفرّ؟ فأنت في صلب تكوّننا، أنت ذاكرتنا وجذورنا، وحضورك فينا هو أقوى من كلّ ما يُخطّ على أوراق رسميّة. حقوقنا فيك وحقّك علينا ستستمرّ مهما قهرتنا الأعراف والتقاليد التي، في النهاية، يعود إليها الذكر، في بلادنا، مهما تعلّم وتطوّر، حين تكون لمصلحته، وهي في غالبيّتها كذلك. وهنا لا بدّ من التنويه بموقف صغيرنا الدكتور جوزيف الذي كان ولا يزال ضد فكرة التنازل الذي قمنا به أنا وأمال لمصلحتهم، هم الذكور. هل تعتقد أن عيشه في الخارج حيث تساوي القوانين بين الذكر والأنثى أثر في تفكيره المختلف هذا؟

- في أميركا، كما أسمع، حقوق الإنسى تفوق حقوق الرجل.

- صحيح، لكنّ جوزيف ما زال يؤمن بالكثير من تقاليدنا ويفضّلها على بعض التقاليد الأميركيّة، لكنّه يعتبر أن موقفه هذا هو من باب العدل بين الإخوة وهو ما زال مصرًّا على موقفه هذا.

قلت ذلك وصمت عن الباقي من الذي كان يجول في خاطري، وهو أنهم بالخطوات التي قاموا بها لم يقصدوا إخراجنا من بيتنا هذا، ولكن ممّا سيأتي بعده. لم أقل له ذلك كي لا أفتح له مجالًا للكلام عن الرحيل. لكنّ «بيتي»، أمام نبرتي الغاضبة والسكوت الذي تلاها، حاول تهدئتي والتخفيف ممّا سمَّيته ظلمًا، متجاهلًا الصمت، وقال:

_على كلّ حال، إخوتك الذكور تخلّوا عن بيت الأهل في جونيه لمصلحتك ومصلحة أمال، وهو أمر حقّق المساواة بينكم على ما أظنّ.

- أنت أكثر من يعلم أن ليس لكما القيمة المعنويّة نفسها؛ أنت رفيق دربنا منذ أن ولدنا وولد أبونا، أنت منبتنا وجذورنا، وروح والدي لم تفارق رحابك وأشعر بها ترفرف في كل أنحائك. أنت «بيتي»، أسكنك وتسكنني مهما حاولوا. أما بيت جونيه فهو رفيق دربٍ قصيرة وهو الشاهد على وفاة والدي ووحدة والدتي من بعده. هو لا يعني لي شيئًا وقد أتخلّى عنه بكلّ سهولة.

- دعينا من كلّ هذه الأمور حول التقاليد والحقوق التي ما عادت تعني لي شيئًا، وأَصغي إليّ جيّدًا: قلت لك إن كلّ كياني كان قد تحوّل منذ فترة طويلة، إلى ذاكرة فقط، ولم أستمرّ في الحياة إلا لأنّني كنت أعيش في الماضي محييًا كلّ أحداثه، وقصتي هي قصّة غالبيّة البيوت اللبنانيّة التي تكون عامرة بأهلها قبل أن تُفرغ منهم

مع مرور السنين، وكلّ جيل يبعد عنها أكثر من الجيل الذي سبقه إلى أن تصبح الديار فارغة وتستمرّ فقط بفعل اجترار الماضي كي لا تموت من البرد ووحشة الوحدة. لكنّني أعتبر نفسي محظوظًا لأنك ستحولين ذاكرتي إلى حبرٍ لقلمك. وكما يُقال: «هيدي حكايتي حكيتها وبعبّك خبّيتها»، فافعلي بها ما تشاءين، مع حدسي الأكيد أنك ستحوّلينها إلى رواية، ولهذا السبب أقترح عليك العنوان الذي سيكون حتمًا: «كان يا ما كان».

- هذا العنوان الذي تقترحه ليس عنوانًا جديدًا ولطالما سمعته منك ومن جدّتي ووالدتي و... كمطلع على كلّ حكاية.

- كنت أتوّقع أنّك أكثر ذكاءً و«بتلقطيها عالطاير». وما قصدته هو التالي: «كان - يا - مكان».

قال ذلك فاصلًا بين الكلمات. فهمت قصده، فانتفضت في حضنه وأخذت وجهه بين راحتي وقلت له بنبرة حاسمة:

- لن تكون فعلًا ماضيًا أبدًا وعنوان روايتي سيكون: «في حضرة المكان». وستظلّ الحاضر الدائم.

- لم أشك يومًا في محبّتكم لي وفي رغبتكم في استمراري معكم، أما أنا، وبعد ما سمعتُه من الخبراء الذين أتى بهم ألبير لمعاينتي، فثبّتوا المثبّت وأنا أدرى منهم بضعفي وعدم قدرتي على التحمّل أكثر وعلى مجاراة نمط حياة أسيادي الجدد. أما الآن وبعد أن اطمأننت إلى أن الصور التي تشكّل كلّ ذاكرتي وكياني قد نطقت

وتحوّلت إلى كلام بحضورك معي، فما عاد لي سوى رغبة واحدة، وأرجو منكم تلبيتها.

صمت قليلًا ثمّ قال وفي صوته غصّة:

- أرجوك، بلّغي ألبير رغبتي في أن يزورني في أقرب وقت. أنا واثق أنه سيفهمني ويرحمني.

بعد أقل من شهر على زيارتي له ومكوثي في حضنه لأيام، كنا مجتمعين يوم الأحد كالعادة عند الوالدة، حين دخل علينا ألبير والحزن بادٍ على وجهه، ومن دون أن نوجّه إليه أي سؤال، أخرج هاتفه الجوّال من جيبه ووجّه نحونا صورة وقال: «هذا كل ما بقي منه». وأجبته: «هذه الصورة باتت كلّ الحكاية». وما إن قلت ذلك حتى لمع في رأسي عنوان جديد لروايتي وهو: «صورة على هاتفٍ جوّال».

صدر عن شركة المطبوعات للتوزيع والنّشر

سلسلة الأدب

الروائي پاولو كويلو

- إحدى عشرة دقيقة (رواية)
- أَلِف (رواية)
- أوراق محارب الضوء (عبارات وعِبَر)
- بريدا (رواية)
- الجبل الخامس (رواية)
- حاج كومپوستيلّا (رواية)
- الخيميائي (رواية)
- الرابح يبقى وحيداً (رواية)
- الزانية (رواية)
- الزَّهير (رواية)
- ساحرة پورتوبيللو (رواية)
- الشيطان والآنسة پريم (رواية)
- على نهر پييدرا هناك جلستُ فبكيت (رواية)
- ڤيرونيكا تقرّر أن تموت (رواية)
- مخطوطةٌ وُجِدت في عَكرا (رواية)
- مكتوب (عبارات وعِبَر)

ليلى عسيران

- الاستراحة
- جسر الحجر
- الحوار الأخرس
- خط الأفعى
- عصافير الفجر
- قلعة الأسطة
- لن نموت غداً
- المدينة الفارغة

د. نعمة الله إبراهيم

- السيَر الشعبية العربية (قصص قصيرة)
- فروخ ناز - ألف يوم ويوم (قصة)

د. أحمد حاطوم

- في مدار اللغة واللسان
- قواعد فاتَتِ النُّحاة
- كتاب الإعراب
- المساجلات
- نقوش

د. شكري نصرالله

- الثالث (رواية)
- قالوا... وفعلوا: وقائع من تاريخ العرب وتراثهم (حِكَم وأشعار)
- كنوز العرب (حِكَم وأقوال مأثورة)

منشورات المجلس القطري للثقافة والفنون والتراث

- تاريخ اللغات ومستقبلها (دراسة) - هارالد هارمان
- فلسطين في الشعر الإسباني المعاصر (شعر) - د. محمد الجعيدي
- هل كنا مثل أي عاشقَين؟ (رواية) - نافتج سارنا

جين ساسون

- بنات سموّ الأميرة (قصة)
- حلقة الأميرة سلطانة (قصة)

سلسلة الأدب

- سموّ الأميرة (قصة)
- لأنك ولدي (قصة)
- مغامرة حب في بلاد ممزقة (قصة)
- ميّادة ابنة العراق (قصة)

منى دايخ

- إيزيس في القدس (رواية)
- بوح أنثوي (شعر)
- طلاق الحاكم (رواية)
- غزَل العلوج (رواية)

راوي حاج

- الصرصار (رواية)
- كرنفال (رواية)
- لعبة دي نيرو (رواية)

روحي طعمة

- امرأة للشتاء المقبل (قصص قصيرة)
- لا أحد يفهم ما يدور الآن (شعر)

طلال حيدر

- آن الأوان (شعر)
- سرّ الزمان (شعر)

عصام محفوظ

- عشرون روائياً عالمياً يتحدثون عن تجاربهم (دراسة)
- مختارات من الشعراء الرواد في لبنان (شعر)

سردار أوزكان

- حين تستحيل الحياة نوراً (رواية)
- الوردة الضائعة (رواية)

د. عبد السلام فزازي

- الزمن المستعار... (رواية)
- ويسألونك عن الذاكرة (رواية)

د. محمد طعّان

- رحلة بهمان (رواية)
- صيف الجرّاح (رواية)

ملك محمد جودة

- أنا... والعيون الزجاجية (رواية)
- رواية ١٩٥٣ (رواية)

نوال السعداوي

- إنه الدم (رواية)
- نوال السعداوي وعايدة الجوهري في حوار حول الأنوثة والذكورة والدين والإبداع (دراسة) – د. نوال السعداوي ود. عايدة الجوهري

سليم اللوزي

- خلف العتمة (رواية)
- ذبائح ملوّنة (رواية)

شاكر نوري

- جحيمُ الرّاهب (رواية)
- مجانين بوكا (رواية)

سلسلة الأدب

بالاشتراك مع مؤسسة محمد بن راشد آل مكتوم

- **أصل الغواية (قصص قصيرة)** - منتهى العزة
- **باب للخروج (رواية)** - طارق فرّاج
- **حبيبتي الحقيقة (شعر)** - أحمد طقش
- **الخامدون (قصص قصيرة)** - ربى عنبتاوي
- **نسرين ستموت الليلة (رواية)** - خديجة نمري

شعر

- **أثواب الحزن** - هدى السراري
- **أنظر إليك** - مرام المصري
- **خريف من ذهب** - جوزيف طوبيّا
- **خطوات أنثى** - ردينة مصطفى الفيلالي
- **الظلُّ فجر داكن** - مهدي منصور
- **كما يقع التفاح** - هادي مراد
- **ما يفعله الغريب في الليل** - محمد دياب
- **مثْل السَّكْت** - سوسن مرتضى
- **ميتينغ meeting** - جوليان حكيم
- **هو وهي في السعودية** - هتان بن محمد طاسجي
- **وراء الأفق** - إبراهيم أبو زيد
- **وصيّة شاعرة** - ناهد عيد
- **يساورني ظنٌّ أنهم ماتوا عطاشى** - غسّان علم الدين

دراسات

- **أبعد من الريف: شعراء خالدون في عيون الألف الثالث** - لامع الحر
- **أثر الفكر الديني في روايات پاولو كويلو** - بكادي محمد
- **أحمد فؤاد نجم: تشخيص أوجاع الأمة المصرية** - د. كمال عبد الملك
- **أُخذَةُ كِشْ: أقدم نص أدبي في العالم** - ألبير نقاش وحسني زينة
- **إميل بجاني كاتب في الغربال** - تأليف عدد من الكتّاب
- **جدلية الحب والموت: في مؤلفات جبران خليل جبران العربية** - د. بطرس حبيب
- **الحب والتصوّف عند العرب** - د. عادل كامل الآلوسي
- **الحريم اللُّغوي** - يسرى مُقدّم
- **الدوائر المتّحدة المركز: دراسة نقدية في شعر نزيه أبو عفش** - نادين باخص
- **الرومنطيقيّة في الشعر العربي المعاصر** - د. فيكتور غريّب
- **سنوات ضائعة من حياة المتنبي** - هادي محيي الخفاجي
- **صورة العادات والتقاليد والقيم الجاهلية في كتب الأمثال العربية** - د. محمد توفيق أبو علي
- **طه حسين (من الشاطئ الآخر)** - عبد الرشيد محمودي
- **علم الإبداع** - د. مروان فارس
- **مهما قلت... لا تقل** - نبيل سليمان
- **موسوعة الأمثال والحكم والأقوال العالمية** - منير عبود

سلسلة الأدب

روايات

- **أرملة مهندس** – صالح ابن عايض
- **إمرأة... وظلّان** – خلود عبدالله الخميس
- **ابن الحزب** – فيصل فرحات
- **بائع الفستق** – سمير عطا الله
- **حقيبة حذر** – عاطف البلوي
- **خلف أسوار بيروت (قصص قصيرة)** – عماد بزّي
- **رقص تحت أشجار الكستناء** – عباس جعفر الحسيني
- **سأعطيك الحلوى شرط أن تموت** – وائل ردّاد
- **سوريّو جسر الكولا** – ياسين رفاعية
- **صورة على هاتفٍ جوّال** – إلهام منصور
- **عشّاق أمي** – هاجر عبد السلام
- **الغشوة** – راضي شحادة
- **قصة مشربية – قصة يوطوبيا** – حسن فتحي
- **محاولات اغتيال علي** – محمد بركات
- **مذكّرات امرأة شيعيّة** – رجاء نعمة
- **مولود وثلاثة آباء** – نائل ماجد مجذوب
- **نهاية جيل** – محمد سعيد طالب
- **هل يفرّقنا الدين؟** – حسن السيد أسعد فضل الله
- **١٨ يوماً في ميدان التحرير** – قصة رامي حبيب ورسم أحمد سليم

روايات عالمية

- **«الأصولي» المتردِّد** – محسن حامد
- **ألف عام من الصلاة** – ييون لي
- **اعترافات غايشا** – آرثر غولدن
- **بساط من الزهر الأحمر: البحث عن أفغاني** – نيلوفر بازير
- **بومبي** – روبرت هاريس
- **بيل كانتو – الرهينة** – آن باتشيتا
- **التوأم** – غيربرند باكر
- **حكاية الشتاء** – پول أوستر
- **الخجل والكرامة** – داغ سولستاد
- **دماء الأزهار** – أنيتا أميرسڤاني
- **الطربوش** – روبير سوليه
- **عند تلاشي الضّوء** – أويغن روغه
- **فتاة من بلغراد** – لويس دو بيرنيير
- **اللعنة على نهر الوقت** – بير بيترسون
- **ما تخبّئه لنا النجوم** – جون غرين
- **متتالية فرنسية** – إيرين نميروفسكي
- **مرض الموت** – مارغريت دوراس
- **موعظة عن سقوط روما** – جيروم فيراري
- **الناس والآخرون** – قدري قلعجي

مكتبة نوبل

- **حبٌّ محرَّم** – يوكيو ميشيما (الذي تخلّى عن جائزة نوبل مرّتين)
- **رحمة** – توني موريسون
- **المنوَر** – جوزيه ساراماجو

International Press

الجية، طلعة زاروط،
مبنى **International Press**، لبنان
هاتف: +٩٦١ ٧ ٩٩٦٢٠٠ /٣٠٠
البريد الإلكتروني: **Interpress@int-press.com**
الموقع الإلكتروني: **www.int-press.com**